FAIRE SON PAIN SOI-MÊME

Couverture

- Photo:
  FRANÇOIS DUMOUCHEL
- Maquette:
  GAÉTAN FORCILLO

Maquette intérieure

- Conception graphique:
  ANDRÉ LALIBERTÉ
- Révision:
  GENEVIÈVE MANSEAU

DISTRIBUTEURS EXCLUSIFS:

- Pour le Canada:
  AGENCE DE DISTRIBUTION POPULAIRE INC.*
  955, rue Amherst, Montréal H2L 3K4 (tél.: 514-523-1182)
  *Filiale de Sogides Ltée
- Pour la France et l'Afrique:
  INTER-FORUM
  13, rue de la Glacière, 75013 Paris (tél.: 570-1180)
- Pour la Belgique, la Suisse, le Portugal, les pays de l'Est:
  S.A. VANDER
  Avenue des Volontaires 321, 1150 Bruxelles (tél.: 02-762-0662)

JANICE MURRAY GILL

FAIRE SON PAIN SOI-MÊME

traduit de l'anglais
par
Michel Beaulieu

LES ÉDITIONS DE L'HOMME *
CANADA: 955, rue Amherst, Montréal H2L 3K4

*Division de Sogides Ltée

Ce livre a été publié en anglais sous le titre:
Canadian Bread Book chez McGraw-Hill Ryerson Limited

Bibliothèque nationale du Québec
Dépôt légal — 4e trimestre 1980

ISBN 2-7619-0122-3

LE PAIN DE MÉNAGE: QUELQUES DONNÉES HISTORIQUES

La pratique qui consiste à faire lever le pain par l'action de la levure, était inconnue en Amérique avant l'arrivée des Blancs. Il nous est malheureusement impossible de savoir si oui ou non les colons faisaient cuire leur pain dans l'établissement norvégien découvert au cours des années '60 à l'Anse-aux-Meadows, sur la pointe boréale de Terre-Neuve, le plus ancien que nous connaissions. Si ce fut le cas, il s'agissait probablement d'un pain plat du genre *bannock,* composé de farine grossière, plutôt que de pain levé de farine de blé. Le Canada devait attendre encore cinq cents ans et l'établissement des Français à Port-Royal, en Nouvelle-Écosse, avant de connaître le pain levé. Il ne s'agit pas cette fois-ci d'une hypothèse: Marc Lescarbot, le chroniqueur de l'expédition, nous a laissé de nombreuses informations.

À leur arrivée à Port-Royal sous la direction de de Monts et de Poutrincourt, les Français apportaient avec eux une meule manuelle ou un moulin à bras dans le but de broyer leur grain. Ils apportaient de plus une provision de grains et de graines de semence pour leurs éventuelles récoltes. Dès leur arrivée, quelques hommes se sont attelés au broyage du grain, car tous mouraient d'envie de pain tendre et frais après plusieurs semaines de traversée à manger des biscuits de mer. Il était malheureusement très difficile d'actionner la meule manuelle, et la situation des hommes chargés d'un tel travail se comparait sans doute à celle de bêtes de somme puisque six d'entre eux devaient mourir d'épuisement. Poutrincourt, en contemplant l'immense flux de la marée qui montait deux fois par jour, eut une inspiration. Marc Lescarbot nous en parle dans son *Journal:* "Et considérant combien le moulin à bras apportait de travail, il fit faire un moulin à eau qui fut fort admiré des Sauvages; depuis cela, nos ouvriers eurent beaucoup de repos. Mais je puis dire que ce moulin nous fournissait des harengs trois fois plus qu'il ne nous en eût fallu pour vivre, car la mer étant haute venait jusqu'au moulin au moyen de quoi le hareng allant s'égayer par deux heures en l'eau douce était pris de bonne guerre au retour."

C'est ainsi que les marées de la Baie de Fundy furent mises à contribution pour la première fois. Le moulin fournit abondamment de farine à pain aux colons, et le blé semé donna une récolte si abondante que les réserves de farine comblèrent largement les besoins de la colonie. Au cours de l'hiver, en effet, lorsque Champlain eut établi son Ordre du Bon Temps, il échangea du pain avec les Amérindiens contre les denrées nécessaires à la confection des plats fins qui allaient orner ses tables de festin. "Mais nous avons eu quelquefois demi-douzaine d'esturgeons tout à coup que les Sauvages nous ont apportés et troqués contre du pain dont notre peuple abondait."

Les Français ont toujours accordé beaucoup d'importance au pain, et leur arrivée au Nouveau-Monde n'y a rien changé. En fait, cet attachement leur a même valu de se retrouver dans une situation critique. Au cours d'une expédition d'exploration sur la côte, Poutrincourt se vit forcé de mettre pied à terre pour reposer son vaisseau endommagé. Lescarbot nous raconte cette équipée: "Là ou était la barque arrivée, on fit diligence de faire une forge pour la raccoutrer avec son gouvernail et un four pour cuire du pain... Au bout de quinze jours, ledit sieur de Poutrincourt voyant sa barque raccoutrée et ne rester plus qu'une fournée de pain à achever, s'en alla environ trois lieues dans les terres... Mais au retour, il aperçut les Sauvages fuyant par les bois. Ces façons de faire donnèrent opinion au sieur de Poutrincourt que ces gens-ci machinaient quelque chose de mauvais. Partant, quand il fut arrivé, il commanda à ses gens qui faisaient le pain de se retirer en la barque. Mais comme jeunes gens soun bien souvent oublieux de leur devoir, ceux-ci, ayant quelque pain à faire, aimèrent mieux suivre leur appétit que (faire) ce qui leur était commandé et laissèrent venir la nuit sans se retirer. Ces Sauvages vinrent sans bruit jusque sur le lieu où ils dormaient et en tuèrent deux. Les autres, blessés, commencèrent à crier. La sentinelle dans la barque s'écrie tout effrayée: "Aux armes, on tue nos gens! " À cette voix, chacun se lève et ils se mirent dix dans la chaloupe mais les Sauvages s'enfuirent à toute allure."

Le vaisseau de ravitaillement suivant apportait malheureusement au petit établissement de Port-Royal la nouvelle que de Monts avait perdu son monopole de traite des fourrures. Il fallait donc abandonner la colonie. Lescarbot nous décrit la scène: "Ce nous est un grand deuil d'abandonner ainsi une terre qui nous avait produit de si beaux blés. Il ne nous restait plus qu'à préparer les choses nécessaires à notre embarquement. Et en cette affaire nous vint bien à point le moulin à eau, car autrement il n'y eût eu aucun moyen de préparer assez de farine pour le voyage. Mais enfin nous en eûmes de reste que l'on bailla aux Sauvages pour qu'ils se souviennent de nous."

C'était la fin provisoire de l'établissement en Acadie, et si les Amérindiens avaient voulu continuer à satisfaire leur goût nouveau pour le pain de blé, il leur aurait fallu remonter le Saint-Laurent jusqu'à Québec, que Champlain devait fonder l'été suivant. La colonie française grandit et prospéra, des colons robustes arrivèrent de Normandie et s'établirent le long des rives du fleuve majestueux.

Chacun connaît le nom de Louis Hébert, le premier colon canadien, mais peu ont conscience de ce qu'il s'est établi, cultivant et élevant sa famille, et de ce qu'il est mort un an avant l'arrivée au pays de la première charrue française. Quel travail éreintant que de faire pousser du blé sur une ferme de 10 acres avec pour seuls instruments un hoyau, une bêche et une houe! Mais il y est effectivement parvenu, et l'on vit bientôt les habitants des seigneuries riveraines payer des rentes censitaires à leur seigneur le jour de la Saint-Martin. Il s'agissait d'un impôt nominal, habituellement d'un demi-sou et d'une chopine de blé par arpent de terre.

Ce n'était certainement pas là un impôt exorbitant même si l'on y ajoute la corvée de six jours de travail impayé sur la terre seigneuriale. Le seigneur dut donc trouver d'autres sources de revenus pour maintenir sa dignité. En conséquence, obligation fut faite au censitaire de faire broyer son grain au moulin et cuire son pain au four seigneurial. Cet arrangement ne bénificiait en fait à personne. Les habitants détestaient remettre au seigneur une forte proportion de leurs récoltes; celui-ci devait par contre garder son moulin ouvert et employer un meunier même s'il n'y avait pas de grain à broyer. Pourtant, les moulins seigneuriaux ont continué de fonctionner même sous le régime anglais.

Les fours, par contre, étaient une commodité pour les habitants. Les colons établis sur leurs propres terres et vivant trop loin d'une seigneurie pour faire cuire leur pain au four communautaire construisaient le même genre de fours à pain extérieurs en forme de dôme. On devait les retrouver dans les régions rurales du Québec jusqu'à une époque récente. Ces fours, en argile d'abord, puis en ciment et en gravats, reposaient sur une infrastructure de pieux ou de poutres qui leur assuraient une élévation convenable. Ils étaient habituellement couverts de toitures, dont les plus travaillées ressemblaient au gracieux toit de la maison familiale. Comme ils n'avaient pas de cheminée, lorsque le feu les réchauffait, la fumée s'en échappait par la porte; avec le temps, ils noircirent de façon fort attrayante.

Dans son roman *Maria Chapdelaine,* le romancier français de passage, Louis Hémon, décrit de façon idyllique la cuisson du pain dans un de ces fours du vieux Québec qui avaient bien peu changé depuis la fondation de la Nouvelle-France trois cents ans plus tôt:

"Les soirs de cuisson, l'on envoyait Télesphore à la recherche des boîtes à pain, qui se trouvaient invariablement dispersées dans tous les coins de la maison ou du hangar, parce qu'elles avaient servi tous les jours à mesurer l'avoine du cheval ou le blé d'Inde aux poules, sans compter vingt autres usages inattendus qu'on leur trouvait à chaque instant. Lorsqu'elles étaient toutes rassemblées et nettoyées, la pâte levait déjà, et les femmes se hâtaient de se débarrasser des autres ouvrages pour abréger leur veillée.

"Télesphore avait fait brûler dans le foyer d'abord quelques branches de cyprès gommeux, dont la flamme sentait la résine, puis de grosses bûches d'épinette rouge qui donnaient une chaleur égale et soutenue. Quand le four était chaud, Maria y rangeait les boîtes pleines de pâte, et après cela il ne restait plus qu'à surveiller le feu et à changer les boîtes de place au milieu de la cuisson.

"Le four avait été bâti trop petit, cinq ans auparavant, et depuis la famille n'avait jamais manqué de parler toutes les semaines du four neuf qu'il était urgent de construire, et qui en vérité devait être commencé sans plus tarder; mais par une malchance sans cesse renouvelée, l'on oubliait à chaque voyage de faire venir le ciment nécessaire; de sorte qu'il fallait toujours deux et quelquefois trois fournées pour nourrir pendant une semaine les neuf bouches de la maison. Maria se chargeait invariablement de la "première" fournée; invariablement aussi, quand la deuxième fournée était prête et que la soirée s'avançait déjà, la mère Chapdelaine disait charitablement:

"Tu peux te coucher, Maria, je guetterai la deuxième cuite."

"Maria ne répondait rien; elle savait fort bien que sa mère allait tout à l'heure s'allonger sur son lit toute habillée, pour se reposer un instant, et qu'elle ne se réveillerait qu'au matin. Elle se contentait donc de raviver la boucane qu'on faisait tous les soirs dans le vieux seau percé, enfournait la deuxième cuite et venait s'asseoir sur le seuil, le menton dans ses mains, gardant à travers les heures de la nuit son inépuisable patience."

La vie en Nouvelle-France était en grande partie communautaire. Le colon quittait une communauté en France et, une fois résorbé le choc initial, retrouvait en Nouvelle-France un contexte social dont les lois, les coutumes et les modes de vie ressemblaient beaucoup à ce qu'il avait connu. Sa femme apprêtait son pain et élevait ses enfants dans le cadre du village. Les colons anglais, par contre, changeaient de mode de vie en venant s'installer en Nouvelle-Écosse ou au Haut-Canada. Au Canada, les Loyalistes et les immigrants britanniques s'aperçurent qu'ils avaient presque complètement abandonné la société; des femmes issues de milieux riches et intellectuels se retrouvèrent au fond des bois aux prises avec des tâches qui ne leur étaient pas familières. Ainsi Susanna Moodie, l'une des soeurs lettrées Strickland, décrit-elle en termes colorés dans *Roughing It In The Bush* les expériences qu'elle a vécues dans l'Ontario d'il y a un siècle et demi. L'un de ses meilleurs passages rappelle son premier pain qui n'avait certes PAS été à la hauteur de ses espérances:

"Il n'était pas facile de demander à un homme de chevaucher huit milles pour une miche de pain.

— Essayez donc, chère madame Moodie, en bonne chrétienne que vous êtes, de nous préparer un bon pain," m'implorait Wilson d'un ton déchirant. Celui de votre servante est immangeable.

— Très volontiers, mais je n'ai pas de levain. Et jamais de ma vie, je n'ai fait cuire quoi que ce soit dans ces étranges chaudrons.

— Je vais aller en emprunter à la femme du vieux Joe, dit-il. Ils sont toujours en train de vous emprunter quelque chose." Il s'en alla à travers champs, mais revint bientôt. "Pas de chance, dit-il. Les vieux grippe-sous venaient d'en faire cuire une fournée, mais ils n'ont voulu ni m'en prêter ni m'en vendre une miche; ils m'ont seulement expliqué comment faire.

— Eh bien, vide ton sac, dis-je, mais je doutais fort qu'il se souvienne de la recette.

— Il faut d'abord une vieille casserole en étain, dit-il.

— Faut-il absolument qu'elle soit vieille? demandai-je en riant.

— Bien sûr; c'est ce qu'ils ont dit.

— Et qu'est-ce que je dois y mettre?

— Jetez-y deux poignées de son et une cuillerée à thé comble de sel; mais faites attention de ne pas trop saler, sinon ça ne lèvera pas.

Ensuite, ajoutez assez d'eau chaude à la température du corps pour produire une pâte épaisse. Ensuite, déposez-la dans une casserole d'eau chaude et placez-la dans le foyer près du feu et laissez-la à température constante jusqu'à ce que ça lève, c'est ce que ça fait d'habitude, si vous vous en occupez dans deux ou trois heures. Quand le son craquera en surface et que vous verrez des bulles blanches monter, vous pourrez le verser dans la farine à travers un tamis et former votre pain.

"Ensuite, je devais faire lever le son. Grâce à la recette de Tom, je l'ai mélangé dans la cafetière et déposé celle-ci dans la casserole en étain pleine d'eau chaude à côté du feu. J'ai souvent entendu dire qu'une cafetière qu'on surveille ne bout jamais, et celle-ci ne manquait certes pas de surveillants. Tom passa des heures à la fixer de ses yeux lourds, la servante y jeta un coup d'oeil de temps en temps, et il ne se passait guère dix minutes sans que je vérifie la chaleur de l'eau et l'état des vaisseaux, mais le jour passa lentement et la nuit tomba sans que la cafetière donne quelque signe de vitalité. Tom soupira profondément.

— Tant pis, dit-il, nous aurons du bon pain demain matin; ça devrait bien avoir levé. Je vais attendre jusque-là. J'aime mieux mourir de faim que de toucher à ces gâteaux de plomb.

"J'ai laissé le son toute la nuit près du feu. Au lever du jour, j'ai eu la satisfaction de voir qu'il avait suffisamment levé pour déborder de la cafetière et qu'il était entouré d'une couronne de bulles.

"Mieux vaut tard que jamais", pensai-je en le versant dans ma farine. Tom n'est pas encore levé. Je vais le rendre si heureux avec une miche de bon pain de ménage pour son déjeuner.

"C'était ma première miche canadienne. J'en étais fière en la déposant dans l'étrange appareil où elle devait cuire. Je ne savais pas comment fonctionnait ce four; ni que mon pain, pour être léger, aurait dû reposer une demi-heure dans la casserole jusqu'à ce qu'il lève une deuxième fois, avant d'être mis en contact avec le feu. Il fallait de l'expérience pour savoir à quel moment il était prêt pour la cuisson, et le four aurait dû être amené à la chaleur convenable avant de l'y enfourner. Ignorante de ces détails, j'ai déposé mon pain non levé dans une casserole froide et l'ai recouvert de braises. L'odeur désagréable du pain brûlant qui envahit la maison fut le premier résultat de mon expérience.

— Qu'est-ce que c'est que cette odeur horrible", cria Tom en jaillissant de sa chambre en manches de chemise. "Ouvrez la porte, je me sens malade.

— C'est le pain'', dis-je en enlevant avec des pinces le rond de poêle. ''Pauvre de moi, il est tout brûlé!

— Et il sent aussi aigre que du vinaigre, dit-il. C'est du pain noir de Sparte!

— Hélas pour mon premier pain!'' D'un air lugubre, je l'ai déposé sur la table à déjeuner. ''J'espérais vous faire plaisir, mais je crains que vous ne le trouviez encore pire que les gâteaux.

— Certainement'', dit Tom en plongeant son couteau dans la miche et en le ressortant couvert de pâte crue. ''Eh bien, madame Moodie, j'espère que vos livres sont meilleurs que votre pain.''

Dans son histoire, Susanna Moodie fait allusion à ''l'étrange appareil'' dans lequel le pain devait cuire. Contrairement à Maria, elle n'avait pas de four à pain à sa disposition. Quand on pense à la première cabane des colons de l'arrière-pays, on imagine volontiers un immense foyer de pierre ou de briques accompagné d'un beau petit four fermé par une porte en fer. De tels raffinements n'étaient en fait possibles que lorsque le pionnier avait passé un certain temps sur sa terre, l'avait déboisée et avait fait quelques récoltes, puis avait trouvé le temps et l'argent pour se construire une maison permanente. Le foyer des cabanes primitives était constitué d'un demi-cercle de pierres grossièrement cimentées et menant à une cheminée parfois faite de bois vert, ce qui constituait un effroyable risque d'incendie. Il est évident qu'il n'aurait pas été possible de construire de fours avec des foyers si primitifs; on employait alors des ''marmites'' à cuisson portatives. Il s'agissait d'un vaisseau couvert en fer; on déposait ce qu'on voulait faire cuire sur le couvercle et on renversait la marmite par-dessus. On recouvrait l'ensemble de braise et on laissait cuire. Après que suffisamment de temps se soit écoulé, on dispersait les cendres et on soulevait le couvercle. On peut imaginer quelle somme d'expérience était nécessaire pour parvenir à déterminer la durée de cuisson.

Lorsqu'on se trouve en camping ou qu'on prépare un barbecue à l'extérieur de la maison, il peut être amusant de se faire la main avec le pain des pionniers. Je me suis aperçue que je pouvais produire des miches tout à fait acceptables en me servant d'une marmite en fer à trois pieds ou même d'une casserole en fonte placée sur un trépied. Je laisse lever ma miche dans un contenant en terre cuite (voir le Pain en pot de fleurs) et, une fois qu'elle est levée, je dépose le pot de terre cuite dans la marmite en fer, couvre celle-ci et l'entoure de braises de charbon de bois. Il faut cependant que le feu de camp, ou le barbecue, soit assez grand et contienne suffisamment de braises pour mener à bien la cuisson. Il s'agit d'une méthode "à l'oeil" et qui n'a rien de garanti, mais qui, couronnée de succès, risque de causer une surprise agréable aux autres campeurs, à moins que le boulanger n'ait eu l'outrecuidance de se vanter de son projet, ce qui est le signe avant-coureur d'un désastre. Ce désastre, lorsqu'il survient, permet de comprendre les déboires de madame Moodie.

Une comparaison entre les conditions d'établissement des Français et des Anglais peut peut-être expliquer les différences de goût manifestées par chaque communauté en matière de pain. Les Français aiment un pain qui ressemble au pain blanc européen tandis que les Anglais préfèrent un pain beaucoup plus sucré. Cela découle à mon sens de ce que les Français ont pu dès le début produire leur pain dans des conditions plutôt favorables et reproduire les miches auxquelles ils étaient habitués alors que les Anglais, démunis de fours communautaires et éloignés des moulins où ils auraient pu se procurer du grain moulu, étaient forcés de faire leur pain dans d'"étranges appareils" avec de la farine mal entreposée et moisie. Bien entendu, leur pain était souvent suri et d'un goût douteux; on y ajoutait du sucre pour le rendre plus appétissant. Ces facteurs ont peut-être influencé les colons américains un siècle plus tôt puisque les Américains mangent aussi leur pain sucré. Dans ce cas, les Loyalistes auraient apporté avec eux l'habitude de sucrer leur pain, et les immigrants de Grande-Bretagne l'auraient adoptée pour améliorer le leur.

Si le pain de madame Moodie était mauvais, on doit reconnaître que la pire miche de pain jamais produite au Canada l'a été par Susan Moir Allison, établie en Colombie britannique en 1860 avec sa mère, sa soeur et son beau-père. Née dans l'île de Ceylan en 1845, Susan était la fille d'un riche planteur. Après la mort de son père, sa mère s'était remariée; le beau-père de Susan, un aventurier, décida, après avoir épuisé l'argent de la famille, d'émigrer vers les champs aurifères de la Colombie britannique. La famille arriva d'abord à Port Hope, à l'embouchure du fleuve Fraser, et emménagea dans ses premiers quartiers, une cabane de rondins dont les pièces étaient séparées par de la toile et du papier. Bien des années plus tard, Susan (madame John Allison) jeta par écrit les souvenirs de sa longue vie: elle vécut en effet quatre-vingt-douze ans. Au cours de ces années, elle eut quatorze enfants, apprit à labourer, à jardiner, à fabriquer des mocassins et à diriger un poste de traite, mais elle n'oublia jamais ses premières expériences avec le pain. Ses souvenirs, intitulés *A Pioneer Gentlewoman in B.C.: The Recollections of Susan Allison,* édités par Margaret Ormsby, ont été publiés par U.B.C. Press. "Aucun de nous ne savait laver le linge, écrit-elle... Incapables de nous servir d'une planche à laver, nous frottions de nos mains jusqu'à ce qu'elles saignent... Comme nous portions toujours des jupes blanches brodées, nous avions quelques problèmes les jours de lessive. La cuisson du pain constituait un autre problème. Nous achetions un sac de farine et une boîte de levure en poudre "Preston Merril" et, quand nous nous conformions aux instructions, nous parvenions à produire du pain tout à fait acceptable — du moins ma mère y parvenait-elle. Il m'est arrivé, pressée par le temps, de saisir par erreur une boîte de soufre et de ne m'en apercevoir qu'après le début de la cuisson alors que nous commencions à suffoquer et à cracher à cause des vapeurs. Par la suite, un dénommé Kilburn nous a conseillé de nous servir de pâte aigrie et de la faire cuire dans un poêlon à trois pieds; lorsque nous l'avons fait et que nous n'avons pas laissé reposer le pain trop longtemps, nous avons obtenu de bons résultats."

On retiendra que Susan ne possédait pas la marmite de madame Moodie, mais se servait d'un poêlon à trois pieds. L'homme qui lui a suggéré d'employer le poêlon lui a aussi fait découvrir un des genres de pain les plus intéressants du continent et qui connaît une nouvelle vogue cent ans plus tard. L'appellation pâte aigrie s'appliquait d'abord aux chercheurs d'or de la première ruée vers l'or de la Californie en 1849. Ces hommes suivaient les filons d'or et faisaient valoir leurs droits sur les rives du fleuve Fraser quand Susan les a rencontrés. Plus tard, ils se déplacèrent vers le Klondike. Ils emportaient dans tous leurs déplacements de quoi faire lever leur pâte à la farine et à l'eau. Il s'agissait d'un peu de pâte de la cuisson précédente. La levure y demeurait vivante; ajoutée à la pâte, elle croissait et se multipliait. Les mineurs couchaient même avec elle pour empêcher les froids rigoureux de tuer la levure. Cette pâte contenait aussi des bactéries qui la faisaient aigrir et donnaient au pain un goût particulier, de là son appellation de pain à pâte aigrie. L'appellation devait par la suite être appliquée aux hommes qui produisaient et mangeaient ce pain.

Selon certains auteurs, l'odeur aigre caractéristique de la pâte imprégnait les vêtements des mineurs, et ceux-ci devraient leur sobriquet à cette odeur qui émanait d'eux. Pour avoir senti la pâte aigrie, j'en doute; bien que son odeur soit en effet certainement caractéristique, elle n'est pas *si* prononcée qu'elle ait pu dominer les odeurs émanant des vêtements d'un mineur qui ne se lavait pas et fumait une pipe de tabac fort pour éloigner les terribles maringouins du Nord. Quoi qu'il en soit, tout "pâtes aigries" qu'on les ait appelés, ils ont écrit l'une des pages les plus fascinantes de notre histoire.

De nos jours, les festivals d'Edmonton, de Dawson City et de Yellowknife rappellent la ruée vers l'or, et le pain de pâte aigrie tient la vedette des repas qu'on y sert. Grâce à eux, grâce aussi au renom acquis par le pain de pâte aigrie de la ville de San Francisco qui affirme en être le véritable lieu d'origine, on assiste à une relance de ce type de pain d'un bout à l'autre de l'Amérique du Nord; au siècle dernier, pourtant, les ménagères de l'Est nanti et civilisé eussent été horrifiées de produire des miches aigries. En fait, certaines améliorations étaient survenues qui leur rendaient beaucoup plus facile la tâche de produire du pain de qualité supérieure.

La première de ces améliorations, considérable, concerne la qualité de la farine. Cette amélioration a eu pour point de départ un changement de la variété de blé cultivé. Jusqu'en 1842, la plupart des colons ontariens achetaient leurs graines de semence sur place. Ces graines provenaient du blé qu'avaient emporté les colons venus de France. En 1842, un colon de Peterborough, en Ontario, David Fife, demanda dans une lettre à un ami écossais de lui faire parvenir des échantillons de graines de semence d'Europe du Nord où les hivers sont aussi rigoureux qu'au Canada. L'ami se rendit obligeamment aux quais bruyants de la Clyde et repéra un vaisseau chargé de blé de Pologne. Une partie de ce blé fut expédiée à David Fife qui le sema le printemps suivant dans son arrière-cour où il pouvait le surveiller. Seules cinq graines finirent par germer et pousser; une vache en mangea deux, mais madame Fife, apercevant Bossy juste à temps, la chassa et les trois têtes survivantes produisirent suffisamment de graines pour que Fife puisse poursuivre son expérience. Quand il eut obtenu suffisamment de blé pour l'apporter au moulin, on constata que la farine était de la farine "forte" de bonne qualité, d'une haute teneur en gluten, qui produisait du bon pain. D'un bout à l'autre du sud de l'Ontario, les cultivateurs semèrent bientôt du blé "Red Fife" et l'apportèrent aux moulins qu'on construisait partout où il y avait des cours d'eau convenables. Les moulins seigneuriaux du Québec étaient des moulins à vent; grandes tours de pierre bâties au sommet des collines et percées pour les mousquets, elles servaient de forteresses aussi bien que de moulins à farine. Les moulins du reste de l'est du Canada contrastaient avec ceux-ci par la taille modeste de leurs bâtiments construits près d'un cours d'eau et munis d'une gigantesque roue à aubes qui craquait en transformant la puissance des courants. Ils devaient néanmoins devenir des centres communautaires où les fermiers viendraient de fermes très éloignées les unes des autres se rencontrer et discuter en attendant que leurs grains soient broyés. Les moulins et leurs propriétaires ont très souvent laissé leurs noms aux communautés qui s'y greffaient, et la carte du Canada est tacheté de noms d'endroits comme Balmoral Mills, Macpherson's Mills et Don Mills où les fermiers de l'ancien York faisaient moudre leur blé. À l'époque de la Confédération, certains de ces moulins avaient atteint de grandes dimensions, en particulier les moulins de la famille Ogilvy qui avait ouvert son premier moulin au Québec au tournant du siècle et devait ouvrir le premier moulin canadien à meules géantes à Winnipeg en 1881. Les activités de cette famille allaient atteindre une telle envergure que lorsqu'une touriste britannique demanda sentimentalement au constructeur du Canadien Pacifique, Sir William Van Horne, quelle était la fleur nationale du Canada, elle se fit vertement répondre par ce gentleman: "La fleur Ogilvy, bien sûr" (jeu de mot qu'apprécieront les Québécois pour qui la farine, c'est de la "fleur" — N.D.T.). La créature de Sir William, le Canadien Pacifique, devait aussi jouer son rôle dans l'histoire du pain canadien. À son bord, des foules de pionniers sont partis s'établir dans l'Ouest pour y cultiver du blé. Les Mennonites, les Hutterites et les Doukhobors cherchaient la liberté de culte; les Polonais, les Hongrois et les Slaves fuyaient l'oppression politique; les Suédois, les Danois et les Finlandais venaient concrétiser leur rêve de posséder une terre en propre. Ils emportaient avec eux les traditions bien-aimées de leurs pays d'origine et, en particulier, le pain qui, tout en calmant leur appétit, les aidaient à soulager leur mal du pays. Ainsi faisaient-ils cuire dans leurs huttes de terre les pains de leurs pays d'origine avec la farine qu'ils tiraient du bon blé récolté sur leurs terres et ainsi agrandissaient-ils et enrichissaient-ils leur nouvelle patrie.

Un nouveau produit qui allait beaucoup améliorer la qualité du pain et rendre le processus de sa cuisson beaucoup moins incertain, fit son apparition à peu près à cette époque. Un Hongrois, Max Fleischmann, inventa en effet une façon de produire de la levure sèche. Le produit a depuis connu tellement de succès que la compagnie qui porte son nom est de nos jours le plus important producteur de levure au monde. Cette nouvelle levure sèche était beaucoup plus sûre que la levure sauvage qui avait constitué jusque-là la base des cultures, mais elle agissait encore plutôt lentement.

Un livre de recettes fort intéressant, publié en 1877, a été récemment réédité sous sa forme originale; il s'agit du *Home Cookbook, Compiled by The Ladies of Toronto and The Chief Cities in Canada.* Le chapitre consacré au pain comporte sept recettes de levure domestique, et il n'y est nulle part fait mention de la levure sèche bien que celle-ci existât en Europe depuis quelque temps déjà. Treize ans plus tard, en 1890, ma propre grand-mère, de retour en Nouvelle-Écosse après avoir passé ses premières années de mariage à Boston, fut plutôt agacée de découvrir qu'elle devait de nouveau recourir aux anciennes méthodes. Bientôt, toutefois, elle et des milliers de ménagères canadiennes créèrent une demande suffisante pour justifier l'implantation au Canada d'une fabrique de bonne levure.

Les fours aussi s'amélioraient. Dans la plupart des ménages, on avait cessé de se servir du foyer pour la cuisson, et les cuisinières en fonte avaient fait leur apparition. Les fours des plus anciennes cuisinières n'étaient à la hauteur, en ce qui concerne le pain, ni des fours extérieurs du Québec, ni des fours à briques intégrés aux foyers tels que nous pouvons en voir dans les maisons restaurées des villages historiques comme Upper Canada Village, en Ontario. Les fours extérieurs du Québec continuèrent de servir, mais dans les maisons où le foyer comportait un four à briques, l'installation d'une cuisinière marquait habituellement la fin de son utilisation.

Les fours des premières cuisinières avaient un rendement inégal, exposés qu'ils étaient aux courants d'air à cause de leurs portes mal ajustées, et passaient du chaud au froid si promptement selon l'intensité du feu qu'une pelletée de charbon lancée au mauvais moment pouvait ruiner ce qui y cuisait. Les exigences des consommateurs et l'ingéniosité des manufacturiers devaient toutefois provoquer des améliorations rapides. Il suffit de jeter un coup d'oeil dans les catalogues des grands magasins à rayons de l'époque pour s'apercevoir de la rapidité avec laquelle on a mis au point un four efficace.

Ces mêmes catalogues présentent aussi, illustrations à l'appui, un nouvel appareil, le "boulanger". Cet appareil ingénieux, l'ancêtre de notre robot culinaire, était constitué d'un grand contenant couvert et d'une manivelle qui actionnait une palette en bois à l'intérieur. Selon son fabricant, il était possible d'y produire de la pâte à pain en trois minutes. Il aidait sans aucun doute la ménagère qui pouvait confier à l'un de ses enfants le soin de tourner la manivelle après y avoir mis les ingrédients; une fois le pétrissage terminé, le même enfant pouvait transvider la pâte à lever dans l'une des grandes boîtes à pâte en bois qui étaient un des éléments des cuisines de l'époque. De nos jours, ces boîtes à pâte ou "berceaux" sont devenues des antiquités coûteuses que l'on retrouve dans les salons ou les salles de jeux, où elles servent à ranger les disques et les magazines quand un décorateur ne leur découvre pas une fonction plus infamante. Les miches étaient souvent entreposées, après la cuisson, dans la boîte à pâte.

En 1904, le docteur (et plus tard Sir) Charles Saunders devait apporter ce qui fut peut-être la plus grande contribution individuelle à l'industrie canadienne du blé. En sa qualité de "céréaliste" du Dominion, il entreprit de croiser plusieurs familles de blé et sema des milliers de graines. Il découvrit, parmi les milliers et les milliers d'épis de blé soumis à son examen, douze épis qui semblaient avoir les qualités qu'il recherchait. Il les goûta. "Après quelques grains, écrit-il, j'étais certain qu'ils ne perdraient pas leurs qualités au broyage ni à la cuisson". Cela s'avéra juste. Il s'agissait du blé Marquis qui allait "faire reculer l'Arctique". La propagation du blé Marquis, qui avait la propriété de mûrir dix jours plus tôt que les autres variétés de blé, ouvrit de nouvelles régions du Canada aux cultivateurs. Il n'est pas sans intérêt de souligner que parmi les ancêtres du blé Marquis figurait ce bon vieux "Red Fife".

Le processus de mouture par rouleaux mis au point en Hongrie avait à cette époque à peu près complètement conquis le marché sur notre continent, et la farine qu'il produisait était d'une qualité sans pareille dans le monde. Toutes ces améliorations, de même qu'un bon système de transport, ont fait des années précédant la Première Guerre mondiale la ligne de faîte de la cuisson du pain de ménage au Canada dont la population était encore en majorité rurale. Plusieurs se rappellent encore aujourd'hui le "bon vieux temps" où la cuisson hebdomadaire du pain était l'une des meilleures parmi les bonnes choses de la vie. Dans son merveilleux livre de souvenirs, *Happy Journey,* publié par Ryerson Press, le docteur Roy Fraser la décrit ainsi: "La cuisson du pain était un rite sacré. On préparait la pâte et la si précieuse levure la veille, on les transformait en très grandes miches dans de très grands moules, on apprêtait le plus petit des deux fours de la cuisine, on se couvrait d'épaisses couvertures, et quelle merveilleuse odeur de levure émanait de la "préparation" cette nuit-là! Mais le plus sublime, c'était l'odeur du pain qui cuisait le lendemain matin! Oh, ces grosses miches de pure joie pour la langue, les dents, les yeux et le nez, avec leur croûte brune! Les jeunes yeux veillaient jusqu'à ce que le paysage semble s'être dégagé, puis des doigts enfantins saisissaient un petit morceau de la miche la plus proche; mais, alors, on entendait habituellement une gentille voix des Highlands dire d'un ton de doux reproche: "Les souris sont bien vilaines aujourd'hui... et si cavalières!"

La Première Guerre mondiale et les années qui la suivirent eurent pour effet de beaucoup réduire la production du pain de ménage. Le pays s'urbanisait davantage, et de plus en plus de femmes travaillaient à l'extérieur. L'amélioration des systèmes de transport rendait facile, même aux femmes des régions rurales, l'accès à l'épicerie, et la miche de pain "du magasin" commença à faire son apparition, d'abord en s'excusant, puis de façon régulière sur plusieurs tables. Bien sûr, le pain de ménage ne disparut pas pour autant, et tant les producteurs de farine que de levure continuèrent à améliorer leur produit, de telle sorte que le pain devint vraiment très bon.

Juste avant, puis après la Seconde Guerre mondiale, de nouvelle vagues d'immigrants arrivèrent d'Europe, et plusieurs d'entre eux, séparés de leurs compatriotes, s'aperçurent que s'ils voulaient avoir le plaisir de manger leur pain traditionnel, ils devraient l'apprêter eux-mêmes. Les Nord-Américains, pour leur part, voyageant comme jamais auparavant à l'étranger, découvrirent le pain d'autres contrées; à leur retour, ils cherchèrent les boulangeries où il était possible de l'obtenir et, à défaut, demandèrent les recettes qui leur permettraient de le produire chez eux.

Dans les années '50, cependant, la production de pain de ménage descendit à son plus bas niveau, mais un changement devait survenir au cours de la décennie suivante. Un regain d'intérêt pour les arts ménagers et l'artisanat vit le jour; ce regain d'intérêt coïncidait avec une réaction contre les aliments commercialisés qui engendra chez bon nombre un retour aux valeurs fondamentales de l'existence. Sur le plan pratique, l'avènement des congélateurs signifiait que les conditions d'entreposage du pain s'amélioraient. Le pain frais du bon vieux temps était peut-être superbe, mais, à l'époque, les gens devaient aussi manger une bonne ration de pain rassis. Avec un congélateur dans presque chaque maison, le pain rassis appartenait désormais au passé.

Même si elle ne désire pas préparer tout le pain de la famille, la ménagère peut toujours avoir à portée de la main quelques miches de pain de ménage congelé de même que du pain de circonstance pour les fêtes qu'elle apprête à sa convenance. L'industrie alimentaire réagit en offrant au public un large éventail d'appareils de boulangerie depuis ceux qui permettent aux boulangers sans expérience de produire une bonne pâte jusqu'aux appareils les plus perfectionnés d'une conception à la fois redoutable et merveilleuse. Le prix élevé des aliments avantage clairement les boulangers maison. La production de pain de ménage ne redeviendra peut-être jamais une tâche domestique fastidieuse, mais, en revanche, le sens profond d'un accomplissement par la production d'un bien qui représente la sécurité domestique confère aux boulangers d'aujourd'hui, enfin, un sentiment de satisfaction que n'ont jamais ressenti leurs grands-parents parce qu'il allait alors de soi.

LE PAIN ET L'ALIMENTATION

Le pain est un aliment de base si essentiel aux humains que le mot lui-même est synonyme de nourriture, en langue anglaise tout au moins (de même qu'en langue française–N. D.T.). Il est l'étalon de notre alimentation, le soutien de la vie. Il s'agit de l'un des très rares aliments que nous puissions manger presque tous les jours de notre vie et dont nous ne semblions jamais nous lasser.

Les diététiciens y voient un aliment des plus sains. Le Guide alimentaire canadien recommande de manger de trois à cinq portions de pain ou de céréales par jour, une tranche de pain de grain entier ou de pain enrichi équivalant à une portion. Agnes Higgins, du Dispensaire diététique de Montréal, met au point depuis vingt-cinq ans des régimes alimentaires bon marché et nourrissants destinés aux familles à faibles revenus (de même qu'aux familles mieux nanties, mais sensibles à la dépense) et fait autorité dans le domaine de l'alimentation. Le pain et le lait constituent à ses yeux les aliments les plus nourrissants qu'il soit possible d'acheter. La liste d'aliments pour une semaine comprend les quantités suivantes de pain:

32 onces (896 g) pour une femme de 130 livres (59 Kg)
64 onces (1792 g) pour un homme de 160 livres (72 Kg)
35 onces (980 g) pour une femme enceinte
49 onces (1372 g) pour une mère qui allaite
25 onces (672 g) pour un enfant de 1 à 3 ans
32 onces (896 g) pour un enfant de 4 à 6 ans
40 onces (1120 g) pour un enfant de 7 à 9 ans
48 onces (1344 g) pour un enfant de 10 à 12 ans
60 onces (1680 g) pour une fille de 13 à 20 ans

60 onces (1680 g) pour un garçon de 13 à 15 ans
84 onces (2352 g) pour un garçon de 16 à 20 ans

Le dernier chiffre, un colossal 84 onces, signifie qu'un garçon de ce groupe d'âge doit consommer 3,5 miches de pain par semaine ou la moitié d'une miche par jour. Cette quantité de pain lui fournit des hydrates de carbone qui se transforment en énergie, et c'est là la principale raison d'être du pain dans l'alimentation. Il renferme aussi, cependant, quantité de vitamines et de minéraux essentiels. Sa teneur en graisses est faible, mais il peut contenir des fibres en quantité ainsi qu'un certain nombre de protéines.

La farine constitue l'ingrédient fondamental du pain et fournit à celui-ci la plupart de ses éléments nutritifs. Sa composante principale est le féculent qui provient de l'endosperme du blé et qui renouvelle l'énergie, aide le corps à assimiler les graisses, permet aux protéines contenues dans les aliments de fortifier et de réparer les cellules du corps de même que de constituer les anticorps nécessaires pour lutter contre les infections. La farine contient elle aussi des protéines, une substance appelée gluten. De nature végétale, ces protéines sont cependant incomplètes puisqu'elles ne contiennent pas la totalité des huit acides aminés essentiels. Le lait, ou le lait en poudre, et les oeufs mélangés à la farine aident à combler cette lacune ainsi que toute garniture dont on tartine le pain ou encore dont on l'accompagne. Dans un sandwich au poulet, le pain fournit les hydrates de carbone, le beurre fournit les graisses, et la viande, les protéines de haute qualité.

D'une faible teneur en graisses, le pain blanc contient toutes celles dont nous avons besoin dans une saine alimentation. Les graisses sont une source d'énergie et aident l'organisme à absorber certaines vitamines; c'est le cas des vitamines A, D, E et K. Les processus de métabolisation des graisses et des hydrates de carbone, étroitement interdépendants, sont favorisés par la pratique presque universelle de tartiner le pain d'une matière grasse. La teneur en graisses est augmentée dans certains cas par l'addition de matières grasses ou d'oeufs à la pâte.

Les vitamines et les minéraux sont aussi essentiels à une saine alimentation. Lorsque les germes de blé ne sont pas séparés des grains pendant la mouture, la farine se trouve enrichie des vitamines B et E qu'ils renferment. Ces vitamines seraient absentes de la farine blanche si les minoteries n'étaient tenues de l'enrichir de thiamine, de niacine et de riboflavine, toutes des vitamines B. Celles-ci sont mêlées à la farine en même temps que le fer, avant l'emballage.

Une enquête médicale a permis de découvrir en 1944 que l'alimentation des Terre-Neuviens, et particulièrement celle des enfants, était dangereusement déficiente en calcium. La farine destinée à Terre-Neuve contient donc aussi du calcium qui aide à la formation et à la préservation d'une ossature et de dents fortes.

Les fonctions des vitamines B sont multiples. La *thiamine* aide à métaboliser les hydrates de carbone, facilite la croissance et contribue au maintien du système nerveux en bon état. Elle joue un rôle important dans le fonctionnement du système digestif.

La *riboflavine* aide à conserver en santé les yeux, la peau et le système nerveux. Pendant sa métabolisation, elle procure de l'énergie aux cellules du corps.

La *niacine* favorise une croissance et un développement normaux et aide au maintien du bon fonctionnement du système nerveux et du système digestif.

Le *fer* est une composante essentielle de l'hémoglobine qui, dans le sang, transmet l'oxygène aux cellules et évacue le gaz carbonique. L'anémie résulte d'une carence en fer.

Blanc ou brun, le pain apporte à qui le consomme des substances alimentaires essentielles pourvu, dans le cas du pain blanc, qu'il soit fait de farine blanche enrichie.

Tout cela nous amène à la grande controverse à propos du pain blanc et du pain brun. On a beaucoup écrit pour défendre l'un et l'autre, parfois de façon sensée, souvent de façon tout à fait insensée. "La farine blanche nous tue!", crie-t-on d'un côté; "L'acide phytique contenu dans le pain brun fausse le processus d'absorption du calcium et du fer", hurle-t-on de l'autre. Quand on en arrive à de telles extrémités, il faut s'en remettre à son bon sens. "L'homme ne vit pas que de pain", lit-on dans la Bible, et cette vérité s'applique aussi bien à l'alimentation qu'à la religion. Dieu merci, plusieurs autres sources de vitamines et de minéraux sont à notre portée; les produits laitiers, les légumes et les poissons en contiennent de même que les viandes plus chères. Une alimentation variée est importante pour l'esprit, et se restreindre à un type de pain dans le but d'en tirer certains éléments nutritifs semble d'autant plus outrageux pour le goût et le sens commun que ces mêmes éléments sont plus facilement disponibles en plus grandes quantités dans d'autres aliments. Nous pouvons certainement consommer l'un et l'autre pains: le pain brun, lourd et granuleux, avec du jambon ou des *fèves au lard*; le pain blanc, léger et raffiné, en dégustant vins et fromages. Ainsi bénéficierons-nous du meilleur de deux mondes!

Il serait cependant injuste pour le pain de grain entier de clore le sujet sans mentionner les fibres que lui seul procure. Le son des grains de blé constitue l'une des sources alimentaires les plus concentrées. Ces fibres n'ajoutent aucun élément nutritif essentiel à l'alimentation, et, durant longtemps, on ne s'est pas aperçu de leur importance. Au cours de ce siècle, toutefois, la teneur en fibres de l'alimentation nord-américaine a été réduite, et les problèmes de santé qui en ont résulté se sont répandus de plus en plus. On note l'augmentation chez nous des maladies coronariennes, des hernies hiatales, des hémorroïdes et des tumeurs du gros intestin par comparaison avec les pays dits "arriérés" où l'alimentation contient davantage de fibres brutes. Les fibres ajoutent à la quantité de résidus (excréments) dans les intestins et stimulent ainsi leur élimination. Cela a pour effet de diluer et d'éliminer la bile produite par le processus de digestion. Bien qu'il ne soit pas prouvé que la bile ait un effet nocif précis, et il existe un certain nombre de détails controversés là-dessus, presque tous les chercheurs s'accordent à dire que chacun bénéficierait d'une augmentation de la quantité de fibres dans son alimentation. En ce moment, nous consommons environ cinq grammes de fibres brutes par jour, et on recommande de porter cette quantité à sept grammes. Une tranche de pain de grain entier contient environ quatre grammes de fibres brutes: il est donc facile de comprendre l'importance de cette source alimentaire. Nous ne devons cependant pas oublier qu'une demi-tasse de céréales de son renferme près du double de la quantité de fibres contenue dans une tranche de pain. Aussi n'est-il pas nécessaire de nous restreindre au pain de blé entier. Le jour où nous voulons manger du pain blanc, il suffit pour combler la déficience en fibres de manger une tasse de céréales de son ou un *muffin* au son; par ailleurs, les noix et les légumes crus nous apportent une quantité de fibres encore plus grande.

Le pain s'offre à nous sous tant de formes et de saveurs qu'il serait malheureux que notre menu ne reflète pas une telle variété. Si nous usons d'un minimum de bon sens et de modération et donnons au pain la place qui lui revient dans notre alimentation — principalement comme source de nécessaires hydrates de carbones ainsi que de vitamines B, si bénéfiques, de même que, dans certains cas, de fibres alimentaires — si nous nous conformons aux indications du Guide alimentaire canadien en mangeant chaque jour des aliments variés, nous serons un peuple bien nourri.

Quelle place occupe le pain de ménage dans l'alimentation? Est-il aussi nourrissant que le produit commercial? Comment la personne qui le prépare peut-elle calculer les qualités nutritives du pain de ménage? En réponse à ces questions, nous ne pouvons qu'affirmer les vertus du pain de ménage sur les plans nutritif et économique. Sa valeur nutritive est certainement aussi grande que celle du pain commercial, et son goût comme sa texture sont tellement supérieurs que le plaisir pris à le manger doit certainement contribuer à une bonne digestion. Le tableau que voici renseignera quiconque veut connaître la valeur nutritive de tel ou tel pain; il établit la valeur nutritive de la plupart des ingrédients habituels que contient le pain de ménage et permet de calculer aisément la valeur d'un pain selon la quantité d'ingrédients qu'il renferme. Au besoin, on peut en divisant connaître la valeur nutritive d'une seule tranche de pain. (Tableau: page suivante)

VALEUR NUTRITIVE DES INGRÉDIENTS QUI ENTRENT HABITUELLEMENT DANS LA FABRICATION DU PAIN

	Quantité	Calories	Protéines (en g)	Graisses (en g)	Hydrates de carbone (en g)	Calcium (en mg)	Fer (en mg)	Vitamine A U.I.	Thiamine (en mg)	Riboflavine (en mg)	Niacine (en mg)	Vitamine C (en mg)
Beurre	100 g	717	1	81,4	0,8	20,3	0	3318	0	0	0	0
Blé décortiqué cuit	100 g	93	2,9	0,6	20,7	0,012	1	0	0,10	0,03	1,16	0
Céréales *Red River*	100 g	100	3,9	0,5	21,8	0,011	1,2	0	0,09	0,01	0,60	0
Farine de blé												
— tout usage	100 g	350	12	1,2	71	0,017	2,9	0	0,44	0,26	3,5	0
— à pâtisserie	100 g	350	8,5	1,3	74	0,018	2,9	0	0,44	0,26	3,5	0
— de blé entier	100 g	335	13,3	2	71	0,029	3	0	0,58	0,16	6	0
Semoule de maïs	100 g	364	7,9	1,2	22,6	6	1,1	440	0,44	0,26	3,5	0
Farine de sarrazin	100 g	335	11,7	2,5	71	33	2,8	0	0,58	0,15	2,9	0
Farine de seigle												
— foncée	100 g	327	16,3	2,6	71	54	4,5	0	0,61	0,22	2,7	0
— moyenne	100 g	350	11,4	1,7	71	27	2,6	0	0,30	0,12	2,5	0
Flocons d'avoine cuits	100 g	130	4,9	1,8	23,8	0,017	1,2	0	0,2	0,05	0,33	0
Fromage cheddar	100 g	398	25	32,2	2,14	750	1,0	1310	0,03	0,46	0,1	0
Germes de blé	100 g	363	26,6	10,9	40	72	9,4	0	2,01	0,68	3,2	0
Huile à cuisson	100 g	885	0	100	0	0	0	0	0	0	0	0
Lait												
— écrémé en poudre	100 g	359	35,8	0,7	50	1293	0,6	30	0,35	1,78	0,9	7
— écrémé	100 g	36	3,5	0,1	5,1	123	0,1	0	0,04	0,18	0,1	1
— 2%	100 g	59	3,5	2	5	119	0,1	80	0,04	0,17	0,1	1
— entier	100 g	68	3,5	3,9	4,9	118	0,1	140	0,04	0,17	0,1	1
Margarine	100 g	719	1	81,4	0,8	20,3	0	3522	0	0	0	0
Mélasse	100 g	252	0	0	76	165	4,3	0	0,07	0,06	0,2	0
Miel	100 g	303	0,3	0,1	76	5	0,5	0	trace	0,04	0,3	1
Noix et graines (environ)	100 g	600	20	60	25	trace	6	50	0,20	0,1	0,5	0
Oeuf	1 moyen	72	5,7	5,1	0,2	0,02	1,2	510	0,04	0,13	0	0
Pommes de terre	100 g	57	0	0,06	14	6	0,45	0,06	0,80	0,03	1,2	14,5
Saindoux	100 g	916	0	100	0	0	0	0	0	0	0	0
Sel (39% de sodium)	100 g	0	0	0	0	0	0	0	0	0	0	0
Sirop d'érable	100 g	252	0	0	75	104	1,2	0	0	0	0	0
Sucre												
— cassonade	100 g	373	0	0	99	85	3,4	0	0,01	0,03	0,2	0
— sucre raffiné	100 g	385	0	0	100	0	0	0	0	0	0	0

FARINES ET PRODUITS DE GRAINS

La poudre fine qui résulte de la mouture des plantes céréalières s'appelle la farine. Certaines farines sont cependant moulues plus grossièrement que d'autres. Les principales céréales canadiennes sont le blé, le seigle, l'avoine, l'orge et le maïs. Seuls le blé et le seigle donnent une farine susceptible d'entrer dans la préparation du pain levé parce qu'ils contiennent une protéine appelée gluten. Le gluten est élastique, ce qui signifie qu'on peut l'étirer sans le briser. Lorsque les bulles de gaz produites par la levure se forment dans une pâte qui contient une bonne proportion de gluten, elles ressemblent à des milliers de minuscules ballons de caoutchouc qui s'étirent pour faire de la place au CO^2 relâché en eux. Si la teneur en gluten est insuffisante ou de qualité inférieure les petits ballons éclatent en libérant le gaz, et la pâte reste plate et rigide. C'est ainsi que tout pain levé doit contenir une quantité importante de farine de blé ou de farine de seigle bien que d'autres farines puissent être ajoutées au pain et relever sa saveur.

Le blé est de loin la céréale dont on tire le plus de farine, et nous avons vu au premier chapitre comment le processus de transformation a progressé depuis les meules manuelles en passant par les moulins à vent et les moulins hydrauliques jusqu'aux énormes meules qui existent de nos jours et produisent de vastes quantités de farine consommées tant au pays qu'à l'étranger. Statistiques Canada, dans sa publication *Le Commerce du grain au Canada,* nous fournit des chiffres impressionnants:

PRODUCTION DE FARINE EN 1978

Type de farine	**Quantité**
Brevetée printemps no 1 ou supérieure	6 153 538 quintaux
Brevetée printemps no 2	12 881 123
Printemps no 3, dure pour boulangers ou d'exportation	10 184 924
Catégories inférieures et autres	2 563 413
Blé entier et *Graham*	1 900 626
Blé d'hiver ontarien	895 121
Blé dur ("Durum")	4 289 517
	1 707 140
	40 575 402 quintaux

Comme l'indique ce tableau, le Canada produit plusieurs variétés de farine. Les farines de printemps, ou brevetées, sont tirées du blé dur de printemps et d'hiver. Plus mou, le blé donne de la farine à gâteau et à pâtisserie. La farine "Durum" provient du blé "Durum" et sert à la fabrication des pâtes alimentaires tandis qu'il subsiste dans la farine de blé entier une plus grande part du grain, ce qui lui donne sa couleur brune. Afin d'être en mesure de comprendre les propriétés de chaque farine, voyons de plus près le processus de la mouture.

Les minoteries sont alimentées par d'énormes élévateurs à grains où l'on entrepose le blé qui arrive des fermes. Il s'y trouve dans le même état que dans le wagon ou le camion qui l'a transporté et contient beaucoup d'impuretés, depuis les graines de mauvaises herbes et les petits cailloux jusqu'aux écrous et aux bonbons. Il est donc d'abord soumis à un nettoyage en profondeur. On l'entrepose ensuite dans des huches selon son genre, sa qualité et sa teneur en gluten. Les grains de blé de différentes huches d'entreposage sont mêlés de façon à assurer au produit fini son uniformité. L'immense quantité de blé que les minoteries sont en mesure d'acheter et d'entreposer leur permet de produire une farine d'une uniformité remarquable à laquelle on peut se fier. Un boulanger sait que n'importe quel sac de farine portant la marque de commerce de l'une des minoteries canadiennes sera identique en tous points à n'importe quel autre sac portant la même étiquette. Cette particularité vaut à ces minoteries une loyauté remarquable de la part des consommateurs canadiens.

Les moulins n'ont pas une capacité d'achat aussi grande que celle des minoteries; bien que les premiers remplissent avec grand soin leur fonction, on ne peut attendre un produit absolument uniforme que des secondes. Pour importante que soit aux yeux du boulanger une telle uniformité, certains usagers n'en préfèrent pas moins le produit des moulins, heureux de se servir de leur jugement lorsqu'ils préparent du pain et satisfaits des légères variations des caractéristiques de la farine d'un lot à l'autre.

À la minoterie, le mélange de blé est tempéré, ce qui signifie que son taux d'humidité est ramené à environ quinze pour cent, condition idéale pour la mouture. Durant ce processus, le grain est broyé par une série de lourdes meules en fonte qui séparent l'endosperme, un féculent, de son enveloppe fibreuse. Habituellement, quatre séries de meules alternent avec des tamis et des épurateurs géants qui séparent la farine du son et des remoulages.

Visiter l'une de ces minoteries constitue une expérience fascinante. J'ai pris conscience en allant voir les installations de la Robin Hood à Montréal de l'exactitude de la description qui suit. Elle est extraite du livre *A Short History of Flour Milling,* cité par G.R. Stevens dans *Ogilvy in Canada: Pioneer Millers.*

"La visite commence à l'étage supérieur. Tout autour dansent les tamis, énormes formes amorphes aux multiples pattes qui respirent une fine poussière. Certains sont ronds, d'autres, carrés; ils dansent au rythme de leur propre trépidation un monstrueux *shimmy* de géants. On s'attend à ce qu'ils quittent leur place et s'étreignent les uns les autres dans une valse frénétique. Ils agitent leurs jambes de toile, et tout le bâtiment semble palpiter. Ils ne sont pas en ordre, pas plus qu'ils ne sont identiques. Grosse grand-mère, oncle haletant ou bébé accroupi, tous ont conquis leurs quelques pieds d'espace disponible où danser une matelote diabolique, laissés à eux-mêmes au dernier étage où nul ne les surveille et où ne joue nulle musique que des oreilles humaines puissent entendre.

"Les étages occupés par les épurateurs sont des modèles de respectabilité grave. Ceux-ci, assis comme de vieilles dames à une conférence, tricotent; trop nombreux, ils sont entassés inconfortablement, mais continuent à tricoter et tricoter. Un homme n'a pas sa place dans ce chaste conclave, et on n'y rencontre pas souvent de travailleurs. On a l'impression qu'il est préférable de s'empresser de descendre aux étages inférieurs et d'échapper à l'interminable tricotage vertigineux de ces vieilles purificatrices.

"L'étage des broyeurs, par contre, est convaincant de masculinité. Les machines reposent une rangée derrière l'autre, aussi uniformes que des soldats en parade, accomplissant leur besogne sans la moindre apparence de mouvement. Elles représentent la somme du progrès accompli par l'homme à travers d'innombrables siècles dans le broyage des grains, la discipline tangible qui donne le maximum de résultats."

La fine farine blanche qui résulte de telles opérations ne peut encore servir. Il faut encore attendre trois mois pendant lesquels la farine est améliorée par oxydation, ce qui a pour effet de la blanchir et de mûrir le gluten. Quand ce processus s'accomplit naturellement, l'oxygène de l'air porte la farine à maturité, mais il serait prohibitif d'entreposer d'aussi énormes quantités de farine durant une aussi longue période de temps dans la minoterie elle-même: c'est pourquoi on accélère son vieillissement en ajoutant des agents de blanchiment qui la font mûrir et blanchir simultanément. Depuis quelque temps, les gens qui se sont convertis à l'alimentation "naturelle" réclament de la farine non blanchie. Cette farine est vendue par les marchands d'aliments naturels et, mûrie correctement, fait de l'excellent pain. Les minoteries les plus importantes ont pour leur part lancé sur le marché à titre expérimental de la farine non blanchie. Pour le moment, on ne la vend au supermarché que dans certaines parties du Canada sous des marques de commerce familières.

Les farines expressément traitées pour entrer dans la préparation du pain peuvent contenir des agents qui bonifient la pâte. Certains sels, et plus particulièrement ceux qui renferment du brome, renforcent le gluten de la farine de blé de printemps et peuvent être ajoutés à la farine destinée à la boulangerie commerciale. La farine contient encore des enzymes naturels qui transforment les féculents en sucre, offrant ainsi à la levure une substance fermentescible. Ces enzymes ne sont pas toujours en quantité suffisante, et les minoteries peuvent additionner la farine fraîchement moulue de farine de blé ou d'orge malté dans le but d'assurer une cuisson uniforme. Il arrive aussi que l'on ajoute de l'acide ascorbique (vitamine C) à la farine de boulangerie non pas pour lui donner une valeur nutritive accrue, mais pour permettre de travailler la pâte plus rapidement. Il faut enfin souligner que les additifs dont nous venons de parler sont réservés à la farine destinée aux boulangeries commerciales. Les consommateurs ordinaires ne peuvent pas s'en procurer facilement.

La farine destinée à l'usage domestique est enrichie des vitamines B: thiamine, niacine, riboflavine ainsi que de fer et, parfois, de calcium. La farine est enfin emballée soit dans des sacs de papier épais, soit dans des sacs de toile, et expédiée vers les différents marchés du pays.

Le processus de fabrication de la farine décrit aux paragraphes précédents est celui des minoteries où l'on utilise des meules géantes. Il existe encore plusieurs moulins qui produisent leur farine avec d'anciennes meules de pierre. La farine moulue à la pierre a connu récemment un immense succès qu'ont encouragé les chroniqueurs alimentaires. Leur argumentation en faveur de la supériorité de la farine moulue à la pierre semble reposer sur la lenteur d'un processus qui, dégageant moins de chaleur, empêche la température de la farine de monter au cours de l'opération. Ils affirment de plus que les meules de pierre broient les grains de blé au lieu de les déchiqueter comme le font les meules d'acier, et que, lors du broyage, les éléments nutritifs restent en quelque sorte prisonniers de la farine. Cette croyance n'est peut-être pas sans fondement, mais uniquement lorsqu'il s'agit de farine de blé entier. Si elle s'appliquait à la farine blanche moulue à la pierre, les qualités de conservation de celle-ci en seraient largement diminuées. Pour autant qu'il s'agisse de fabriquer du pain qui soit acceptable, une farine forte moulue à la pierre à partir de blé dur produit en effet du très bon pain. Le seul problème vient de que cette farine est produite par des moulins qui ne peuvent acheter leur blé en quantité suffisante pour assurer l'uniformité de leur produit à l'instar des minoteries. Un boulanger expérimenté peut contourner ce problème en apprêtant la pâte, mais un novice risque de s'apercevoir que ses miches ne se ressemblent pas toujours d'une fois à l'autre.

Plusieurs types de farines s'offrent au boulanger maison, et chacune de ces farines sera décrite séparément. Ces explications seront cependant beaucoup plus claires si l'on examine d'abord le diagramme du grain de blé, qui permettra au lecteur d'en mieux comprendre la structure.

Les principales composantes du grain de blé sont le son, qui en constitue l'écorce protectrice, l'endosperme, masse d'amidon granuleux logée dans une matrice de protéines, et le germe, plante embryonnaire où sont concentrées graisses, protéines et vitamines.

Bon nombre des farines décrites ci-après sont PRÉ-TAMISÉES. En cours de fabrication, la farine est tamisée plusieurs fois entre les mailles très serrées d'une soie. Elle ne requiert pas d'autre tamisage dans une recette spécialement conçue à cette effet; mais certaines recettes plus anciennes où l'on prescrit l'utilisation de farine tamisée peuvent donner un pain pour le moins lourd si l'on mesure la farine en plongeant la tasse à mesurer dans le sac pour ensuite égaliser son contenu. La farine pré-tamisée devrait toujours être prélevée à la cuiller et jetée dans la tasse à mesurer de façon à contrecarrer le tassement qui aurait pu se produire au cours de l'entreposage. Plusieurs recettes de pain ne requérant pas une quantité exacte de farine, le tamisage, ou le non-tamisage, ne revêt pas une si grande importance. Mais on ne doit cependant pas perdre de vue que des corps étrangers PEUVENT se loger dans la farine et que la seule façon de s'assurer qu'ils ne se retrouvent pas dans le pain est précisément de tamiser la farine.

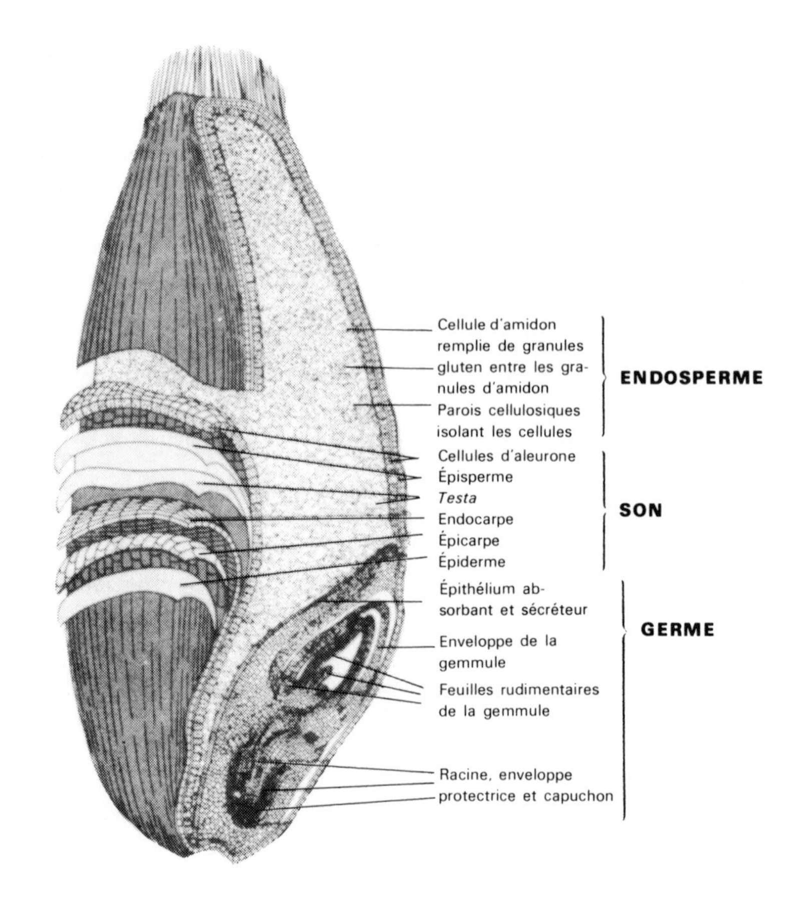

Coupe longitudinale du grain de blé

Gracieuseté de la société *Robin Hood Multifoods Limited*

FARINES BLANCHES

Farine tout usage

Au Canada, cette expression signifie qu'il s'agit de farine de blé dur à 100% produite à partir du blé dur de printemps. Elle ne contient que l'endosperme du blé, finement broyé et blanchi. Toutes les grandes minoteries commerciales la fabriquent, et elle se vend partout au Canada. Il s'agit d'un produit uniforme et sûr qui donne de l'excellent pain. C'est de cette farine qu'il est question dans la plupart des recettes canadiennes où l'on demande l'utilisation de "farine" sans autre précision. Dans des conditions normales, soit un contenant hermétique et un lieu d'entreposage frais et sec, elle peut se conserver un an. Trop exposée à la chaleur, elle risque de perdre une partie de son humidité: il faudra alors une moins grande quantité de farine pour produire la pâte; inversement, si la farine est exposée à l'humidité, il en faudra une plus grande quantité de façon à l'empêcher d'adhérer. Ces normes d'entreposage s'appliquent à toute farine blanche. Si l'on prévoit un long entreposage, on peut la congeler. Dans ce cas, le sac de farine devrait être inséré dans un sac de plastique épais ou étroitement enserré dans une enveloppe à l'épreuve de l'humidité.

La farine tout usage *non blanchie* est essentiellement identique à celle qui vient d'être décrite, mais ne contient pas d'agents de blanchiment. Jusqu'à récemment, on ne la trouvait que dans les magasins spécialisés, mais certains supermarchés offrent maintenant à leur clientèle des farines non blanchies produites par les minoteries. Ces farines contiennent des agents de maturation qui lui confèrent une grande qualité de cuisson uniforme. Leur couleur pâle et crémeuse se transmet au pain qui la renferme.

Aux États-Unis, l'expression "farine tout usage" signifie qu'il s'agit d'un mélange composé à 75% de farine de blé dur et à 25% de farine de blé mou. Cette farine est parfois vendue au Canada; elle s'appelle alors "farine tout usage mélangée".

Farine à pain

Au Canada, cette appellation s'applique à la farine destinée aux boulangeries commerciales. Elles est le fruit d'un mélange de blé dur d'hiver et de blé dur de printemps. Sa teneur en gluten est supérieure à celle de la farine tout usage canadienne, ce qui en fait une farine mieux adaptée aux pâtes faites à la machine des boulangeries commerciales. En principe, les consommateurs ne peuvent se la procurer, et l'inscription "POUR USAGE COMMERCIAL SEULEMENT" est habituellement imprimée sur les sacs de cette farine. Il se peut cependant qu'un boulanger maison d'expérience ait envie de l'essayer s'il est parvenu à en obtenir d'une coopérative de produits alimentaires ou d'une boulangerie. Avec cette farine, le gluten se forme très rapidement durant le pétrissage à la main, et l'on peut produire du très bon pain.

Aux États-Unis, l'appellation "farine à pain" s'applique à une farine de blé dur à 100%. Les usagers canadiens de recettes américaines devraient en tenir compte. Lorsqu'une recette américaine requiert l'utilisation de farine à pain, l'équivalent canadien en est la farine tout usage. De la même façon, les Américains doivent savoir que lorsque des recettes canadiennes, comme c'est ici le cas, requièrent l'utilisation de farine tout usage ou simplement de "farine", l'équivalent américain en est la farine à pain. En d'autres termes, l'appellation "farine tout usage", telle qu'on la trouve dans ce livre, signifie farine tout usage *canadienne.*

Farine à action instantanée

Essentiellement identique à la farine tout usage par ses composants chimiques, elle en diffère physiquement par des granules plus grossières qui lui permettent de couler plus librement. Paradoxalement, l'usager a l'impression que cette farine est d'une texture plus fine parce que les granules ne s'agglutinent pas. Elle est tout aussi acceptable pour la pâte à pain que la farine tout usage et peut remplacer celle-ci en tout temps. Elle se vend dans des shakers, et l'un de ceux-ci sera très utile pour enfariner la planche à pain au moment du pétrissage.

Farine à gâteau et à pâtisserie

Cette farine est à base de blé d'hiver mou. Sa teneur en gluten est faible, et elle ne convient habituellement pas à la pâte à pain levée. Ajoutée en petite quantité à la farine tout usage, elle accentue cependant la saveur de certains pains à l'eau.

Farine qui lève d'elle-même

C'est une farine à laquelle le fabricant a ajouté du sel et de la poudre à lever *(à pâte).* Une tasse de cette farine contient l'équivalent d'une demi-cuillerée à thé (2 mL) de sel et d'une cuillerée à thé et demie (7 mL) de poudre à lever. On l'utilise dans la préparation de pains et de gâteaux rapides plutôt que de pains levés à la levure.

Farines à macaroni

Ces farines sont à base de blés durs à haute teneur en gluten. Elles sont de texture granuleuse, de couleur crème et servent dans la préparation des pâtes alimentaires.

Farine de blé dur moulue à la pierre (farine dure)

OK.

Il s'agit d'une farine semblable à la farine tout usage, mais moulue entre des pierres. Habituellement non blanchie, elle se trouve chez les détaillants d'aliments naturels ou dans les magasins d'alimentation spécialisés.

Farine à pâtisserie ou farine molle moulue à la pierre

Il s'agit d'une farine de blé mou moulue à la pierre, semblable à la farine à gâteau et à pâtisserie et pouvant se substituer à celle-ci. Habituellement non blanchie, elle se vend dans les épiceries spécialisées ou chez les détaillants d'aliments naturels.

FARINES BRUNES

Farine de blé entier à 100%

Faite de grains de blé entiers, cette farine contient la balle de son et le germe en plus de l'endosperme. Lorsqu'on procède à sa mouture dans les grandes minoteries, on en retire le son et le germe de blé qu'on y remet après l'opération de manière à recomposer le contenu originel. Le mélange de blés est le même que celui de la farine tout usage, mais la farine de blé entier ne donne pas d'aussi bons résultats à la cuisson: sa teneur en gluten est en effet plus basse que celle de la farine tout usage, et la pâte faite avec elle a moins d'élasticité. Une miche à base de cette farine est plus petite et d'une texture plus grossière. Sa délicate saveur de noisette rachète cependant les désagréments de sa consistance et de son apparence. Règle générale, on obtient de meilleurs résultats en mélangeant la farine tout usage et la farine de blé entier dans la préparation du pain brun. Les germes de blé, huileux, diminuent la durée de conservation de la farine de blé entier qui tend à prendre un goût rassis et rance. C'est pourquoi l'on vend cette farine en petites quantités. Il faut l'entreposer dans un endroit sec et frais et l'utiliser si possible dans les trois mois. Elle doit en outre ne pas être mise en contact avec la farine blanche qu'elle pourrait contaminer en moisissant. La farine de blé entier congelée peut se conserver longtemps pour autant qu'elle ait été enveloppée avec soin dans une matière à l'épreuve de la moisissure. Le papier d'emballage dans lequel on la vend ne constitue pas une protection suffisante, même si le sac n'a pas été ouvert, et il faut y ajouter un sac en plastique.

Farine "Graham"

Ainsi nommée en l'honneur de Sylvester Graham, un évangéliste devenu réformateur en alimentation qui a mené une campagne contre le pain blanc dans les années 1840, cette farine peut être substituée à la farine de blé entier malgré sa grossièreté et sa teneur plus élevée en son.

Farine de blé entier moulue à la meule de pierre

À la différence de la farine de blé entier des minoteries, cette farine n'est pas reconstituée. Les grains de blé entier sont broyés entre les pierres, et leurs composants ne sont pas séparés. Cela signifie que la farine de blé entier moulue à la meule de pierre est d'une texture plus grossière que celle des grandes minoteries. Le pain qu'elle sert à produire bénéficie de l'addition d'une petite quantité de levure supplémentaire. En conséquence, il faut ajouter un quart de cuillerée à thé (1 mL) de levure sèche par cuillerée à soupe (15 mL) requise lorsqu'on se sert de farine de blé entier moulue à la meule de pierre dans la préparation d'un pain.

Farine de blé entier moulue à la meule de pierre et tamisée

Il s'agit de farine de blé entier dont on a éliminé le son par tamisage et qui ne contient plus que l'endosperme et le germe. Cette farine est plus nourrissante que la farine blanche et, dépourvue de fibre, n'a pas la grossièreté de la farine de blé entier. On la trouve chez les épiciers spécialisés et les détaillants d'aliments naturels.

Farine de blé entier à pâtisserie

Il s'agit d'une farine produite avec le grain entier du blé mou. Sa teneur en gluten est basse, et elle ne convient pas à la préparation du pain levé à la levure.

Farine de seigle

Le seigle est, avec le blé, la seule plante céréalière qui contienne suffisamment de gluten pour entrer dans la préparation du pain levé à la levure. Son gluten appartient cependant à une famille différente de celui que renferme le blé, et il est beaucoup plus difficile d'en faire une bonne pâte. C'est pour cette raison qu'on ajoute habituellement de la farine de blé à la farine de seigle. Le pain de seigle est parfois d'une couleur foncée, mais il est erroné de croire que cette coloration découle d'une plus grande quantité de farine de seigle. Les boulangeries commerciales ajoutent à la pâte un colorant à base de caramel de façon à produire la couleur caractéristique du pain *pumpernickel* et des autres pains noirs. La farine de seigle produit une pâte qui demeure toujours légèrement collante et, même en petite quantité, elle donne au pain une saveur particulière et une texture serrée caractéristiques. Ce type de farine se gâte facilement et doit être entreposé de la même façon que la farine de blé entier. Les consommateurs de farine de seigle doivent tenir compte d'un autre facteur et toujours acheter une farine qui provient d'une minoterie réputée. Le seigle est en effet susceptible d'être attaqué par une moisissure, l'ergot, qui peut provoquer une maladie grave chez les humains pour autant que des épis contaminés aient été utilisés lors de la préparation de la farine. La dernière grande épidémie d'ergotisme date de 1951, en France, et la réglementation sévère qui régit la production de la farine de seigle par les minoteries assure une très grande pureté à leur produit. Les boulangers doivent éviter de se servir de farine de seigle provenant de petits moulins privés.

AUTRES FARINES ET PRODUITS CÉRÉALIERS

Certaines farines sont moulues beaucoup moins finement que d'autres et ne peuvent servir sans mélange dans la préparation de pain levé à la levure. En ajoutant une ou plusieurs de ces farines à la pâte, cependant, il est possible de produire du pain délicieux et d'une texture croustillante.

Gruau

Le gruau provient du broyage de grains d'avoine. Il rend le pain savoureux et constitue la base du délicieux pain au porridge des Maritimes. On produit plusieurs catégories de gruau, mais le gruau produit et vendu par la compagnie Ogilvy Mills sous l'appellation "gruau de type écossais" demeure le plus répandu. Les marchés d'aliments naturels vendent une autre catégorie plus grossière. Le gruau se conserve mal; sa haute teneur en graisses le rend rapidement amer. On peut le congeler pour l'entreposer à long terme. Il doit être conservé au frais et au sec.

Flocons d'avoine

Il s'agit d'une présentation beaucoup plus courante de l'avoine où le gruau grossièrement broyé est transformé en flocons. Les flocons d'avoine se vendent sous différentes formes: certains cuisent lentement, à l'ancienne, d'autres cuisent rapidement ou encore instantanément. Les flocons qui cuisent le plus lentement produisent cependant le pain dont la saveur de noisettes et la texture sont au mieux.

Blé décortiqué

Il s'agit de blé grossièrement broyé. Une mouture un peu plus fine se vend sous le nom de céréales *Red River.* Ce blé donne au pain une texture croustillante.

Semoule

Il s'agit d'une mouture grossière de l'endosperme du grain de blé. L'appellation commerciale la plus répandue de cette céréale de déjeuner est *Crème de blé.*

Farine de sarrazin

La farine de sarrazin doit son nom aux Sarrazins d'Arabie d'où elle a été rapportée en Europe au cours des Croisades. Elle est utilisée dans certains pains d'Europe de l'Est. Sa saveur prononcée est caractéristique.

Semoule de maïs

Il s'agit d'un produit originaire d'Amérique du Nord où il sert à colorer et à donner de la saveur à plusieurs de nos variétés de pain bien qu'il soit surtout utilisé lors de la production de pains ou de *muffins* levés par l'action combinée d'un acide et d'un alcalin. Il peut être jaune ou blanc, mais la variété jaune est beaucoup plus courante. Elle sert souvent à saupoudrer les tôles à cuisson pour empêcher le pain d'y adhérer.

Fécule de maïs

Ce produit qu'on appelle farine de maïs en Angleterre est rarement incorporé au pain levé à la levure, mais sert à produire une glace luisante sur la croûte cuite de certains pains foncés.

Flocons de "Granary"

Il s'agit d'un mélange grossier de farines maltées telles que blé, avoine, orge et autres qui sont broyées de façon à ressembler aux flocons d'avoine. Ce mélange peut remplacer les flocons d'avoine, et sa saveur délicieuse provient du malt. On l'achète chez les épiciers spécialisés ou les détaillants d'aliments naturels.

Flocons de "Triticale"

Ce produit qui ressemble aux flocons d'avoine et aux flocons de *Granary*, provient des grains d'une plante issue d'un croisement entre le blé et le seigle et possède les caractéristiques des deux. Sa haute teneur en protéines lui confère une certaine valeur d'un point de vue diététique, mais la saveur qu'elle donne au pain n'a pas la finesse de celle des deux autres types de flocons.

Farine de riz et riz

La farine de riz sert peu dans la fabrication du pain, mais se révèle très utile quand il s'agit d'enfariner la pâte lors de la mise en forme des miches et, plus particulièrement, des tresses compliquées. La farine de riz assèche la pâte, mais sans y adhérer, ce qui permet d'éviter l'apparence poudreuse que prend la pâte quand elle est saupoudrée de farine de blé. Si les cordons de la *Hallah,* par exemple, collent ensemble en cours de cuisson ou apparaissent déchirés et filamenteux, le fait de les saupoudrer de farine de riz avant le tressage règlera le problème.

Ajoutés à certaines variétés de pain blanc, les grains de riz cuit donnent d'excellents résultats. C'est une bonne façon de se débarrasser des restes.

Pommes de terre et farine de pommes de terre

Les pommes de terre en purée et leur eau de cuisson ont longtemps été partie intégrante des pains levés à la levure. Grâce à elles, les miches conservent leur humidité et leur fraîcheur plus longtemps, et la teneur du pain en minéraux et en vitamines en est augmentée. La farine de pommes de terre peut, comme la farine de riz, servir à saupoudrer les miches lors de leur mise en forme, de même qu'elle sert à produire une glace luisante pour les pains noirs.

Germes de blé

Le germe de blé constitue le coeur du grain de blé et contient les graisses, les vitamines et les minéraux. Laissé de côté pour la fabrication des farines blanches, il entre dans la composition des farines de blé entier. On peut l'acheter et enrichir le pain en l'y intégrant non seulement d'un point de vue diététique, mais aussi gastronomique. Il colore juste assez le pain pour le rendre crémeux et le consteller de minuscules points dorés; on peut ajouter cinq cuillerées à café (25 mL) de germes de blé par tasse (250 mL) de farine dans la recette de n'importe quel pain sans en modifier la texture: la saveur et la valeur nutritive s'en trouveront améliorées. Les germes de blé se gâtent aisément et doivent être réfrigérés une fois entamés. Ils se vendent non sucrés ou sucrés, mais il est préférable de se servir des germes naturels non sucrés dans la préparation du pain. Je recommande vivement cette façon d'enrichir le pain puisque la farine ordinaire s'entrepose facilement et peut être achetée en grande quantité tandis que les germes dont la présence dans la farine pourrait gâter celle-ci, se conservent sans risque au réfrigérateur.

Farine de soya

La farine de soya provient de la mouture des graines de soya. Ajoutée au pain, elle augmente sa teneur en protéines, mais non sa teneur en graisses. Elle a peu de saveur propre; cependant, la quantité qu'il est possible d'ajouter à la pâte sans en altérer la texture, est à peine suffisante pour que soit augmentée de façon appréciable la valeur nutritive d'une tranche de pain.

D'autres farines à base de lentilles, telle que la farine de pois chiche (ou farine *besan*), se vendent dans les boutiques qui desservent une clientèle originaire des Indes et peuvent aussi servir de garnitures pour le pain.

Son

Le son est l'enveloppe fibreuse du grain de blé. Constitué de cellulose, il n'a pas en soi de valeur nutritive bien que selon plusieurs experts en la matière, les régimes alimentaires actuels contenant trop peu de fibres, l'addition de son au pain remédierait à cette carence. Les particules de son ont toutefois tendance à couper les fibres du gluten dans la pâte, et le pain pourrait ainsi ne pas lever aussi bien.

Du point de vue de la qualité du produit fini, il est probablement préférable d'ajouter le son aux *muffins* ou aux céréales du déjeuner et d'en limiter la quantité dans le pain à ce que contiennent naturellement les farines de blé entier.

MÉLANGES À PAIN

Un bon nombre de mélanges à pain commerciaux ont fait récemment leur apparition sur le marché. Composés de farine, de sel, de sucre, de lait en poudre et de graisses, ils contiennent habituellement une enveloppe de levure. Ils permettent de produire environ quatre miches chacun. Bien que le pain ainsi obtenu soit agréable au goût, sa préparation n'est pas plus rapide que celle d'un autre: en effet, si les mélanges à gâteau ou à *muffins* font réaliser une économie de temps, ce n'est pas le cas des mélanges à pain qui ne dispensent pas le boulanger des étapes du pétrissage, de la levée et de la mise en forme de la pâte. Le nombre d'ingrédients du pain de base est si minime qu'il n'y a guère d'avantage à se les procurer sous cette forme. Les mélanges contiennent certains stabilisateurs qui tendent à améliorer la qualité de la pâte, mais n'importe qui peut produire une aussi bonne pâte avec un peu d'entraînement. Ils seront utiles à la campagne ou en camping, lorsque l'espace d'entreposage est réduit à l'essentiel, ou aux novices à qui ils permettront de se faire la main. Les usagers qui y trouvent un réel avantage devraient plutôt préparer leur propre mélange (voir page 184).

Avant de clore le sujet, il est peut-être bon de donner quelques avertissements. Bon nombre de personnes s'intéressent de près à la production domestique de pain de grain entier. La plupart des grains entiers ne sont vendus que chez les détaillants d'aliments naturels et dans les épiceries spécialisées et sont plutôt coûteux. Dans le but de se prémunir contre ces prix élevés, des consommateurs achètent leurs grains chez des marchands de nourriture pour animaux. Cela ne va pas sans risque. Les produits à base de grain vendus par de tels marchands, non destinés à la consommation humaine, ne sont pas complètement nettoyés. En fait, ils peuvent contenir des insectes, des vers, des petits cailloux et même de la crotte de souris! S'il y a peut-être lieu de voir dans ces corps étrangers une source d'"enrichissement" pour les poulets, pour un boulanger, ils ne présentent guère d'attrait... Il existe cependant un autre risque beaucoup plus grave lorsqu'on achète son grain chez les marchands de nourriture pour animaux: une partie peut être constituée de grains de semence traités aux insecticides toxiques. On n'a jamais rapporté de tels cas au Canada, mais en Iran où l'on avait par erreur incorporé à la farine des grains de ce genre qui y avaient été livrés, des gens ont contracté de graves maladies et sont morts après en avoir absorbé. Cet avertissement n'a pas pour but de déconseiller l'utilisation de grain entier, mais de souligner la nécessité de n'utiliser que celui qui est destiné à la consommation humaine. Les coopératives alimentaires sont très souvent l'endroit où en trouver à des prix raisonnables.

On ne doit pas pour autant conclure que les produits de grains destinés aux humains sont toujours épargnés. Au contraire, la plupart des ménagères ont vécu l'expérience déplaisante d'ouvrir un sac de farine infesté d'insectes. Comment s'y sont-ils logés? Il serait injuste de jeter le blâme sur les minoteries puisqu'elles prennent toutes les précautions pour enrayer la contamination. Il se peut que le grain soit infesté à son arrivée au moulin. La fumigation et le tamisage éliminent tous les insectes, mais des larves microscopiques peuvent subsister et éclore plus tard si les conditions s'y prêtent. Il est beaucoup plus plausible, cependant, d'attribuer la contamination à l'entreposage d'autres denrées près de la farine, que ce soit à l'entrepôt, chez le détaillant ou à la maison même. Les farines de texture grossière sont plus susceptibles de contenir des oeufs d'insectes que les farines fines. Les produits de grains devraient donc tous être rangés séparément dans des contenants à l'épreuve des insectes de façon à empêcher la contamination de se propager d'un lot isolé à la totalité du garde-manger. Les boîtes de café ou de graisse végétale en fer blanc sont des contenants convenables pour de petites quantités de farine tandis qu'une poubelle neuve et hermétique peut contenir facilement jusqu'à dix livres (22 kg) de farine. Bien que la présence de charançons dans la farine soit évidemment révoltante d'un point de vue esthétique, les usagers peuvent être rassurés, car ces insectes ne constituent pas un danger réel pour la santé et ne sont pas trop difficiles à éliminer si l'on a pris les précautions adéquates au moment de l'entreposage. Le ministère de l'Agriculture du Canada a fait paraître une excellente brochure gratuite intitulée, *Control for Food People,* qu'il est possible d'obtenir en écrivant au Service de l'information de ce ministère à Ottawa, code K1A OC7. Voici quelques règles de base dont l'application permettra d'éviter la présence d'insectes dans la farine:

1 — N'acheter les produits céréaliers qu'en quantité suffisante pour un laps de temps raisonnable.

2 — Se méfier de l'été. Ne pas laisser de produits céréaliers exposés à la chaleur humide des armoires, plus particulièrement au moment du départ pour les vacances.

3 — Vérifier dès l'achat que les produits ne contiennent pas d'insectes.

4 — Entreposer les farines dans des contenants de verre, de métal ou de plastique épais à l'épreuve des insectes. S'assurer que ces contenants sont réellement hermétiques: les insectes peuvent passer par des trous presqu'invisibles.

5 — Entreposer si possible dans des conditions idéales: au sec et à une température inférieure à 55°F (13°C).

6 — Vérifier si une date apparaît sur le produit et n'acheter que dans les endroits où il y a un bon débit.

7 — Jeter un coup d'oeil de temps en temps aux contenants.

8 — Enlever la farine répandue sur les tablettes d'armoire. Il s'agit là de la source de contamination la plus fréquente.

9 — Il est préférable de trouver un insecte dans le tamis plutôt que dans son pain!

LA LEVURE

Les levures sont des organismes vivants apparentés de près aux moisissures, aux bactéries et aux champignons. Leur importance économique est fabuleuse puisqu'elles déclenchent un processus appelé fermentation qui permet à l'homme de produire, entre autres, le vin et le pain. Sans la levure, Omar se serait retrouvé dans le désert avec un compagnon affamé et assoiffé!

Dans la pâte à pain, le processus de fermentation agit sur l'amidon de la farine en le transformant en alcool et en anhydride carbonique. Les minuscules bulles d'anhydride carbonique forcent la pâte à "lever" et rendent le pain léger et spongieux. Cette fermentation provient de l'action de substances appelées "enzymes" qui sont présentes dans les cellules de levure.

La levure utilisée dans la préparation du pain appartient à la famille des *Saccharomyces cerevisiae.* Dans des conditions idéales, elle se reproduit très rapidement. Une infime quantité diluée dans une goutte d'eau sous le microscope permet d'examiner clairement son processus de croissance et de reproduction. Une cellule de levure fait croître un minuscule appendice appelé bourgeon, lequel croît jusqu'à produire à son tour des bourgeons. Ceux-ci restant souvent attachés à la cellule-mère, la plante ressemble bientôt à un arbrisseau aux branches multiples qui se ramifient à leur tour à mesure que les cellules croissent. Tant que les cellules croissent et se multiplient, le processus de fermentation et la production de CO_2 se poursuivent.

Il existe littéralement des centaines de variétés de levures, de levures "sauvages", qui flottent dans l'air. Celles-ci n'ont pas toutes la capacité de faire lever le pain, et la levure qu'on trouve sur le marché, cultivée dans de grandes serres, appartient à une seule variété. Au Canada, la compagnie Fleischmann produit plus de 90% de la levure commerciale. Le reste provient d'une ou deux compagnies indépendantes, et on en importe une certaine quantité d'Europe.

Le processus de croissance de la levure cultivée est fascinant. À l'origine, on trouve une "graine" de levure produite en laboratoire dans des conditions rigoureuses qui lui assurent une pureté absolue. Il est dommage qu'aucune "graine" de levure ne soit produite par une entreprise nationale, mais uniquement par le siège social américain. Cette "graine", expédiée aux succursales canadiennes, sert à faire pousser la levure vendue ici. Les "graines" de levure sont nourries d'un mélange à base de mélasse dans d'immenses bacs de fermentation. Jeter un coup d'oeil dans un de ces récipients, c'est découvrir le roulis d'une mer tumultueuse de liquide brun et écumeux. La levure semi-liquide est ensuite asséchée par force centrifuge et comprimée en gâteaux ou asséchée davantage et empaquetée en granules de levure sèche. L'action de la levure varie légèrement selon sa présentation.

Plusieurs croient que la levure est une substance mystérieuse qui doit être dorlotée et traitée de façon très particulière. Il s'agit là d'une erreur: il faut simplement ne pas oublier que la levure est une plante vivante au même titre que le géranium sur le rebord de la fenêtre et qu'elle ne réagit pas différemment de plusieurs plantes d'intérieur. Ce qui gêne le boulanger la gêne aussi, et tout doute sur les soins à lui donner peut.être résolu en se demandant les effets qu'ils auraient sur soi. Verser de l'eau bouillante sur la levure la tue de la même façon que le boulanger mourrait s'il était plongé dans l'eau bouillante! Un peu de sucre favorise l'action de la levure tandis que trop de sucre la ralentit, de la même manière qu'avec l'organisme humain. Peut-être les propos précédents sembleront-ils un peu tirés par les cheveux; ils aideront néanmoins à rendre la levure un peu moins mystérieuse.

Il n'est pas nécessaire que l'usager connaisse la formule chimique et les équations du processus grâce auquel la levure fait lever le pain, mais il est important d'en comprendre l'essentiel. Pour faire du pain, on doit d'abord activer la levure. Cela signifie qu'on saupoudre de la quantité de levure requise par une recette donnée une petite quantité d'eau tiède à 85°F (29,5°C) et qu'on la laisse agir de cinq à dix minutes. Il y a à cela deux raisons: il faut d'abord s'assurer que la levure est vivante plutôt que de risquer de gaspiller des ingrédients coûteux en les combinant avec une levure inerte; on doit ensuite tenir compte du fait qu'une solution liquide se mélange plus aisément aux autres ingrédients. Si la levure n'est pas complètement dissoute avant d'être incorporée à la pâte, des grains de levure provoqueront une fermentation irrégulière.

La levure vivante commence à travailler aussitôt mélangée avec les autres ingrédients. Quelle est la nature de ce travail par quoi la levure aide à "construire" la miche? Elle ne fait que se nourrir, croître, se reproduire et dispenser le produit de son métabolisme comme le fait toute autre plante. On peut ainsi comprendre que la pâte contient, une fois terminée, beaucoup plus de levure qu'au début. Laissée à elle-même, la levure se multiplie jusqu'à épuisement des ingrédients disponibles, après quoi elle cesse de travailler et, lentement, meurt. Cela implique que la pâte qui contient de la levure peut être laissée à elle-même trop longtemps alors qu'on ne devrait pas lui permettre d'augmenter de plus du double de son volume. Il n'est pas difficile de comprendre que la pâte lève d'autant plus rapidement qu'on a utilisé davantage de levure, mais une trop grande quantité de celle-ci se multipliera tellement qu'elle donnera au pain une forte saveur. Ce que j'essaie de faire comprendre, c'est qu'il faut se servir de la bonne quantité de levure. Plusieurs recettes mises au point pour les boulangers maison d'aujourd'hui semblent s'appuyer sur l'idée selon laquelle il faut sauver le plus de temps possible. Probablement leurs auteurs ont-ils le sentiment qu'un usager potentiel pourrait être effrayé par la lenteur de la levée. Tout cela ne doit cependant pas faire oublier qu'une pâte levée à toute vitesse ne produit pas un pain d'aussi bon goût ni d'aussi bonne texture qu'une pâte qu'on a laissée mûrir. Le processus de fermentation agit lentement dans la pâte et, ce faisant, augmente son acidité tout en la rendant plus savoureuse. On ne doit assurément laisser aucune pâte lever indéfiniment, mais la plupart des pâtes bénéficieraient d'un temps de levée plus long que celui qu'on leur concède habituellement. Comment le boulanger sérieux peut-il régler un tel problème? Eh bien, un boulanger assez expérimenté pour percevoir que la pâte a suffisamment levé pourrait se livrer à certaines expériences en utilisant moins de levure et en rallongeant en conséquence le temps de levée. Le pain qui en résulterait serait plus savoureux, et sa texture, plus adéquate, en même temps qu'il coûterait moins cher puisque la levure est, de tous les ingrédients qui entrent dans la fabrication du pain ordinaire, le plus coûteux. On peut affirmer sans risque d'erreur que la quantité de levure requise par la plupart des recettes de pain blanc ordinaire, peut être divisée par deux pour autant qu'on laisse lever la pâte jusqu'au lendemain comme le faisaient les boulangers de la génération précédente. C'est du moins le raisonnement qui sert de base à la méthode de production de la pâte ferme dont il sera question dans un chapitre ultérieur.

Une fois que la levure a agi suffisamment longtemps dans la pâte et produit assez de CO_2 pour la faire doubler de volume, celle-ci est "abaissée" avec le poing ou "rabattue" sur une surface dure pour permettre au boulanger de lui donner sa forme. Ainsi que nous l'avons dit plus haut, le nombre de cellules de levure contenu dans la pâte a beaucoup augmenté, et la levée suivante sera produite par une beaucoup plus nombreuse "armée de travailleurs". Une fois formée, la pâte lève de nouveau. Cette levée est plus rapide à cause de la grande quantité de cellules actives. Lorsqu'elles ont atteint le double de leur volume, les miches sont prêtes pour la cuisson et mises au four où les cellules de levure meurent quand elles sont exposées à une température d'environ 131 °F (55 °C). La totalité de la miche n'atteint cependant pas cette température au même moment. Les bulles de gaz constituent un bon isolant, et la levure qui se trouve au centre de la miche reste fraîche et continue à travailler durant quelques longues minutes. L'augmentation de la chaleur provoque l'expansion des bulles de gaz contenues dans le pain, et celui-ci lève ou "fleurit" beaucoup au four. Il arrive même que dans un four très chaud, la croûte se rompt pour permettre une plus grande expansion. De tels pains ne sont pas sans attrait, et certaines miches sont conçues pour se fendre en certains points déterminés.

Le rôle de la levure prend fin avec la cuisson. L'anhydride carbonique issu de la levure a allégé et donné forme à la miche; l'alcool, évaporé pendant la cuisson, a répandu cet arôme si merveilleux qui est l'un des plaisirs les plus doux de la cuisson du pain maison.

La levure se vend sous plusieurs formes, et ses caractéristiques varient de l'une à l'autre bien qu'elles soient interchangeables.

TYPES DE LEVURE

Levure sèche à action rapide

Il s'agit de la forme de levure la plus courante, et on la vend dans la plupart des épiceries en sachets individuels ou en boîtes de différentes grandeurs (habituellement 4 onces (120 g), 8 onces (225 g), 1 livre (450 g) ou 2 livres (900 g)). Cette levure s'obtient, s'entrepose et s'utilise facilement, mais coûte cher. Les sachets sont proportionnellement la forme de contenants la plus chère, et quiconque s'intéresse à l'idée de produire son propre pain économisera en achetant les plus grands contenants. Les sachets et les boîtes étant datés, l'acheteur devrait vérifier avant tout la durée de fraîcheur du contenu. Ce type de levure s'entrepose facilement. La plupart des gens la conservent au réfrigérateur; il n'est pas nécessaire d'en faire autant: l'important est qu'elle soit entreposée au frais et au sec. Au moment de l'activation, il faut ajouter un peu de sucre pour amorcer la fermentation. Il arrive parfois que le libellé des instructions laisse songeur, par exemple lorsqu'on y dit de saupoudrer de levure une demi tasse (125 mL) d'eau tiède ou l'on a dissous une cuillerée à café (5 mL) de sucre, alors que la recette requiert un quart de tasse (65 mL) d'eau et une demi-cuillerée à café (2 mL) de sucre. Que faire? Suivre les instructions de la recette. Mais lorsque les indications de celle-ci se résumeront, par exemple, comme c'est souvent le cas, à celles-ci: "Activer la levure et ajouter aux autres ingrédients", il faudra plutôt se reporter aux instructions qui accompagnent la levure.

Levure sèche en granules

Il s'agit d'une levure presque identique à la précédente, mais qu'on achète habituellement en vrac chez les détaillants d'aliments naturels qui, eux-mêmes, l'achètent en vrac et la revendent en sachets de quatre à huit onces. Cette levure diffère par son apparence de la levure sèche à action rapide: elle est d'une texture plus fine et contient des granules irrégulières aux arêtes aiguës plutôt que des granules arrondies comme des graines. Elle agit un peu plus lentement, mais, de même que la précédente, on doit l'activer dans l'eau avec un peu de sucre. On l'entrepose de façon identique à la précédente, mais, lorsqu'on l'achète emballée dans un sac en papier, il faut la transvider dans un sac en plastique ou une boîte fermée. Puisqu'aucune date limite n'apparaît sur le sac, il est recommandé de l'acheter uniquement de marchands sûrs, et bien que, fraîche, elle dure aussi longtemps que la levure commercialisée, il est prudent d'en acheter de plus petites quantités. Malgré ses inconvénients et la possible difficulté à se la procurer, cette levure est beaucoup moins chère, ce que doit avoir présent à l'esprit quiconque produit du pain en quantité.

Levure comprimée ou levure fraîche

Cette levure se vend en gros blocs ou en petits gâteaux individuels. C'était autrefois la forme de levure la plus courante, mais elle a maintenant presque complètement disparu des étagères sauf dans les Maritimes — où existe ce qu'on appellerait la loyauté à un produit! — et dans certaines parties de Toronto — où, comme chacun sait, vivent grand nombre de gens originaires des Maritimes! On trouve difficilement cette levure, et elle s'entrepose mal. Pourquoi donc, dans ces conditions, voudrait-t-on s'en procurer? Parce qu'elle travaille beaucoup plus rapidement et que, de l'avis de plusieurs, elle donne un pain d'une qualité supérieure.

La brièveté de sa vie d'étagère fait que plusieurs magasins d'alimentation, et plus particulièrement les chaînes de supermarchés, refusent de l'entreposer; seule une demande assez forte les y contraint. Il faut faire preuve de détermination pour obtenir cette levure. La plupart des petites boulangeries l'utilisent, et quelques-unes la vendent à l'once ou à la livre. Aucun prix n'est fixé, bien sûr, et il arrive que des clients la paient trop cher. Quelques détaillants d'aliments naturels vendent aussi de la levure comprimée, mais la plupart d'entre eux craignent de se retrouver avec un stock éventé. Elizabeth David affirme, dans son excellent ouvrage *English Bread and Yeast Cookery,* publié par Penguin, que le problème se pose de la même façon à Londres et fait remarquer que certains détaillants commencent enfin à s'apercevoir qu'en vendant de la levure fraîche, ils vendront davantage de farine à pain tout en obligeant leurs clients à de plus fréquentes visites. Je souhaite ardemment que nos détaillants d'aliments naturels tirent la même conclusion!

À toutes fins utiles, quand on réussit à mettre la main sur cette levure — et, dans ce cas, elle coûte normalement moins cher que toute autre forme de levure —, il faut s'assurer de sa fraîcheur. D'un gris crémeux, lisse et non friable, elle doit dégager une odeur fraîche et pas trop prononcée. À la maison, il faut l'entreposer au réfrigérateur à une température idéale d'environ 38°F (4°C), bien enveloppée et soigneusement protégée de l'assèchement. Une feuille de plastique ou de papier ciré, recouverte d'un papier d'aluminium, constitue un bon emballage. La levure se conserve de deux à trois semaines au réfrigérateur bien que les arêtes commencent à racornir après seulement quelques jours; il suffit alors d'en éliminer les petits morceaux qui ont bruni. Si l'on a dû en acheter une livre et qu'il n'est pas possible de l'employer dans les trois semaines, on peut alors la congeler. Avant de la congeler, on la divise en petits paquets d'environ une once (25 g) qu'on enveloppe respectivement de papier d'aluminium. On coupe la levure avec un couteau à lame mince et ondulée comme si on la sciait. Le moment venu de s'en servir, on la retire du congélateur et on l'égrène ou on l'écrase dans l'eau tiède avant qu'elle ne perde sa fermeté. Complètement dégelée, elle devient collante et difficile à manipuler. Il ne faut pas congeler de nouveau de la levure à moitié dégelée qui ne sert pas sur-le-champ, mais plutôt la mettre au réfrigérateur dans l'eau froide où elle peut se garder plusieurs jours. Le moment venu, on vide l'eau froide et on la remplace par de l'eau tiède.

Plusieurs personnes se demanderont pourquoi se donner tant de mal quand d'autres types de levure se révèlent tout aussi satisfaisants. Le fait est que la rapidité, l'énergie et la vigueur de la levure comprimée font de son utilisation un véritable plaisir. Avec elle, on gagne autant de temps qu'il en faudrait pour surveiller la cuisson, et une fois qu'ils l'ont essayée, peu de boulangers sérieux sont enclins à revenir en arrière. Si l'on remplace de la levure en sachet par de la levure comprimée, un cube d'une once (25 g) équivaut à un sachet ou à une cuillerée à soupe (15 mL) de levure sèche. Il n'est pas nécessaire de se servir de sucre pour activer la levure comprimée: celle-ci réagit dès son contact avec l'eau et pétille bientôt comme une boisson gazeuse. Elle a bon goût, sent moins la bière que la levure sèche et réduit le temps de préparation du pain d'environ le tiers.

Levure sèche de type "Rapidmix"

Il s'agit d'une forme de levure qui n'a fait que récemment son apparition sur le marché. Essentiellement identique à la levure sèche à action rapide de type Fleischmann, elle est cependant d'une mouture plus fine qui permet à l'usager de l'incorporer aux autres ingrédients sans l'avoir préalablement activée. Efficace pour de petites quantités de pain, elle ne permet pas de sauver du temps puisque la plupart des boulangers expérimentés font activer la levure pendant qu'ils rassemblent les ustensibles et les ingrédients qui leur seront nécessaires. Elle peut cependant se révéler utile en une occasion. Bon nombre de gens aiment avoir à portée de la main une certaine quantité de mélange à pain maison (voir la recette, page 184), et cette levure peut être intégrée à un tel mélange. Chez soi, le problème ne se pose pas; mais si l'on se trouve en camping, en roulotte ou en bateau, c'est un bon moyen pour que la famille ait du pain frais sans avoir à transporter les ingrédients dans leur contenant respectif. Les instructions de l'emballage recommandent la méthode d'activation traditionnelle pour plus de trois miches, et c'est là, à mon avis, un conseil judicieux. Cette levure reste fraîche parce qu'elle contient de l'hydroxyanisol tertiobutylé.

Puisqu'il est assez inhabituel de mettre un additif dans la levure, produit remarquablement pur, il n'est peut-être pas inutile d'en expliquer la nécessité. Le rôle de l'additif est d'empêcher l'oxydation de la levure. Celle-ci étant d'une mouture fine, on lui ajoute, pour qu'elle se dissolve rapidement, un émulsifiant qui s'oxyde très facilement, et, sans la présence d'hydroxyanisol tertiobutylé, les cellules de levure seraient endommagées dès qu'elles entreraient en contact avec l'eau, un peu comme si elles entraient plutôt en contact avec un acide, et leur action serait compromise. Il peut être intéressant d'expérimenter un tel produit, mais, sauf dans le cas susmentionné, ce dernier ne répond pas à mon avis à un réel besoin du boulanger domestique.

"Amorces"

Il a déjà été question des levures domestiques ou "amorces" dans le chapitre qui traite de l'histoire du pain. Il s'agit, bien entendu, des plus anciens agents de levée du pain, et leur utilisation a presque disparu depuis l'avènement des levures commerciales, sauf là où la saveur particulière du pain aigre a poussé les consommateurs à exiger du pain de pâte aigrie. Au cours des dix dernières années, cette exigence s'est répandue d'un bout à l'autre du continent et a permis à la pâte aigrie et à ses amorces de connaître un renouveau de succès.

Il existe deux méthodes de préparation des amorces: la première, celle des puristes, procède en quelque sorte à partir de rien puisque la seule levure que contiennent ces amorces flotte partout dans les airs. Bien sûr, le fabricant (trappeur serait peut-être plus juste) de levure n'a aucun moyen d'identifier les familles de levure qui provoquent la fermentation du mélange. La chance aidant, il obtient une famille forte, stable et assez sûre; une autre fois, le ferment est faible et son goût, mauvais. La deuxième méthode sera sera peut-être plus satisfaisante aux yeux de ceux qui doutent de l'efficacité du premier type de levure, pour ainsi dire "vierge". Cette fois, le mélange qui doit fermenter est "aidé" par l'addition d'un peu de levure commerciale. La fermentation naturelle préserve la saveur aigre caractéristique tandis que la présence de levure commerciale rend l'amorce sûre. Certaines pâtes aigries, particulièrement celles de San Francisco, ont une saveur unique, et l'on trouve sur le marché les cultures servant à préparer leurs amorces. Des chimistes ont découvert dans les boulangeries de San Francisco une certaine bactérie qui crée les enzymes responsables de cette saveur particulière. Dans plusieurs régions du pays, on peut se procurer des cultures porteuses de telles bactéries chez les détaillants d'aliments naturels. Il me semble cependant qu'il est plus gratifiant de mettre au point une amorce qui produise un pain répondant aux goûts de chacun. On trouvera des recettes d'amorces au chapitre consacré à la pâte aigrie.

Les amorces sont toutes un peu capricieuses et difficiles à entreposer. À l'usage, les meilleurs contenants se sont révélés être les grandes boîtes de jus en plastique du genre *Tupperware*. Leur couvercle peut se fermer de deux façons, soit lâchement, soit hermétiquement. Dans le cas où le récipient sert à conserver une amorce, le couvercle doit être fermé lâchement de façon à ce que l'anhydride carbonique puisse s'échapper. Les contenants en verre dont le couvercle se visse ne sont pas recommandés puisqu'ils peuvent éclater sous la pression du gaz. L'ouverture du récipient doit être suffisamment grande pour permettre à une tasse à mesurer d'y entrer. Si l'amorce ne sert pas au moins deux fois par mois, il faut la nourrir d'une cuillerée à café (5 mL) de sucre tous les trente jours.

Les cultures ne sont pas recommandées aux personnes qui n'ont jamais fait de pain. Il est préférable d'acquérir une certaine maîtrise de la boulangerie en se servant de levures commerciales; la préparation du pain à pâte aigrie n'en sera que plus plaisante.

LES LIQUIDES

Tout pain doit contenir une bonne proportion de liquide afin d'humidifier la farine et de la faire tenir. Le type de liquide employé contribue pour beaucoup à la qualité de la pâte, et sa quantité en proportion de celle de la farine détermine si la pâte sera lourde ou compacte, légère ou aérée. Dans certaines recettes, la quantité de liquide est exactement mesurée tandis que la quantité de farine varie; dans d'autres, la quantité de farine est invariable, mais non la quantité de liquide. L'une et l'autre méthodes produisent du pain de qualité; mais l'on doit se souvenir dans tous les cas que les proportions relatives de la farine et du liquide peuvent être modifiées selon les conditions prévalant au moment de la préparation du pain, ce qui sera exposé plus en détail dans le chapitre sur la préparation de la pâte.

L'EAU

L'eau est le seul liquide nécessaire à la préparation de base. Comme elle varie d'un endroit à l'autre, le pain variera aussi légèrement d'un endroit à l'autre. Le contenu en minéraux des eaux très dures tend à retarder l'action de la levure et, par conséquent, à ralentir quelque peu la levée, tandis que les eaux très douces l'accélèrent. Dans les régions où l'eau est très dure et alcaline, l'addition de quelques gouttes de vinaigre produira un meilleur pain. Il va sans dire que le pain ne sera pas aussi blanc là où l'eau est colorée, comme c'est le cas dans certaines villes canadiennes. Les pains à l'eau tendent de toute façon à être d'une couleur crémeuse. On peut aussi déceler dans la pâte, mais beaucoup moins dans le pain cuit, un goût aussi prononcé que celui du chlore. Il est évident qu'une eau bonne à boire donnera un pain acceptable. Certaines personnes se servent d'eau de source pétillante en bouteilles pour faire leur pain, et, bien que cette dépense soit plutôt inutile, on ne peut nier que le procédé donne une pâte légère qui lève vraiment très bien. Les Français affirment que, pour produire du "vrai" pain français, il faut se servir de farine française et d'eau française. Peut-être pourrait-on les satisfaire en se servant d'eau de Vichy ou d'eau Perrier!

LE LAIT

Le lait est, après l'eau, le liquide le plus couramment utilisé dans la préparation du pain. La plupart des recettes de base de pain maison requièrent un mélange de lait et d'eau. Le lait peut être entier, homogénéisé ou pas, partiellement écrémé à 2% et homogénéisé, forme très en demande de nos jours, ou même écrémé. La différence d'un lait à l'autre consistant dans la teneur en graisse, les pains produits avec l'un ou l'autre seront différents de même que s'ils contenaient plus ou moins de matières grasses ou d'huiles comme il est expliqué plus en détail dans le chapitre sur ce sujet.

L'utilisation du lait dans la préparation du pain a des effets très nets sur le produit fini. Les pains au lait ont une croûte plus foncée. Chacun sait que le lait brûle facilement quand il est chauffé, et cette propriété donne au pain une croûte riche d'un brun doré. Les pains à l'eau tendent à avoir une croûte plus pâle. La croûte du pain au lait est légèrement plus délicate que celle du pain à l'eau; le degré de cette délicatesse varie selon le contenu en graisse du lait (cela s'applique particulièrement aux petits pains et aux petites miches de formes libres). De même que sa croûte est plus tendre, sa mie est plus molle et d'une texture plus fine. Elle est aussi beaucoup plus blanche, ce qui accentue le contraste avec la croûte foncée. Les pains au lait se conservent mieux que les pains à l'eau. Avant l'avènement des congélateurs, quand on procédait à une fournée par semaine, ce facteur avait une très grande importance, mais, cet avènement aidant, il ne joue plus.

La valeur nutritive du lait, et plus particulièrement ses protéines et son calcium, enrichit le pain et augmente son importance dans le régime alimentaire. En y ajoutant du lait en poudre, on augmente encore sa valeur nutritive. On peut le mêler tel quel à la farine, mais on obtient généralement de meilleurs résultats si on le dissout dans l'eau et qu'on l'utilise exactement comme le lait frais. On peut aussi enrichir le lait frais par l'addition de lait en poudre écrémé.

Il y a un point très important dont le boulanger doit tenir compte en employant le lait dans la préparation de pâtes à la levure. Les organismes qui font sûrir le lait le font, idéalement, dans les conditions mêmes qui favorisent la croissance de la levure. Personne ne laisserait reposer un verre de lait durant plusieurs heures à une température de 85°F (30°C); pourtant, c'est précisément ce qu'on fait lorsqu'on incorpore du lait à une pâte qui contient de la levure. Si le lait sûrit durant la levée, le produit fini en aura le goût. Pour prévenir cet inconvénient, on doit ébouillanter le lait avant de l'ajouter à la farine. Les bactéries meurent à une température de 150°F (65°C), et le lait doit être amené et maintenu à cette température durant quelques minutes. Le lait ne doit pas bouillir; sinon, son goût est altéré, et il s'y forme une peau. Une fois le lait chauffé, il est tout aussi important de le laisser refroidir avant de le mélanger avec la levure puisque, trop chaud, il tuerait les organismes de la levure, empêchant ainsi la pâte de lever. Certains experts croient que le lait pasteurisé n'a pas besoin d'être ébouillanté; peut-être est-ce le cas lorsqu'on se sert de lait frais d'un contenant inentamé, mais, comme il est préférable de prendre deux précautions plutôt qu'une, il est certain que l'ébouillantage du lait garantit le résultat: ainsi le temps, le travail et les ingrédients qui entrent dans le pain ne risquent-ils pas d'être perdus et la miche, d'être sure.

AUTRES LIQUIDES

Lait de beurre ou lait sûr

Certaines recettes requièrent l'utilisation de lait de beurre, ou lait sûr; le produit naturel et le produit commercial font tout aussi bien l'affaire. Ils ne doivent toutefois être employés que là où la recette le demande et, en aucun cas, remplacer le lait frais.

Bière

Peu de pains contiennent de la bière, mais, quand c'est le cas, particulièrement dans les pains de grain entier, elle leur donne un goût aigre et agréable ainsi qu'une texture légère. L'anhydride carbonique contenu dans la bière allège la pâte et favorise une levée plus rapide. On doit utiliser des bouteilles ou des canettes de bière fraîche, à moins que la recette n'exige clairement de la bière éventée.

Jus de fruits

Les jus de fruits ne sont pas très employés dans les pâtes à levain à cause de leur taux d'acidité élevé: ce dernier les rend mieux adaptés aux pains levés par l'action chimique d'un alcalin en présence d'un acide qui lui permet de produire du CO_2. Les jus de pomme, d'orange, d'ananas et d'abricot servent cependant occasionnellement à produire des pâtes sucrées d'un goût caractéristique.

Eaux de légumes

Il s'agit des eaux de cuisson des légumes bouillis. Elles contiennent plusieurs des éléments nutritifs des légumes et ne doivent pas être jetées. Certaines, comme l'eau de chou, ont une saveur trop prononcée ou sont trop colorées pour servir à la préparation du pain tandis que d'autres, en particulier l'eau de pommes de terre, produisent un bon pain de valeur nutritive supérieure. Les eaux de légumes peuvent remplacer en partie l'eau dans n'importe quelle recette de base. La plupart de ces eaux de légumes étant salées, la quantité de sel requise par la recette de pain doit être réduite en conséquence; si l'on a, par exemple, ajouté une cuillerée à café (5 mL) de sel aux légumes, on doit soustraire cette quantité de la quantité de sel requise par la recette.

LE SEL

Le sel ordinaire, ou, simplement, le sel, est l'appellation du chlorure de sodium (NaCl). On le trouve à l'état naturel dans l'océan, dans des saumures naturelles comme le grand lac Salé en Utah ainsi que dans plusieurs sources salées; à l'état solide dans des salines en Ontario et en Nouvelle-Écosse.

Le sel de cuisine peut appartenir à l'une ou l'autre des variétés suivantes.

VARIÉTÉS DE SEL

Sel dit de table

Il s'agit là d'un sel fin d'une grande pureté. On le tire habituellement de salines et on lui ajoute une petite quantité de bicarbonate de soude ou de phosphate trisodique de façon à ce qu'il soit toujours sec même dans une atmosphère humide. Quand l'étiquette indique qu'il est "iodisé", il contient une petite quantité de bicarbonate de soude et de phosphate trisodique qui compensent les carences en iode dans l'alimentation de l'usager. Les résultats de cette pratique sont particulièrement bienfaisants pour ceux qui habitent loin de l'océan puisque le goitre a connu une récession dans les territoires intérieurs depuis son adoption. Les personnes qui banniraient tout additif dans la nourriture devraient en tenir compte.

Gros sel

Ce sel est habituellement plus pur que le précédent puisqu'il ne contient pas d'additifs et qu'il n'a pas été iodisé. Plus grossier que le sel de table, il se vend un peu moins cher et en plus grandes quantités.

Sel de mer

Le sel de mer provient de l'évaporation de l'eau de mer et il est moins pur que les deux précédents; il contient, en plus du Nacl, plusieurs autres sels, dont le chlorure de magnésium, le sulphate de magnésium et de calcium, le chlorure de potasse et le bromure de magnésium. Sa texture est grossière, et il coûte habituellement plus cher. On le trouve chez la plupart des détaillants d'aliments naturels.

LE SEL DANS LA PRÉPARATION DU PAIN

Le sel est un élément essentiel de la préparation du bon pain dont il sert à accentuer le goût, mais il joue un autre rôle, d'une très grande importance, puisqu'il influence le comportement de la levure.

Ce second rôle n'a rien de bien mystérieux. La levure est, nous l'avons vu, un organisme vivant; celui-ci réagit à la présence du sel dans la pâte de la même façon que les humains, à sa présence dans leur alimentation. Plus simplement, le sel ralentit l'action de la levure. Voyons ce que cela signifie dans la pratique. Si l'on augmente la quantité de sel dans une recette, il faut aussi augmenter la quantité de levure pour que la levée se fasse dans le même laps de temps. Inversement, si l'on diminue la quantité de sel, la pâte lèvera plus rapidement à moins que la quantité de levure ne soit aussi diminuée. Cela n'est pas sans importance puisque la quantité de sel varie énormément d'un pain à l'autre selon le goût particulier du boulanger qui l'a fait. Le pain italien, par exemple, contient souvent très peu de sel tandis que le pain français est au contraire très salé. Une légère modification aux recettes permettra de produire un pain qui correspond de plus près au goût de chacun, mais il ne faut pas oublier dans ce cas de modifier en conséquence la quantité de levure ou le temps de levée nécessaire pour obtenir une texture parfaite.

Le sel, nous l'avons vu, retarde l'action de la levure: il est donc important de l'intégrer à la pâte au bon moment. La quantité de sel requise pour une recette endommagerait certainement la levure si on l'y ajoutait lors de l'activation. C'est pourquoi l'on intègre à la farine séparément le sel dissous dans le liquide prescrit par la recette et la levure activée.

Le sel agit aussi sur la pâte elle-même. Il aide à renforcer le gluten de la farine et rend la pâte plus élastique, plus souple et moins collante.

Une pâte déficiente en sel ne produit pas une croûte croustillante. Le sucre et les matières grasses ralentissent l'action du gluten; les recettes qui prescrivent une grande quantité de ces ingrédients, requièrent par conséquent une plus grande quantité de sel.

Le sel ayant une telle importance dans la production de bon pain, les pauvres diables qui sont soumis à un régime sans sel doivent-ils se priver de pain maison? Bien sûr que non, mais il faut alors modifier quelque peu la technique et les recettes. Si l'on doit omettre complètement le sel, on doit aussi réduire la quantité de levure, à défaut de quoi le pain levant trop rapidement, sa texture s'en ressentira. La pâte doit être pétrie un peu plus longtemps pour que le gluten agisse complètement (et cela s'applique encore davantage aux pains riches en beurre et en oeufs comme la *Hallah* ou les pains au fromage). On doit badigeonner la croûte d'eau à mi-cuisson pour l'aider à devenir croustillante.

Si le régime prévoit une quantité limitée de sel plutôt que son omission complète, je crois qu'il est préférable d'incorporer une certaine quantité de sel au pain — la quantité de sel contenue dans une tranche de pain étant après tout minime quand la miche entière n'en contient qu'une cuillerée à café (5 mL) —: ainsi l'usager a-t-il tout loisir de le tartiner ensuite de beurre ou de margarine, d'en faire des sandwiches, de le manger avec une soupe ou un ragoût, dans un cas comme dans l'autre à peine salé ou non salé.

Et si l'on a produit une pâte non salée par omission plutôt qu'intentionnellement? Si, à la fin du pétrissage ou même au moment de la levée de la pâte, on se bute le nez contre la boîte de sel encore inentamée? Quand on ne parvient pas à se souvenir si oui ou non l'on a salé la pâte? Rien n'est perdu, et l'on remédie facilement à cette erreur comme à tant d'autres dans la préparation du pain. Il faut d'abord goûter un petit morceau de pâte. Non salée, elle sera fade et sans saveur. Avant d'ajouter le sel, on doit le dissoudre dans un peu d'eau. Il en faut peu puisque le sel est très soluble et qu'il suffit de mélanger. Il est très important de dissoudre entièrement le sel puisque les grains ne seront jamais solubles dans la pâte et donneront à la mie une texture sablonneuse. Une fois le sel dissous, il faut ajouter petit à petit cette saumure à la pâte en la pétrissant et en ajoutant un tout petit peu de farine si elle devient collante à cause de l'addition de liquide.

LES MATIÈRES GRASSES

Les matières grasses ne sont pas essentielles à la fabrication du pain; en fait, certains pains parmi les meilleurs — le pain français, par exemple — n'en contiennent pas. Mais leur présence modifie tant le processus de fabrication que le goût et la texture du produit fini.

L'addition de matière grasse à la pâte à pain a pour effet d'assouplir le gluten tout en ralentissant son action. On doit pétrir plus longuement la pâte ainsi enrichie, qui sera très lisse et très molle. Lorsqu'on emploie une quantité excessive de matière grasse, comme dans la brioche, la pâte devient si molle et si collante qu'elle ne peut être pétrie selon la méthode habituelle. Il faut dans ce cas la battre et la frapper jusqu'à ce que le gluten soit suffisamment formé.

Les matières grasses inhibent l'action de la levure. Cela implique qu'une petite quantité de matière grasse dans une recette ralentit la levée de la pâte et produit un pain de texture plus délicate et plus serrée. La texture grossière et trouée, caractéristique du pain français, découle de ce qu'il ne renferme pas de matière grasse. La brioche ou la *Hallah* (pain aux oeufs), qui en contiennent une grande quantité, ont une texture voisine de celle du gâteau tant elle est resserrée et délicate.

La matière grasse peut être intégrée de plusieurs façons à la pâte. Les huiles sont habituellement mélangées avec les autres liquides requis par la recette. Les matières grasses solides sont soit fondues et mélangées avec les liquides, et dans ce cas il ne faut pas oublier de les laisser reposer jusqu'à ce qu'elles soient tièdes, à défaut de quoi elles tueraient la levure, soit intégrées à la farine avec un couteau ou une broche à pâtisserie. Cette dernière méthode répartit des petites billes de matière grasse dans la pâte dont la texture est ainsi resserrée. Les matières grasses solides peuvent enfin être abaissées entre deux couches de pâte, comme on fait pour la pâte à choux, et produire ainsi cette superbe pâte légère et feuilletée des croissants et des pâtisseries danoises.

Le pain qui contient de la matière grasse se conserve mieux. En conséquence, les pains anciens contenaient une forte proportion de matière grasse puisque nos grands-mères procédaient à leur cuisson une fois par semaine et désiraient éviter les pertes. De nos jours, grâce à la feuille de plastique hermétique et aux congélateurs, ce problème a disparu. Ceux qui désirent restreindre la quantité de matière grasse dans leur régime alimentaire peuvent n'en utiliser que la quantité nécessaire à l'obtention de la texture voulue; ils peuvent même se contenter de pain exempt de matière grasse ou de pain dont la seule matière grasse provienne du lait.

MATIÈRES GRASSES DE BASE

Beurre

Le beurre est fait de gras de lait de vache solidifié par barattage. Il est le plus cher et le plus savoureux de toutes les graisses de cuisson. En plus du gras de lait, le beurre contient une quantité variable d'eau et de lait caillé. Il peut être ou non salé. Le beurre est classé par catégories d'après sa qualité, et la confection du pain n'exige pas l'emploi de la catégorie supérieure, en fait, un pur gaspillage. Plusieurs personnes préfèrent n'utiliser que du beurre non salé puisqu'elles contrôlent mieux ainsi la quantité de sel contenue dans le produit fini; pourtant, quand on prépare une pâte à levain, le sel contenu dans le beurre tend à contrecarrer l'effet de ralentissement de la matière grasse sur le gluten, et il n'existe aucune raison de ne pas se servir de beurre salé quand on sait que le beurre doux est tellement plus coûteux au Canada. Il ne faut toutefois pas oublier de modifier en conséquence la quantité de sel requise par une recette si l'on remplace par du beurre salé une autre matière grasse non salée ou vice-versa.

Dans la plupart des cas, d'autres matières grasses, moins chères et contenant moins de cholestérol, peuvent remplacer le beurre. Des pâtes très riches et très particulières comme celle de la brioche, des pâtisseries danoises et de certains pains de circonstance ne s'en accommodent cependant pas.

"Shortening"

Le *shortening* est constitué d'huiles végétales solides. C'est l'une des matières grasses les moins chères, et il sert à enrichir la pâte. Insipide, il ne modifie en rien le goût du pain qui le contient. Aucune graisse n'est mieux appropriée quand il s'agit de graisser les moules à pain. L'huile risque en effet de couler au fond du moule et d'y former une flaque pendant la dernière levée de la pâte tandis que le beurre brûle à la cuisson. Certains anciens livres de recettes disent de "beurrer" le moule à cuisson alors qu'en réalité, ils veulent dire de le "graisser", avec du shortening de préférence.

Margarine

La margarine est un substitut du beurre et contient différents mélanges de graisses végétales et animales assaisonnées. D'une marque de commerce à une autre, elle peut ou non contenir des solides laitiers, du sel et des colorants. Elle se vend soit en bloc solide, soit battue, soit ramollie. La margarine molle ne constitue pas un bon produit de cuisson puisqu'elle renferme trop d'air, ce qui impose de la mesurer différemment — une demi-tasse de margarine solide pèse, par exemple, davantage qu'une demi-tasse de margarine battue. La margarine solide peut remplacer le beurre ou le *shortening,* mais il ne faut pas oublier que son contenu et sa saveur modifient une pâte quand elle y est substituée au shortening, tandis que le beurre, utilisé seulement dans certains cas particuliers de toute façon, donne un goût irremplaçable. Règle générale, à moins qu'une recette ne la requière expressément pour des raisons diététiques, la margarine ne remplace pas adéquatement le shortening, moins coûteux, dans les pâtes à levain.

Saindoux

Le saindoux est de la graisse de porc purifiée. Il confère certaines qualités particulières aux pâtes et aux pâtisseries qui en contiennent. Elizabeth David affirme dans son livre *English Bread and Yeast Cookery* que "le saindoux est essentiel à la préparation des gâteaux au saindoux, des boulettes de pâte au levain, des brioches et des petits gâteaux si l'on veut obtenir la texture, les qualités nutritives et le poids désirés". Règle générale, il est préférable de n'utiliser le saindoux que là où la recette le demande expressément. Si l'on s'en sert, il est de toute première importance de s'assurer de la fraîcheur du produit puisque le saindoux rancit très facilement et qu'il gâte la pâte dès qu'il commence à tourner.

Huiles

L'huile de maïs, l'huile d'arachides, l'huile de tournesol, l'huile de sésame et l'huile d'olive sont, parmi la grande quantité d'huiles à cuisson disponibles, les plus couramment utilisées. Dans la pâte à pain, elles sont virtuellement interchangeables. L'huile d'olivre ajoute certes un petit quelque chose à la pâte à pizza, mais on ne se trompe guère, quand il s'agit de toute autre pâte, en employant la première huile disponible. La plupart du temps, l'huile peut remplacer les matières grasses solides sauf lorsque la recette demande de les incorporer aux autres ingrédients en les coupant ou en les abaissant. Les pâtes qui contiennent de l'huile sont habituellement très souples et faciles à manipuler. De même que pour le saindoux, il est important que l'huile soit tout à fait fraîche et pure.

AUTRES MATIÈRES GRASSES

Crème

Bien que la crème contribue à la teneur en liquide de la pâte, son contenu en matière grasse est si élevé que son rôle réel est celui d'un agent nutritif. Quand une recette requiert l'utilisation de crème, c'est habituellement de crème à 30% ou à 35% — de crème à fouetter — qu'il s'agit. On peut remplacer celle-ci par de la crème à 15% — crème dite de table —, mais en tenant compte de ce que la pâte, plus mouillée, aura besoin d'un supplément de farine. Si l'on désire préparer une recette qui recommande l'utilisation de crème et qu'on n'en a pas à sa disposition, on peut remplacer celle-ci par le mélange d'un tiers de tasse (75 mL) de beurre fondu et de deux tiers de tasse (145 mL) de lait. Dans ce cas, il ne faut pas oublier de réduire légèrement la quantité de sel requise si l'on emploie du beurre salé.

Oeufs

Bien que les oeufs ajoutent de la matière grasse et du liquide aux pâtes à levain auxquelles ils sont intégrés, leur rôle consiste beaucoup plus à les enrichir qu'à les humidifier. En plus des matières grasses — un jaune d'oeuf en contient environ 32% —, les oeufs contiennent des protéines. Ces protéines de grande qualité possèdent la totalité des acides aminés nécessaires à l'alimentation humaine sans compter la plupart des minéraux qui y sont essentiels. Leur teneur en vitamines, et particulièrement en vitamine A, est tout aussi importante. Il ne faut cependant pas oublier que dans un pain fait avec un ou deux oeufs, leur contribution en termes de valeur nutritive pour une tranche est nécessairement faible. Par contre, la teneur en cholestérol l'est tout autant. Les oeufs sont vendus selon leur calibre en plusieurs catégories, et bien que, dans la plupart des recettes, celles-ci ne soient pas précisées, il s'agit la plupart du temps d'oeufs de calibre moyen de catégorie A. Il n'y a pas de raison de s'abstenir d'utiliser de gros ou de petits oeufs quand ils sont disponibles, mais la quantité de farine doit alors être modifiée en conséquence. Règle générale, on devrait acheter les oeufs qui constituent le "meilleur achat" et se servir de ceux-ci. Les oeufs de catégorie supérieure — c'est-à-dire les oeufs extra-gros A-1 — sont employés en pure perte en boulangerie et devraient être réservés pour des plats particuliers à base d'oeufs.

Les oeufs agissent d'une façon intéressante sur la qualité du pain. Ils influent tant sur la saveur que sur la couleur de la pâte. Lorsque celle-ci contient une grande proportion d'oeufs, le pain tend à sécher rapidement; ainsi la brioche doit-elle être aussi fraîche que possible. Une grande proportion d'oeufs raccourcit, mais à peine, la durée de congélation du pain. Il est préférable de le consommer dans les trente jours.

Certaines recettes demandent que le blanc d'oeuf soit battu. Ainsi la pâte sera-t-elle plus légère, plus aérée.

Il va sans dire que les oeufs utilisés dans la préparation du pain doivent toujours être frais.

Fromage

Il arrive souvent que l'on ajoute l'une ou l'autre variété de fromage à la pâte à pain de façon à produire un pain qui ait un goût de fromage, qu'il s'agisse de fromage "cottage", de fromage en crème ou de fromage en "brique". Les fromages mous sont habituellement incorporés à la pâte battus avec les liquides ou les oeufs tandis que les fromages durs sont râpés. Lorsqu'une recette requiert l'utilisation de cheddar, il est préférable d'en choisir la variété la plus forte. Le fromage perd beaucoup de sa saveur dans le pain, et le cheddar doux ne lui donne pas suffisamment de mordant.

Le fromage augmente, bien entendu, la teneur en protéines et en minéraux du pain. On peut l'ajouter à une recette de pain ordinaire pour en augmenter la valeur nutritive. Il arrive souvent qu'il reste un petit bout de fromage ou une cuillerée de "cottage" dans son contenant. Il est dommage de perdre cet aliment trop souvent laissé à durcir ou à moisir et qu'on devrait plutôt employer lors de la fournée de pain suivante. Si on l'ajoute à une recette de base de pain blanc, on doit réduire proportionnellement les autres matières grasses requises par la recette. Aucune autre modification n'est nécessaire sinon pour satisfaire au goût de chacun, et le pain ainsi produit sera d'excellente qualité, avec son goût léger de fromage, délicieux tant sous forme de tartines beurrées que de sandwiches.

ÉDULCORANTS, HERBES, ÉPICES ET ASSAISONNEMENTS

ÉDULCORANTS

Presque tous les pains contiennent une certaine quantité d'édulcorants. Règle générale, les Américains et les Canadiens préfèrent un pain plus sucré que les Européens. Du moins les boulangeries commerciales en ont-elles décidé ainsi. Si tel était vraiment le cas, quel dommage! mais si l'on en juge par le succès des pains européens auprès des touristes nord-américains, il semble bien que la douceur excessive du pain commercial nous ait été imposée. Le pain blanc ordinaire n'a pas besoin de plus de sucre qu'il n'en faut pour activer la levure — soit environ une demi-cuillerée à café (2,5 g) pour une miche entière. Tout supplément de sucre requis par une recette n'a pour but que de satisfaire au goût, et rien n'empêche, dans le même ordre d'idée, de le supprimer. La texture du pain n'en sera pas modifiée bien qu'il soit possible que la croûte ne brunisse pas autant, et le goût du blé peut être plus satisfaisant que le goût sucré original. Cela n'implique pas que le sucre n'ait d'autre effet sur le pain que de l'adoucir. De grandes quantités de sucre empêchent effectivement que le pain ne devienne rassis trop vite, mais, d'un autre côté, le pain sucré moisit rapidement. Une très grande quantité de sucre, comme on en trouve dans certains gâteaux à levure, ralentit l'action de celle-ci. Je tiens à souligner ceci: il n'est pas nécessaire d'ajouter du sucre au pain quotidien ordinaire; compte tenu de l'usage abusif, pour ne pas dire dangereux, du sucre dans l'alimentation nord-américaine, on devrait l'éviter. On peut en effet retrancher le sucre et ne pas en sentir l'absence.

Les pains de grains entiers réclament habituellement l'addition d'une petite quantité d'édulcorant sauf dans certains cas où la saveur doit en être aigre, sans compter les nombreux pains sucrés et les pains de circonstance dont la seule raison d'être est de nous sucrer le bec.

Sucre

Le sucre provient de la canne à sucre ou de la betterave à sucre et il est l'édulcorant le plus communément employé dans le pain. Il se présente habituellement sous forme de granules, mais se vend aussi parfois en poudre ou pulvérisé. Dans un cas comme dans l'autre, il s'agit de produits purs et raffinés, probablement des substances les plus pures que nous ayons dans nos cuisines puisqu'elles sont composées de sucrose ($C_{12}H_{22}O_{11}$) à 99,97%.

Son action comme édulcorant mise à part, le sucre ne modifie pas la saveur des autres ingrédients du pain, pas plus qu'il ne lui donne un goût qui lui soit propre; il ne décolore pas la pâte et sert donc toujours d'édulcorant dans le pain blanc ordinaire ou dans ces pâtes sucrées dont le goût délicat serait altéré par la présence d'un édulcorant de goût plus prononcé.

Forme moins raffinée de sucrose, la cassonade revêt plusieurs couleurs, allant du brun foncé au jaune, et se présente sous de nombreux aspects, en agrégats de durs cristaux comme en grains mous et sablonneux. Son goût varie tout autant, mais conserve toujours un délicieux parfum de mélasse qui relève la saveur des farines de grains entiers. Elle est un excellent édulcorant pour toutes les variétés de pain de blé entier. Il est plus difficile de l'entreposer que le sucre puisque les variétés les plus molles tendent à durcir et à s'agglutiner. La huche à pain constitue un excellent endroit d'entreposage, car la cassonade bénéficie ainsi de l'humidité dégagée par le pain, ce qui lui permet de demeurer molle. Broyés, les durs agrégats de sucre à la *Demerara,* ou sucre à café, font une excellente glace pour les brioches sucrées.

Mélasse

La mélasse est un autre produit de la canne à sucre, mais encore moins raffiné que la cassonade. Sa couleur sombre de même que sa saveur délicieuse et particulière proviennent des impuretés qu'elle contient. Comme pour la cassonade, sa qualité est variable. La moins raffinée de toutes est un sirop lourd et foncé, le *Black Strap* dont on disait il y a quelques années qu'il possédait de remarquables qualités nutritives. Qui se souvient encore du pain au Black Strap et aux germes de blé? En fait, son contenu en minéraux est négligeable, et le produit ne se prête pas très bien à la cuisson: il est trop lourd et sa saveur, trop prononcée. Le sirop plus léger que l'on tire du sucre lors du raffinage en Amérique du Nord convient beaucoup mieux. L'utilisation de la mélasse est réservée aux pains foncés; elle est particulièrement délicieuse mariée à la saveur de noisettes des pains à base d'avoine vendus dans les Maritimes où l'avoine, tant aimée des Écossais, est parvenue des Antilles en même temps que la mélasse à bord des vaisseaux de Nouvelle-Écosse. La mélasse est aussi excellente pour tartiner le pain beurré, moins chère que la confiture et d'une grande valeur énergétique.

"Golden Syrup"

Le *Golden Syrup* est un produit de la canne à sucre vendu par une firme britannique, la Tate and Lyle. Il s'agit d'un produit unique, et c'est pourquoi le nom du fabricant est mentionné, plus sucré que le sirop de maïs à base de glucose. Il peut remplacer celui-ci et fait une excellente glace.

Sirop de maïs

Le sirop de maïs est du glucose ($C_6H_{12}O_6$); il a un goût un peu moins sucré que la sucrose de la canne à sucre. Habituellement brun-doré, il se trouve beaucoup plus difficilement sous une forme décolorée. Il est plus utile dans ce dernier cas, surtout s'il s'agit d'une glace, puisqu'il ne teinte pas le produit fini. Il peut remplacer n'importe quel sirop dont on se sert habituellement comme édulcorant, mais on doit se souvenir qu'il n'est pas aussi sucré.

Sirop et sucre d'érable

Le sucre d'érable est l'édulcorant original du Canada et, au début, presque le seul. À mesure que d'autres sucres ont été disponibles, on a cessé de se servir du sucre d'érable dont la saveur est si particulière, et un grand nombre de bonnes recettes ont été perdues. De nos jours, sa production par tête d'habitant a atteint un si bas niveau qu'il s'est transformé en denrée de luxe rarement utilisée en cuisine. On peut toutefois espérer que les boulangers maison continueront de produire les brioches à l'érable et les pains de blé entier sucrés au sirop d'érable qui sont si typiquement canadiens. Le sirop de catégorie "B", plus fort et moins cher, donne de meilleurs résultats.

N.B.: On trouve malheureusement sur le marché des produits artificiels qui ne devraient en aucun cas remplacer l'authentique sirop.

Miel

Si l'on s'en tenait à son ancienneté, le miel devrait sans doute être placé en tête des édulcorants. Première source sucrière de l'humanité, le miel subsiste à cause de son infinie variété. Il n'en est pas deux qui soient exactement semblables, et chaque variété transmet sa saveur particulière au pain qui la renferme. Pour reconstituer la saveur authentique du pain obtenu par certaines ethnies, en l'absence d'indication sur la variété de miel utilisée dans la recette, il faudra se servir d'un miel dont la saveur avoisine celle du produit qu'on trouve dans la région concernée. Règle générale, un miel fort tel que le miel de sarrazin donne au pain de grain entier un meilleur goût que le miel de pommier dont la saveur peut être dominée. Le miel constitue un excellent édulcorant pour les pains de seigle.

HERBES, ÉPICES ET ASSAISONNEMENTS

Plusieurs pains, et en particulier ceux des ethnies, tirent leur goût caractéristique de l'addition d'herbes et d'épices. Grâce à la multiplication des détaillants d'aliments naturels d'un bout à l'autre du continent, il est rarement difficile d'obtenir quelque herbe sèche ou quelque épice que ce soit, même les plus exotiques. Des services de commandes par la poste accommodent les habitants de l'extérieur des villes. Se procurer des herbes fraîches cause un tout autre problème: on ne trouve que dans les plus grandes villes des fournisseurs qui en vendent constamment de toutes sortes. Lorsqu'il est difficile de mettre la main sur des herbes fraîches, il faut peut-être penser à faire pousser les siennes. C'est un passe-temps aussi gratifiant qu'intéressant de même qu'un moyen de s'assurer d'une provision constante de ses herbes préférées.

Voici une liste des herbes et des condiments les plus fréquemment employés avec de brèves indications concernant la façon de les apprêter et leur utilité.

Ail

Membre de la famille des oignons au goût très prononcé. On trouve l'ail en gousses, en poudre et en sel d'assaisonnement. Les pains à l'ail sont très en demande, et on peut se servir pour leur fabrication d'ail frais ou de poudre d'ail. Je préfère pour ma part faire sauter les gousses d'ail dans la matière grasse qui doit être utilisée et les jeter. Le pain aura une légère saveur d'ail si l'on frotte plusieurs gousses écrasées sur la planche à pain avant d'y pétrir la pâte.

Aneth

Herbe d'une puissante fragrance. On se sert aussi bien de ses feuilles vertes que de ses graines. Les feuilles sont appelées aneth et les graines, graines d'aneth. Les feuilles peuvent être hachées et séchées pour s'appeler alors aneth séché. Lorsqu'une recette requiert de l'aneth, il faut vérifier de quelle variété il s'agit. L'aneth séché peut remplacer l'aneth frais: une demi-cuillerée à café (2 mL) d'aneth séché équivaut à 1 c. à soupe (15 mL) d'aneth frais.

Aneth doux

Graine qui ressemble tant par son apparence que par sa saveur un peu moins prononcée à la graine d'anis. Elle peut au besoin remplacer l'anis et réciproquement.

Anis

Graines ovales au goût de réglisse prononcé. On les frotte entre les paumes de manière à les écraser pour en libérer l'arôme avant de les utiliser.

Cannelle

Épice aromatique sucrée fréquente dans le pain. On l'intègre à la pâte, comme dans le cas des brioches du Vendredi saint, ou, avec du sucre et d'autres ingrédients, à une glace ou à une garniture. On se sert de cannelle moulue.

Cardamome

Épice piquante et doucereuse en vogue dans les pains scandinaves. On la trouve sous trois formes: moulue ou en gousses et, dans ce cas, verte ou blanchie. Les gousses vertes sont préférables puisqu'elles conservent toute la saveur de l'épice. On presse les gousses entre les doigts de façon qu'en s'ouvrant, elles exposent leurs graines brun-noir. On broie celles-ci dans un mortier ou on les écrase avec un rouleau à pâte avant de les mesurer. Elles doivent être presqu'aussi fines que des grains de poivre moulus dans un moulin.

Carvi

Graine aromatique fréquemment ajoutée en guise d'assaisonnement au pain de seigle.

Clous de girofle

Les clous de girofle sont à la fois forts et aromatisants. On les mêle habituellement à plusieurs autres épices pour les incorporer à la pâte de pains ou de brioches aux épices.

Coriandre

Graine de saveur citronnée qu'on trouve entière ou moulue. On s'en sert moulue dans certains pains aux herbes.

Échalotes françaises, échalotes et oignons

De la famille des oignons et de saveur avoisinante. On peut les hacher et les intégrer à la pâte ou les faire sauter dans la matière grasse requise par la recette.

Écorce d'orange ou de citron

On peut l'acheter sèche, mais il est grandement préférable de râper le fruit frais. Confite et coupée en dés, elle fait souvent partie des ingrédients de pains de circonstance et plus particulièrement de pains de Noël.

Fruits secs ou confits

Les raisins de Corinthe et autres raisins, les abricots, les figues et les dattes, secs dans tous les cas, sont intégrés lors du pétrissage, qu'ils soient entiers ou hachés. Les fruits confits, tels qu'ananas et cerises, écorces d'orange, de citron et de cédrat, brins de gingembre et d'angélique, sont incorporés à certaines pâtes à pain. Ils doivent être intégrés à la pâte une fois la première levée terminée, juste avant la formation finale des miches, sinon la levure, en agissant sur le sucre, les rendra amers. On ne doit pas pétrir la pâte après y avoir mêlé les raisins et les fruits; ceux-ci, écrasés, en modifieraient la couleur.

Gingembre

Épice piquante au goût caractéristique. On trouve le gingembre sous forme de racine fraîche, sec et moulu ou encore confit. C'est la poudre sèche qu'on utilise le plus souvent pour la fabrication du pain; on la mêle avec les autres épices. Son effet sur la levure est remarquable, et une petite pincée ajoutée à la pâte aigrie lui redonne vie. Le gingembre confit ou haché entre parfois dans la composition des pains aux fruits.

Graines de pavot

Graines d'un gris noirâtre au goût de noisette, habituellement saupoudrées sur les pains européens, mais qui peuvent aussi servir de garniture à certaines pâtisseries où entre de la levure.

Graines de sésame

Graines d'une saveur de noisette dont on saupoudre souvent les pains d'Europe de l'est et du Moyen-Orient.

Macis

Épice en poudre qui provient des téguments de la muscade dont elle a la saveur prononcée.

Mastic

Gomme résineuse employée dans les pains grecs. On la trouve sous forme de cristaux, et l'on réduit ceux-ci en poudre dans un mortier.

Muscade

On trouve la muscade en poudre ou sous forme de noix entières. Celles-ci sont d'une saveur plus prononcée et conservent mieux leur fraîcheur. On les râpe au besoin sur une râpe à muscade.

Noix

Parmi les noix, ce sont les amandes qui servent le plus souvent dans la préparation du pain. Si on doit les intégrer à la pâte elle-même, il est préférable d'employer des amandes en copeaux, moins dures et moins bosselées. Les autres noix sont employées pour la garniture et la décoration de pains spéciaux.

Safran

La plus coûteuse de toutes les épices, elle vaut littéralement son poids en or. Les stigmates rouges doivent en être séchés au four dans un petit plat et broyés avec le dos d'une cuiller. Il faut ensuite les laisser tremper cinq minutes dans le lait chaud ou dans tout autre liquide, selon les indications de la recette. De cette façon, l'aromatisation est à son meilleur. Le safran est, heureusement, puissant, et il en faut peu. Il donne à la pâte une couleur jaune profond, et on l'emploie fréquemment dans les pains de Pâques et la *Hallah*. Le meilleur safran vient d'Espagne. On le reconnaît à la texture des stigmates, rouges et délicats. Le safran nord-américain, moins cher, est d'une texture grossière et de couleur orange; sa saveur est moins agréable.

Vanille

Aromate doux et parfumé. On peut employer la vanille sous forme de gousse séchée en la faisant tremper dans un liquide chaud auquel elle transmet sa saveur, puis l'assécher en vue d'un usage ultérieur; on peut aussi l'employer sous forme d'essence à base d'alcool. Règle générale, la gousse donne une saveur plus authentique et ne teint pas le pain autant que l'essence brun foncé.

LA PRÉPARATION DE LA PÂTE

La pâte levée, qui s'obtient par le mélange des ingrédients liquides et secs d'une recette, se subdivise, selon le dosage de ces ingrédients en trois types fondamentaux: la pâte douce, la pâte bâtarde et la pâte ferme. Le premier de ces types de pâtes est le plus simple, mais son produit, léger, aéré, excellent pour les pains sucrés et les gâteaux à levain, ne possède pas cette texture serrée et régulière, caractéristique d'un bon pain de consommation courante. Cette texture est l'apanage de la pâte bâtarde, plus ferme et manipulée plus longuement au cours du processus appelé pétrissage. Les miches produites par cette méthode peuvent être moulées ou de formes libres et cuites sur des tôles à cuisson. C'est le type le plus courant. La pâte ferme demande une plus longue préparation. À l'époque où les seuls levains disponibles étaient les cultures domestiques, il était nécessaire de produire une pâte ferme pour que le levain acquière une puissance suffisante à faire lever la pâte. De nos jours, grâce aux bonnes marques de levures commerciales, il n'est plus nécessaire de préparer une pâte ferme sauf dans le cas de pâtes très riches comme celle de la brioche. Si l'on désire cependant une miche d'une texture particulièrement somptueuse et d'un goût mûr et délicat, la pâte ferme est mieux indiquée.

LA PÂTE PRÉPARÉE À LA MAIN

La pâte douce

La pâte douce s'obtient, comme on l'a vu, par la méthode la plus facile de préparation de pâte à la levure, et le débutant aurait peut-être intérêt à commencer par là. Grâce à cette méthode, ses premières expériences seront satisfaisantes, et il ne risque pas d'être découragé.

Quelle que soit la pâte, il faut d'abord activer la levure en se reportant au chapitre approprié. La levure est saupoudrée dans l'eau tiède à 85 °F (29 °C), légèrement sucrée. Le boulanger la met aussitôt de côté pour rassembler les ingrédients et les ustensiles dont il aura besoin. Il emploie un grand bol. Une fois la levure activée, il jette dans le bol les ingrédients liquides et les ingrédients solubles (le sucre, le sel, etc.) qu'il mélange vigoureusement. Il vérifie la température pour s'assurer que le mélange n'est pas trop chaud (après avoir ébouillanté le lait et fait fondre les matières grasses), puis y ajoute la levure.

Il combine en les tamisant ou en les mêlant la farine et les autres ingrédients non solubles comme les épices. Puis, il ajoute la moitié de ce mélange sec aux liquides déposés dans le bol et bat vigoureusement. Le secret d'une bonne pâte douce repose sur le battage: celui-ci permet au gluten de la farine de se former et de faire tenir la pâte. On peut battre à l'aide d'un mixeur ou, à la main, avec une cuiller en bois. Le mixeur économise beaucoup de temps puisqu'à la main, la pâte doit être battue vigoureusement au moins dix minutes; le mixeur, qu'il s'agisse d'un modèle fixe ou portatif, réduit la durée de cette opération à cinq minutes. Une fois effectué le premier battage, le boulanger ajoute le reste du mélange de farine tout en continuant de battre. À moins d'employer un mixeur solide, équipé d'un crochet pétrisseur, il deviendra ensuite difficile de battre la pâte aisément; on se contente donc tout simplement de bien incorporer la farine.

N.B.: Si l'on emploie un mixeur équipé d'un crochet pétrisseur, il est préférable de battre d'abord avec les fouets ordinaires et de ne se servir du crochet pétrisseur qu'au cours des étapes ultérieures.

Les recettes qui ont pour base la pâte douce requièrent une quantité exacte de farine, contrairement aux recettes à base d'autres pâtes où la quantité n'en est qu'approximative. Les pains de pâte douce sont en effet mous de toute façon, et une légère variation de la texture importe peu. Un boulanger très expérimenté peut toutefois se servir de son jugement et employer la quantité de farine qui lui permettra de produire la pâte la plus satisfaisante à son goût.

Pâte bâtarde

Ce type de pâte s'obtient par la méthode la plus courante de préparation du pain maison. De même que pour la pâte douce, on active d'abord la levure et on rassemble pendant ce processus ingrédients et ustensiles. On mélange les liquides et les solubles, mais on ne doit mêler les épices, lorsque la recette en demande, qu'avec la part de la farine réellement employée. En se pliant à cette règle, on évite la dispersion des ingrédients dans une quantité de farine trop grande pour les besoins et, par conséquent, inutilisable. Deux écoles de pensée président à l'étape suivante. Certains boulangers mesurent la farine et incorporent à celle-ci les ingrédients liquides tandis que d'autres font le contraire. Cette dernière manière de procéder est la meilleure puisqu'elle permet au gluten de se former complètement à l'intérieur de la farine.

Une fois les ingrédients liquides mélangés et la température vérifiée, on ajoute la levure et, en mélangeant, environ le tiers de la farine. On obtient ainsi une pâte semi-liquide, suffisamment mince pour qu'il soit possible de la battre avec une cuiller en bois ou un mixeur portatif. Le battage est nécessaire si l'on veut produire un pain d'une texture délicate et doit se poursuivre vigoureusement trois ou quatre minutes. À ce moment, on ajoute de la farine jusqu'à ce que le battage devienne difficile et que la masse de pâte commence à se rassembler au fond du bol en se détachant de la paroi. On met alors le batteur ou la cuiller de côté et on incorpore à la main une nouvelle quantité de farine dans le mélange jusqu'à ce que la pâte cesse d'être collante, mais soit suffisamment ferme pour être pétrie. Certains pétrissent entièrement la pâte dans le bol, mais il est beaucoup plus satisfaisant, si l'on dispose d'une surface propre, de renverser la pâte sur cette surface, légèrement enfarinée, et de l'y pétrir.

Plusieurs surfaces conviennent pour le pétrissage de la pâte. Un comptoir en *arborite* ou une table font bien l'affaire de même que les surfaces de bois lisse. Les planches à découper peuvent servir en autant que leur surface soit sèche et lisse et qu'on n'y ait pas haché d'oignons ni d'autres ingrédients au goût prononcé. Une table de valeur recouverte d'une toile cirée ou d'une nappe de vinyle, les tables revêtues de verre ou de marbre se prêtent également au pétrissage qui ne les endommagera pas. La surface choisie doit mesurer au moins 24" x 24" (65 x 65 cm).

Le pétrissage lui-même n'est pas difficile, mais il n'en existe pas de méthode idéale. Les uns se servent d'une seule main, les autres, des deux. Il ne faut pas une grande force ni une grande souplesse des doigts et des mains, mais plutôt une touche légère et le sens du rythme. C'est ce rythme, ce bercement qui rend le pétrissage si agréable, si reposant. On peut l'adapter à celui de la musique si l'on écoute la radio ou, à défaut, trouver en soi son propre rythme fondamental et, ainsi, littéralement faire fondre les tensions. Il est difficile de décrire cette expérience, mais la technique ressemble à ceci:

> On dépose la pâte sur une surface légèrement enfarinée pour l'empêcher d'y adhérer. La pâte est constituée d'un seul volume, ou "coussin". On abaisse le coussin en l'écartant de soi pour le travailler uniquement avec le gras de la main. On le roule et on l'écarte de nouveau loin de soi. À ce stade, il aura la forme d'un ballon de football; on lui fait alors effectuer un quart de tour, replié sur lui-même, avant de l'abaisser et de l'écarter de nouveau. On répète ces mouvements sans arrêt jusqu'à ce que de rugueux et irrégulièrement grumeleux qu'il était, le coussin devienne lisse, uniforme, satiné, arrondi, ferme tout en étant élastique et qu'il conserve sa forme. La meilleure façon d'apprendre est d'observer un expert en la matière durant quelques minutes et de copier ses mouvements. Il faut quelque temps et de l'entraînement avant d'acquérir la technique, mais celle-ci ne se perd pas plus que s'il s'agissait de nager ou d'aller à vélo.

Lorsque la pâte commence à se modifier, la personne qui pétrit sent qu'il s'y forme une peau. Celle-ci provient de la tension de la surface, et l'on doit faire particulièrement attention à ne pas la déchirer en la tâtant avec les ongles ou en la pressant avec trop de force. Si la pâte commence à adhérer pendant le pétrissage, on remet de la farine sur la surface de travail; pourvu qu'on ait mêlé suffisamment de farine à la pâte dans le bol, la quantité à ajouter sera minime. Il ne faut pas oublier d'employer le MOINS de farine possible quand on prépare un pain. Autrement, la pâte sera raide et le pain, lourd. Il est important de bien travailler la farine: en effet, on le comprendra facilement, plus tôt celle-ci sera entièrement intégrée, plus elle sera travaillée et plus l'action du gluten sera complète.

Quand le pétrissage est-il terminé? La réponse à une telle question dépend, bien entendu, de la personne qui pétrit et de la technique employée, mais, règle générale, il faut au moins dix minutes pour pétrir la pâte de deux miches; la durée de pétrissage d'une pâte beaucoup plus volumineuse devra être augmentée en proportion. Lorsque la pâte semble douce et uniforme, on peut la rabattre plusieurs fois sur la surface de travail. Cette opération peut s'accompagner d'une kyrielle d'exclamations injurieuses si l'on veut se défouler de ses contrariétés et de ses frustrations. Au bout de quelques minutes, la pâte et soi-même ne s'en sentiront que mieux! Les bulles de gaz seront redistribuées dans la pâte, l'action du gluten sera renforcée et la levure, revigorée. Il faut pétrir encore un peu en examinant soigneusement le coussin; de petites bulles de gaz, ressemblant à des ampoules, devraient apparaître à sa surface. C'est le signe que cette étape est terminée.

On met alors la pâte dans un bol propre et graissé en se servant, pour ce faire, de graisse solide, du *shortening* par exemple. L'huile risque de couler le long de la paroi et de former une flaque au fond du bol où elle gâtera la texture de la pâte. De même, la couche de graisse dont on a enduit le bol doit être très mince, sinon le surplus adhérera à la pâte et provoquera la formation dans le produit fini de grandes traces. Le bol doit être hermétiquement isolé avec un couvercle ou avec du papier d'aluminium légèrement graissé pour empêcher l'évaporation. Dans plusieurs recettes, on demande de recouvrir le bol d'un linge, mais cela constitue une protection insuffisante à une époque où les maisons bénificient du chauffage central et de l'air climatisé. Le bol doit être placé à la chaleur et à l'abri des courants d'air, par exemple sous la lumière allumée du four. L'ampoule dégagera suffisamment de chaleur pour que le four soit à la température idéale de 85 °F (29 °C). Dans le cas où le four ne serait pas disponible, le dessus du réfrigérateur constitue un autre excellent endroit, chaud et commode. Rien n'interdit toutefois de laisser reposer le bol couvert sur le dessus du comptoir. Si la température de la pièce n'est pas tout à fait idéale, le processus de levée se déroulera plus lentement, mais la pâte risque d'en bénéficier puisqu'elle aura mûri.

La pâte, en fermentant, produit sa propre chaleur, et sa levée en est accélérée. Lorsqu'elle a doublé de volume, on la découvre et on lui donne deux ou trois bons coups de poing. L'effet est le même qu'au moment où on la rabattait. On la renverse alors sur la surface de pétrissage et on la pétrit quatre ou cinq fois. Puis, on la cache sous le bol renversé pour empêcher l'évaporation et on la laisse reposer quelques minutes. Il devient plus aisé de la mettre alors en forme. On façonne les miches suivant les indications de la recette ou selon celles du chapitre intitulé *La Pâte en forme* et on les dépose dans les moules ou sur une tôle à cuisson légèrement graissée. On doit ensuite couvrir les moules — à ce stade, un linge suffit — et laisser la pâte lever, dans les mêmes conditions que précédemment, jusqu'au double de son volume. Une fois levées, les miches sont mises à cuire au four selon les prescriptions de la recette.

Il existe plusieurs autres méthodes de préparation du pain levé, mais elles s'appliquent à des pâtes particulières, et non pas de façon générale. Elles sont expliquées en détail dans les recettes où elles conviennent.

La pâte ferme, ou pâte spongieuse

La pâte ferme exige qu'on intègre la levure à une partie de la farine et à l'eau requises par la recette en vue de produire une pâte ordinaire où la levure croisse et se multiplie facilement. Cette pâte est ensuite mélangée avec les autres ingrédients. Comme pour les autres pâtes, on active d'abord la levure. Une fois celle-ci activée, on la mélange avec environ une tasse (350 mL) du liquide requis par la recette. Dans le cas où la recette demande d'employer plus d'un liquide, l'eau et le lait par exemple, on se sert du plus simple des deux, l'eau en l'occurence.

Une fois cette opération accomplie, on ajoute en mélangeant le double de la quantité en farine, soit deux tasses (250 mL). À ce stade, aucune addition, de sel pas plus que d'un autre ingrédient, n'est nécessaire. Le mélange aura un aspect rugueux et grumeleux. On le couvre alors hermétiquement pour empêcher l'assèchement et on le laisse lever au moins deux heures ou, mieux encore, jusqu'au lendemain. Certaines recettes ne requièrent pour la pâte ferme qu'une levée d'environ vingt minutes. Une telle façon de procéder constitue une perte de temps, car il est inutile de se donner la peine de préparer une pâte ferme si on ne lui permet pas de travailler au moins deux heures ou plus si possible. Passé ce temps, on s'apercevra que la pâte, pleine de grosses bulles d'air, porte bien son nom. On y intègre alors les autres ingrédients liquides en mélangeant doucement; il s'agit d'une phase particulièrement salissante si l'on s'y prend avec vigueur. Il n'est pas nécessaire de produire une pâte qui soit lisse. On y intègre le reste de la farine de la même façon que s'il s'agissait d'une pâte bâtarde, en tenant compte de ce que la quantité de farine varie selon le taux d'humidité de la pâte, taux qui dépend des conditions dans lesquelles la pâte a reposé ainsi que des conditions atmosphériques. Pour le pétrissage, la levée et la mise en forme, la manière de procéder est la même qu'avec la pâte bâtarde.

Si l'on désire une miche d'une texture particulièrement délicate, on peut appliquer la méthode de la pâte ferme à n'importe quelle recette de pâte pétrie. On vérifie dans ce cas la liste des ingrédients parmi lesquels on prélève la levure, une tasse (250 mL) de liquide ainsi que deux tasses (500 mL) de farine pour produire la pâte ferme. Une fois la pâte prête, on ajoute les autres ingrédients et, cela fait, on poursuit selon les instructions de la recette. Les diverses façons de procéder sont comparées dans la recette du Pain viennois, page 192, à laquelle on peut se reporter. Les recettes à base de pâte aigrie dérivent toutes de la méthode décrite ici.

LA PÂTE PRÉPARÉE À LA MACHINE

De nos jours, il existe sur le marché plusieurs appareils qui servent à préparer le pain maison. On y trouve aussi bien de solides mixeurs équipés de crochets pétrisseurs que les nouveaux robots culinaires. Tous deux produisent du pain acceptable, mais leur inconvénient majeur réside dans leur incapacité de produire plus que de petites quantités de pâte à la fois. Cela s'applique en particulier aux robots culinaires, incapables de traiter simultanément plus de trois tasses (750 mL) de farine. Les mixeurs en traitent habituellement le double, soit suffisamment pour produire deux miches. Un argument, vérifié, veut que la grande rapidité du robot culinaire permette de traiter une deuxième mesure de farine sans perte de temps. Mon opposition au pain produit grâce au robot culinaire repose sur la quantité de levure employée; je dois donc en toute équité reconnaître que mes objections ne s'adressent pas à la machine elle-même, mais aux recettes de pain qui demandent son emploi. Elles requièrent en effet une enveloppe de levure pour faire lever trois tasses (750 mL) de farine, ce qui est excessif. La pâte lève ainsi trop vite et ne mûrit pas suffisamment: le résultat en est une miche rapidement rassise et d'un goût médiocre. Si l'on utilise quand même un robot culinaire pour le pain, on peut essayer de n'employer qu'une cuillerée à café (5 mL) de levure. Cette quantité suffira amplement pourvu qu'il ne s'agisse pas d'une pâte très riche, pleine d'oeufs et de beurre, comme pour la brioche. Le temps de levée sera allongé, mais le pain y gagnera une qualité très supérieure.

À mon avis encore, les pâtes pétries à la machine bénéficient d'un pétrissage manuel ultérieur de trois ou quatre minutes. Peut-être cela relève-t-il du même principe que lorsqu'on converse avec les plantes d'intérieur, mais, à mes yeux tout au moins, l'effet est bénéfique.

Il va sans dire qu'on obtient de meilleurs résultats avec les appareils électroménagers si l'on suit les instructions du manufacturier en ce qui a trait à leur usage et à leur entretien.

LA PÂTE LEVÉE AU RÉFRIGÉRATEUR

Bien qu'avant de façonner les miches, on laisse habituellement lever la pâte à la chaleur, on peut aussi la faire lever au réfrigérateur.

Cette façon de procéder convient particulièrement bien lorsqu'on prépare la pâte en soirée; il s'agit alors simplement de mettre au réfrigérateur le bol qui contient la pâte; le lendemain matin, celle-ci sera prête à être mise en forme. Dans ce cas, la pâte lève comme à l'accoutumée jusqu'à ce que le froid la pénètre entièrement, soit assez longtemps, la pâte étant un excellent isolant. Une fois complètement gelée, la levure s'endort, et la pâte cesse de lever jusqu'à ce que, retirée du réfrigérateur, elle soit réactivée en se réchauffant. On peut traiter de cette manière la plupart des pâtes à pains ordinaires. Il faut cependant bien couvrir le bol et laisser suffisamment d'espace à la pâte pour qu'elle puisse prendre de l'expansion. On peut au besoin la réfrigérer quelques jours ou quelques semaines si elle ne contient pas de lait. Réfrigérée trop longtemps, elle commencera à fermenter et ressemblera à une espèce de pâte aigrie.

Une fois retirée du réfrigérateur, la pâte doit être renversée, pétrie deux ou trois minutes et laissée à reposer dix minutes sous le bol. On peut alors la façonner et la laisser lever jusqu'à obtention du double du volume. Soulignons que la pâte froide mettra plus de temps à lever que la pâte exposée à la chaleur.

LA PÂTE EN FORME

Quand la pâte a atteint le double de son volume initial, on lui donne la forme appropriée. On l'abaisse ensuite, puis on la renverse sur la surface de travail où on la pétrit quatre ou cinq fois. Cette opération permet de libérer une partie de l'anhydride carbonique qu'on redistribue dans la pâte de façon à activer la levure et à accélérer la fermentation. Elle a aussi pour effet de renforcer le gluten et de rendre à la pâte sa fermeté et son élasticité. Cette dernière devient en fait si élastique parfois qu'il est assez difficile de la former; il n'est donc pas mauvais, après l'avoir abaissée et pétrie, de la couvrir — et le bol renversé peut très bien servir ici — pour en empêcher l'évaporation et de la laisser reposer en préparant les moules. Cela permet au gluten de se relâcher, et l'on forme la pâte de l'une ou l'autre des façons qui suivent.

N.B.: La quantité de pâte nécessaire à produire une miche dans un moule à pain de huit pouces et demi sur quatre pouces et demi (20 x 10 cm) équivaut à une quantité de pâte contenant de deux tasses et demie à trois tasses (650 à 750 mL) de farine ou, en d'autres termes, une recette qui requiert environ dix tasses de farine, produit quatre miches. Après cuisson, chaque miche pèse environ 24 onces (750 g).

Pains moulés

Les pains moulés prennent la forme des moules ou des boîtes dans lesquels ils cuisent. Les pains formés et cuits sur des tôles à cuisson sont des pains de formes libres dont la pâte est un peu plus ferme, c'est-à-dire qu'ils contiennent une plus grande proportion de farine puisqu'ils ne sont pas supportés par les côtés d'un moule.

Pâte roulée à la manière "Robin Hood"

Voici une méthode pratique de préparation de la pâte pour un moule à pain ordinaire qui a été mise au point par la Robin Hood Multi-foods Ltd.:

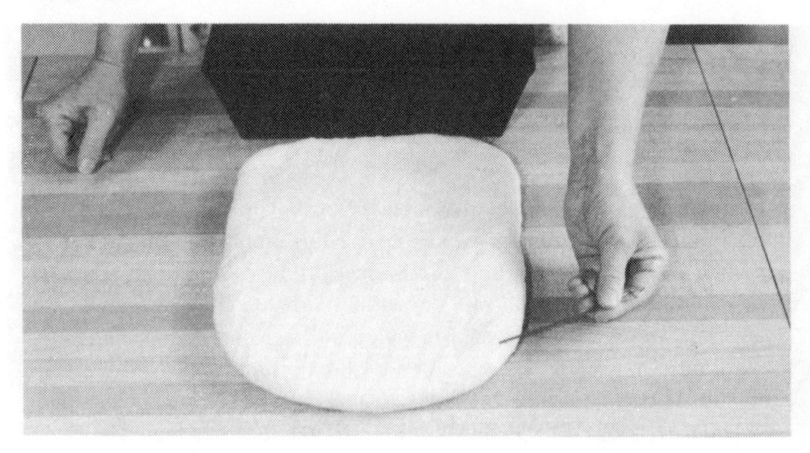

1 — Abaisser au rouleau la pâte de manière à obtenir un rectangle d'environ neuf pouces sur douze (22 x 33 cm). Veiller à ce que l'épaisseur soit la même partout et faire éclater toutes les grosses bulles de gaz qui apparaissent sur le pourtour.

2 — Rouler la pâte dans le sens de la longueur comme pour un gâteau roulé. Veiller à ce que les surfaces de la pâte soient scellées entre elles et qu'aucune grosse bulle d'air ne soit emprisonnée dans le roulé. Sceller soigneusement la lisière et cacher celle-ci sous la miche.

3 — Sceller les extrémités de la miche avec les mains et former deux langues minces.

4 — Replier ces langues sous la miche.

5 — Déposer la miche, coutures en dessous, dans un moule à pain ordinaire de huit pouces et demi sur quatre pouces et demi (20 x 10 cm) bien graissé ou fini en silicone.

Pâte pliée à la manière "Purity"

Voici une façon un peu différente d'obtenir le même type de pain. Elle a été mise au point par le Maple Leaf Mills Home Service Bureau.

1 — Abaisser la pâte de façon à obtenir un rectangle d'environ huit pouces sur dix (20x25 cm). Son épaisseur doit être uniforme et toutes les grosses bulles d'air, crevées.

2 — Replier l'une sur l'autre les extrémités au centre du rectangle dans le sens de la longueur de façon à former une bande d'environ huit pouces sur trois (20x8 cm). Bien sceller entre elles les surfaces de la pâte en veillant à ce qu'aucune bulle d'air n'y soit emprisonnée.

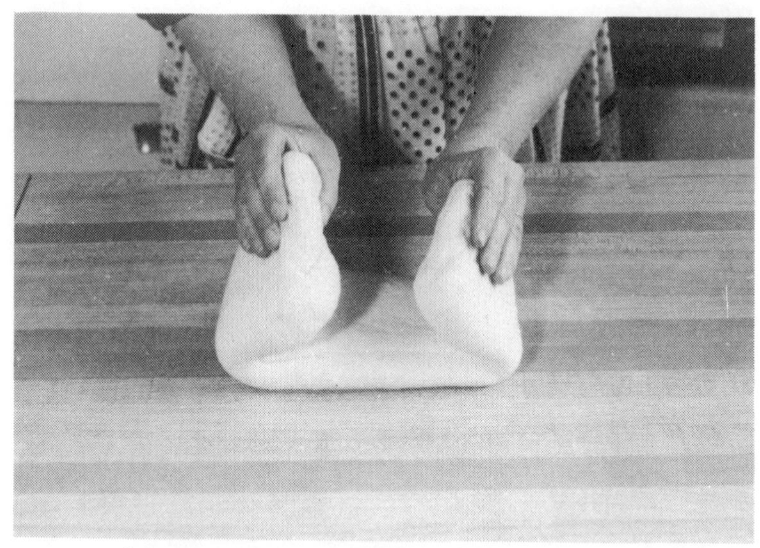

3 — Étirer légèrement la bande en l'abaissant un peu dans le sens de la longueur et replier ses extrémités de façon à ce qu'elles se joignent au milieu. Sceller en pressant.

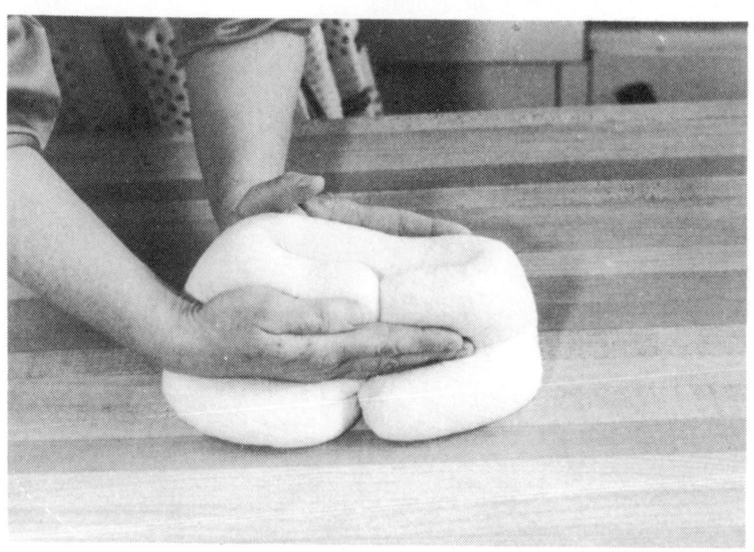

4 — Replier de nouveau la pâte à angle droit du point de jonction de façon à en arrondir le dessus. Déposer la pâte, coutures en dessous, dans un moule ordinaire graissé.

Double miche

Il s'agit d'une miche faite de deux bosses nettement séparées au milieu. On peut la couper en deux pour l'empêcher de rassir et en entreposer une moitié ou la congeler. C'est souvent une miche de bonnes dimensions cuite dans un grand moule.

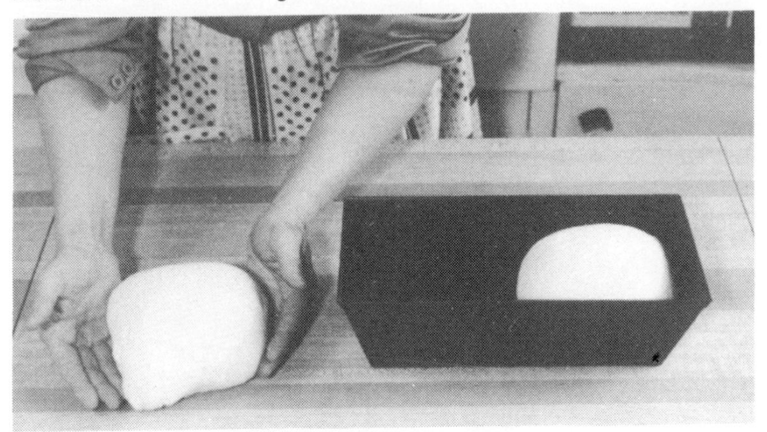

1 — Diviser la pâte en deux parts égales en les pesant pour s'assurer qu'elles sont pareilles et donner à chaque part la forme d'une miche deux fois moins large que d'habitude en suivant les instructions de l'une des deux méthodes qui précèdent.

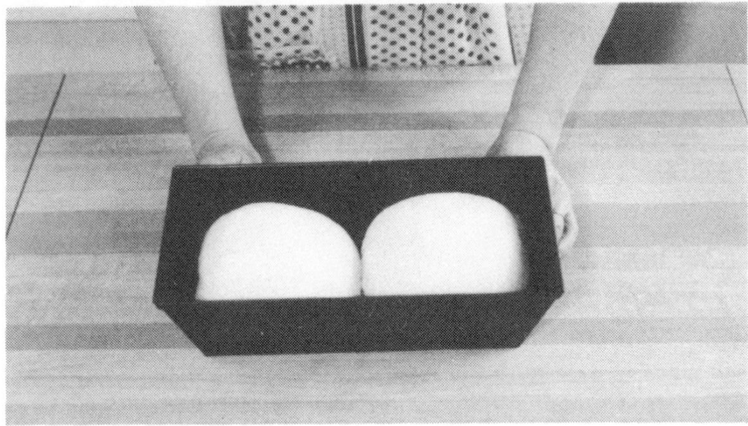

2 — Déposer ces parts bout à bout dans un moule graissé.

N.B.: La forme sera plus attrayante que si l'on se contente de séparer une miche en deux. Les miches triples ou même quadruples peuvent être produites de la même façon.

Pain pour pique-nique

Voici un pain très utile en pique-nique puisqu'on n'a pas besoin de le trancher.

1 — Façonner la pâte en la roulant ou en la pliant.

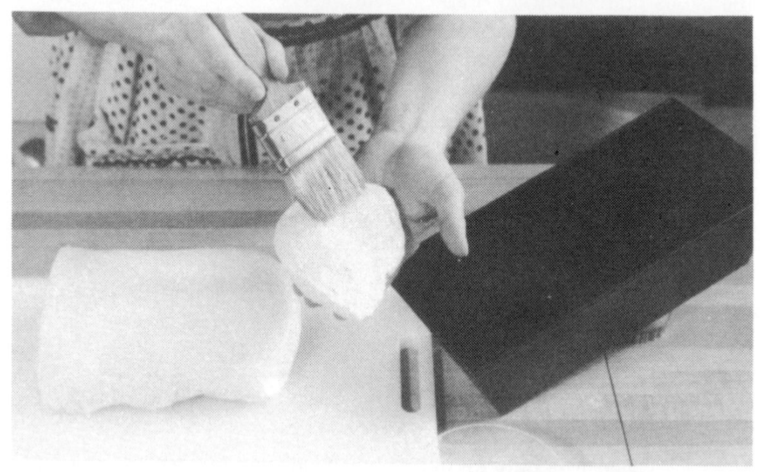

2 — Graisser le moule à pain et l'incliner dans le sens de la longueur suivant un angle de 45° par rapport au comptoir.

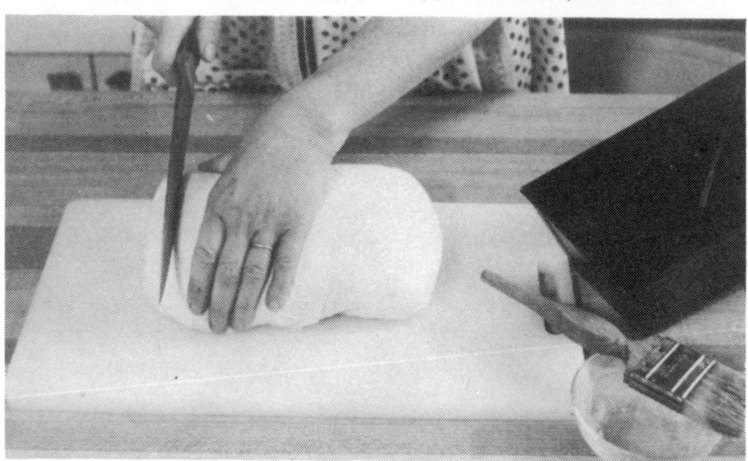

3 — Découper la pâte en tranches d'une épaisseur de trois quarts de pouce (2 cm) et badigeonner ces tranches de beurre ou de margarine fondus.

N.B.: Employer au goût du beurre à la ciboulette ou à l'ail.

4 — Reformer la miche en entassant les tranches dans le moule.

5 — Agiter légèrement le moule pour que les tranches soient également réparties.

Miches hémisphériques pour boîtes circulaires

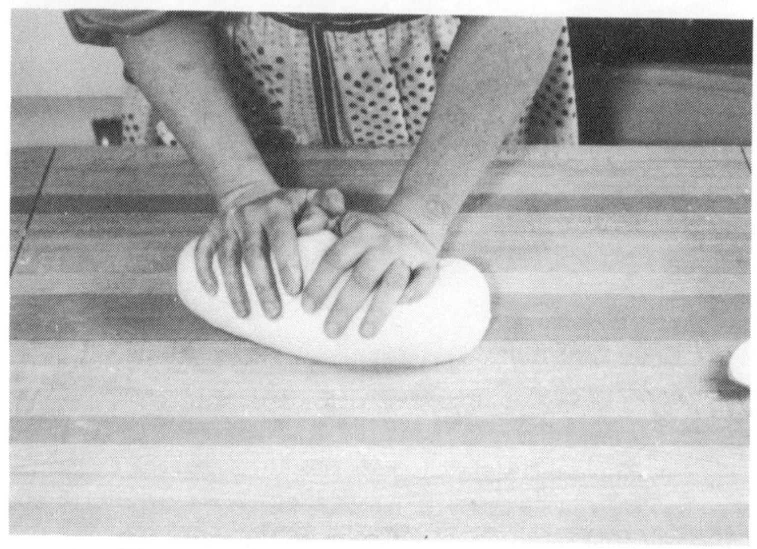

1 — Pétrir vivement la pâte cinq ou six minutes pour raffermir le gluten et le rendre élastique.

2 — Former une balle en ramenant ensemble les extrémités de l'ovale façonné par le pétrissage.

3 — Rouler sur la surface de travail pour aplanir le sommet.

4 — Déposer dans une boîte ronde et graissée, les coutures en dessous.

Miches de formes libres

Les formes libres sont innombrables et aussi fantastiques que peut les imaginer l'être humain. Celles que voici sont les plus courantes, mais on doit créer ses propres formes plutôt que de copier. Toute pâte à pain peut être cuite de cette façon; cependant, les formes libres sont particulièrement bien adaptées aux pâtes de grain entier à cause de leur texture plus serrée.

Baguette

Il s'agit de la forme habituelle du pain français:

1 — Abaisser la pâte avec le rouleau ou le côté de la main de façon à obtenir un ovale d'environ douze pouces sur neuf (30x23 cm).

2 — Rouler à la façon d'un gâteau roulé dans le sens de la longueur en scellant à mesure.

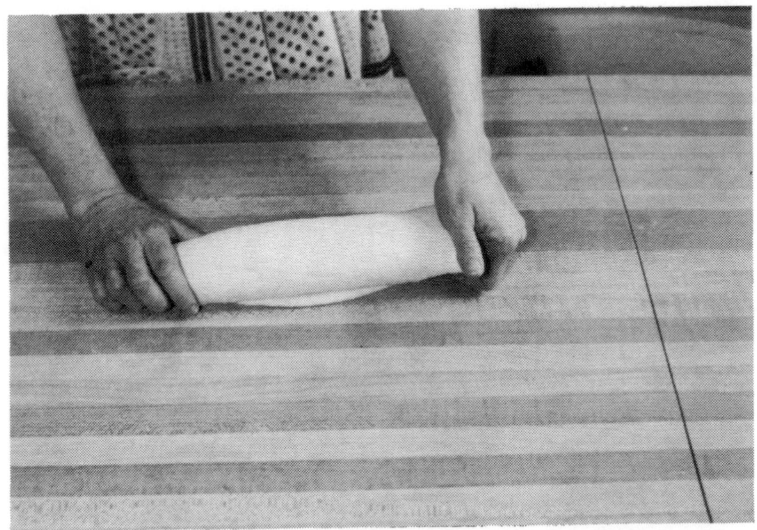

3 — Effiler les extrémités en les repliant.

4 — Déposer, coutures en dessous, sur une tôle à cuisson graissée ou saupoudrée de farine de maïs.

5 — Pratiquer trois ou quatre entailles superficielles sur le dessus du pain avec un couteau aiguisé ou une lame de rasoir.

Pain de campagne à la québécoise

Le délicieux et croustillant pain de campagne québécois a la plupart du temps la forme d'une paire de fesses:

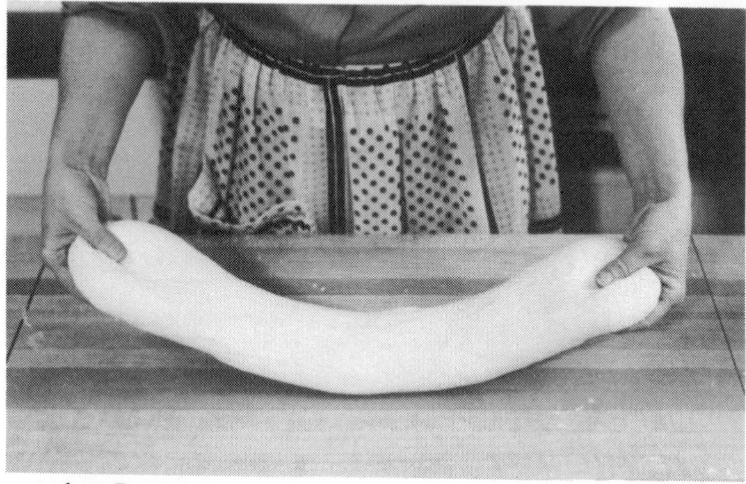

1 — En roulant entre les mains la totalité de la pâte, former une corde épaisse d'une longueur de trente pouces (75 cm).

2 — Ramener les extrémités vers le milieu de la corde et sceller.

3 — Déposer sur une tôle à cuisson graissée ou saupoudrée de farine de maïs.

Pain de campagne

Cette minuscule miche ressemble au chignon de ma grand-mère. Son origine est anglaise.

1 — Diviser la pâte en deux parts, l'une deux fois plus grosse que l'autre.

2 — Former deux boulettes.

3 — Aplatir légèrement la plus grosse boule et y déposer la plus petite.

4 — Perforer complètement les deux boules en les soudant l'une à l'autre avec le manche d'une cuiller de bois. Repousser avec le doigt la pâte qui aurait pu adhérer à la cuiller.

5 — Déposer sur une tôle graissée.

Noeud

Cette magnifique miche est souvent faite de la pâte riche en oeufs de la *Hallah* juive:

1 — Former une longue corde en roulant la pâte entre les mains. Ne pas amincir les extrémités.

2 — Tordre la corde en un seul noeuf et plaçant une extrémité au milieu de la miche.

3 — Ramener l'extrémité libre sous la miche.

4 — Déposer sur une tôle à cuisson bien graissée.

Spirale

Cette forme, elle aussi souvent employée pour la *Hallah* et particulièrement recherchée lors du *Rosh Hashana* et du *Yom Kippour,* s'appelle *faigele.* Elle est symbole de paix universelle, d'harmonie et d'unité. Il s'agit aussi d'une forme de pain blanc répandue en Europe de l'Est.

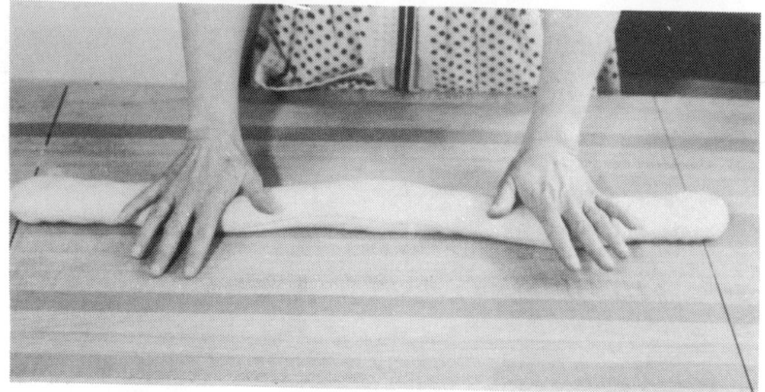

1 — Former une longue corde, effilée à une extrémité, en roulant la pâte entre les mains.

2 — Donner à la pâte la forme d'une spirale en commençant par l'extrémité la plus épaisse. Ne pas enrouler trop serré; les côtés du rouleau doivent à peine se toucher. Autrement, le centre prend la forme d'un cône.

3 — Déposer sur une tôle à cuisson graissée. Cette miche peut aussi cuire dans un moule à tarte peu profond.

Croissant

Il s'agit de la forme traditionnelle par laquelle les boulangers de l'empire austro-hongrois ont célébré la victoire de Budapest sur les Turcs en 1689. L'armée turque creusait alors de nuit un tunnel sous les remparts de la ville. Les boulangers qui préparaient leur pâte, entendant le bruit, se hâtèrent de prévenir la garnison qui put prendre les Turcs au piège. Par la suite, les boulangers ont adopté la forme du croissant du drapeau turc.

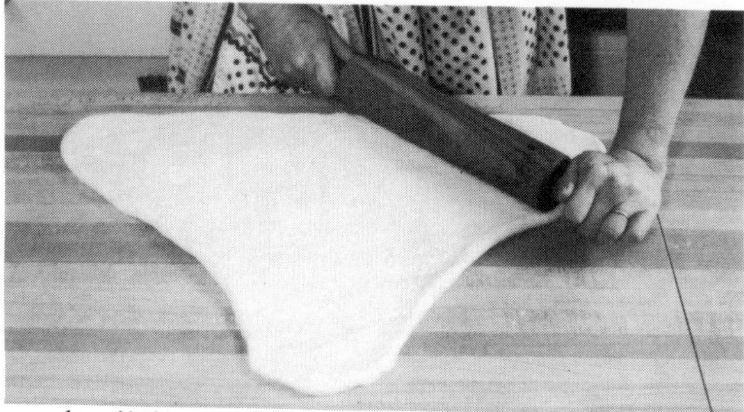

1 — Abaisser la pâte avec le rouleau de façon à obtenir un triangle de vingt-quatre pouces sur vingt-quatre pouces sur trente pouces (60 x 60 x 75 cm) en s'assurant que l'épaisseur est uniforme et en faisant éclater toutes les grosses bulles d'air.

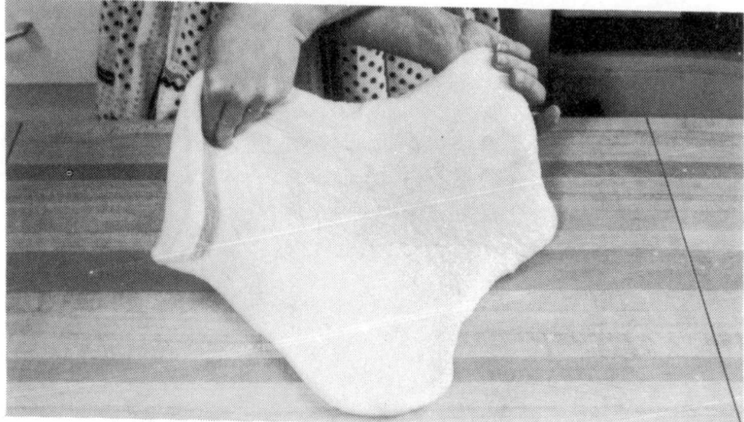

2 — Retourner la pâte pour que le côté le plus lisse se trouve à l'extérieur du pain.

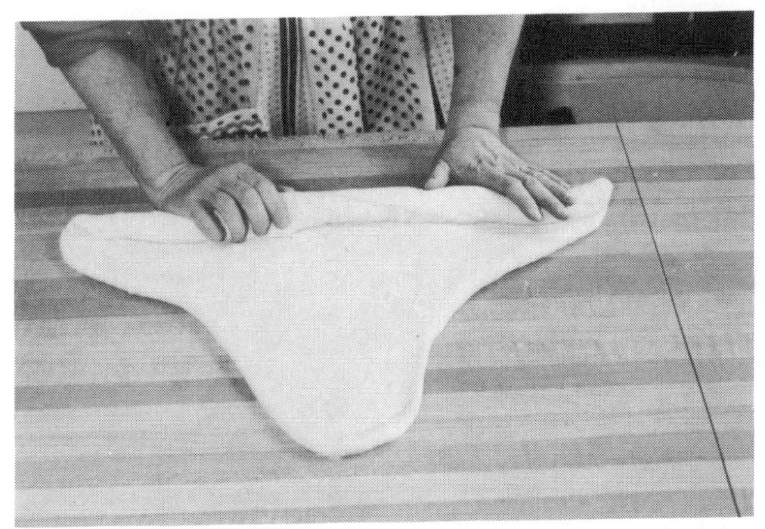

3 — En commencant par le côté le plus long, rouler jusqu'à la pointe opposée.

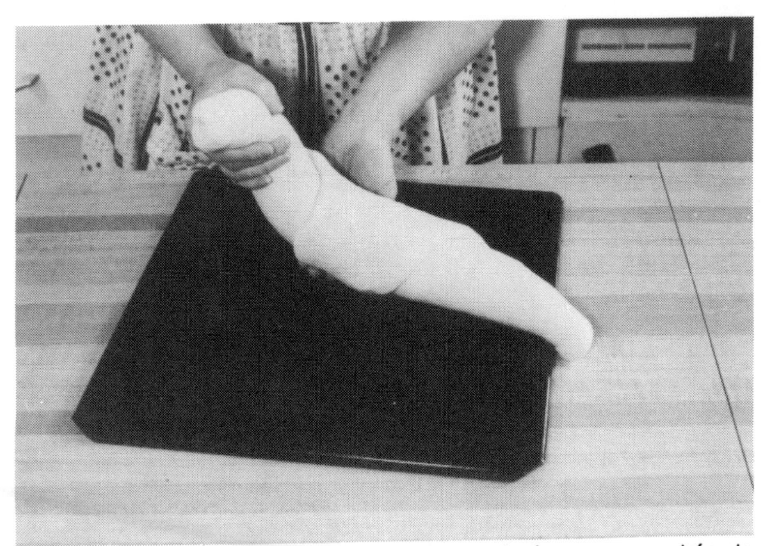

4 — Déposer sur une tôle à cuisson graissée ou saupoudrée de farine en s'assurant que la pointe du triangle se trouve en dessous pour que le croissant ne se déroule pas.

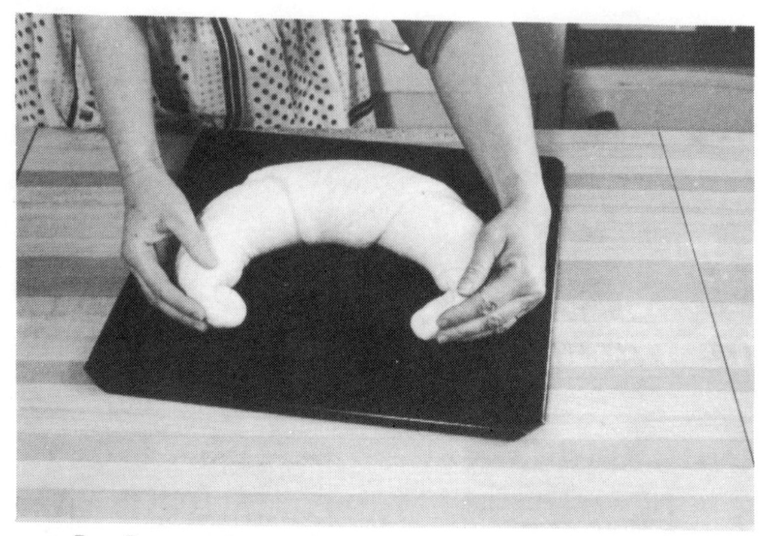

5 — Ramener les extrémités de manière à former un croissant. Si celles-ci sont très minces, les écraser un peu pour qu'elles ne cuisent pas trop.

Miche fendue

Voici une miche attrayante, fendue au milieu sur toute sa longueur:

1 — Découper un morceau de pâte de la grosseur d'une noix de Grenoble.

2 — Travailler la pâte en la roulant ou en la pliant comme s'il s'agissait d'un pain moulé un peu plus court et un peu plus rebondi qu'à l'accoutumée.

3 — Façonner, en roulant le petit morceau de pâte entre les mains, un cordon de l'épaisseur d'un crayon de deux pouces (5 cm) plus long que la miche.

4 — Pincer une extrémité de ce cordon sous la miche, le ramener en l'étirant légèrement sur le dessus de la miche et le pincer sous l'autre extrémité. Il est important que le cordon de pâte soit tendu.

5 — Déposer sur une tôle à cuisson graissée ou saupoudrée de farine. Cuite dans un four très chaud, cette miche fendra d'un bout à l'autre le long du cordon.

Tresse à trois brins

Les tresses sont l'une des formes de pains les plus attrayantes. On prépare habituellement les pains tressés en vue de quelque célébration, et les pâtes qui s'y prêtent le mieux ont une haute teneur en matières grasses. On produit une plus grande tresse en augmentant la quantité de pâte et en allongeant les cordes.

1 — Diviser la pâte en trois parts égales; si les cordes n'ont pas la même longueur, la tresse aura une apparence bancale, sans compter que la cuisson en sera inégale.

2 — Rouler chaque part de façon à obtenir une corde d'environ dix-huit pouces (50 cm) et amincir les extrémités.

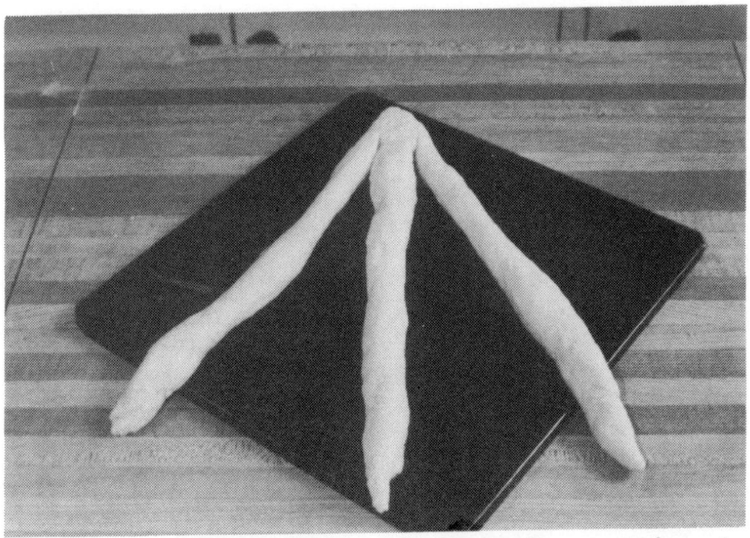

3 — Déposer les cordes sur une tôle à cuisson graissée en les joignant à l'une de leurs extrémités.

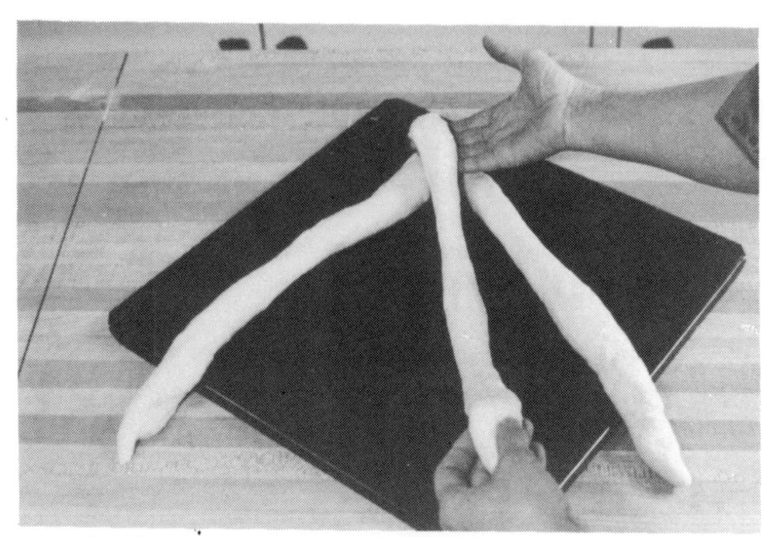

4 — Ramener la corde de gauche par-dessus la corde voisine de façon à ce qu'elle soit au centre.

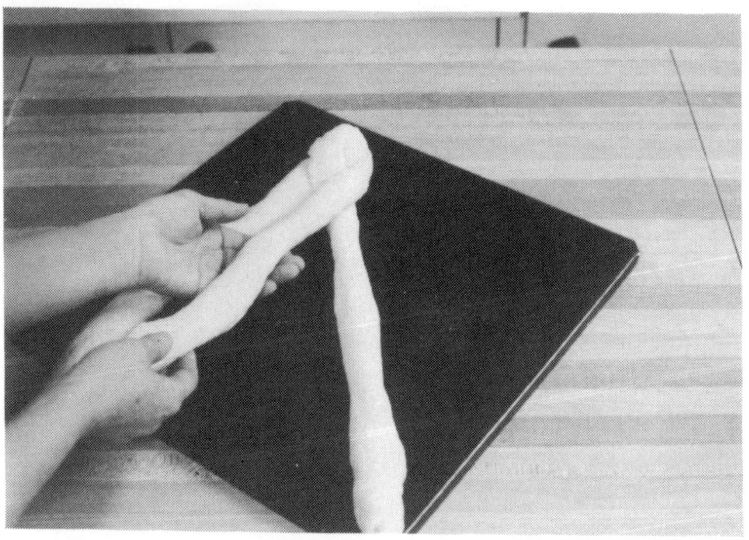

5 — Ramener la corde de droite par-dessus la corde voisine de façon à ce qu'elle soit au centre.

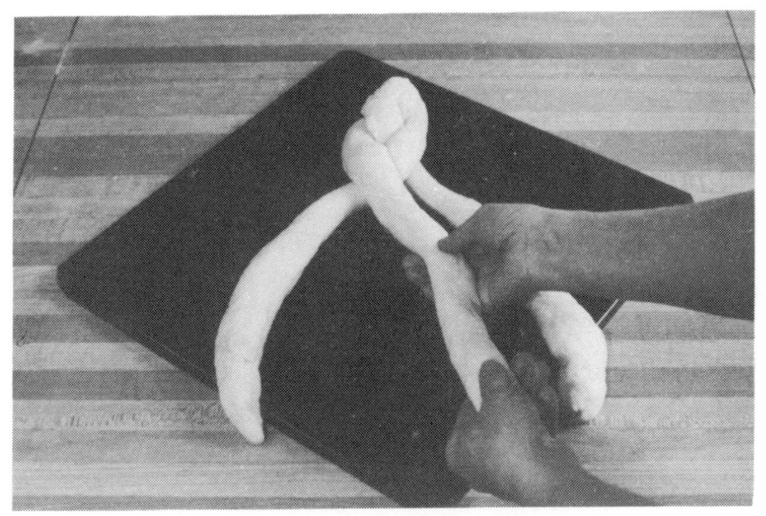

6 — Ramener la corde de gauche au centre.

7 — Poursuivre ainsi en ramenant les cordes au centre jusqu'à épuisement. Ne pas tresser trop serré ni laisser de grands espaces entre les croisements.

8 — Rassembler les extrémités et les replier sous la tresse pour qu'elle ait belle apparence: Faire de même avec les trois extrémités initiales.

Tresse à quatre brins

Voici une tresse plus complexe que la tresse à trois brins, mais la miche qui en résulte est si magnifique qu'il vaut la peine d'apprendre à en maîtriser la technique. Si l'on n'a jamais tressé avec quatre brins, il vaut mieux s'exercer avec des bandes de tissus ou de la pâte à modeler.

1 — Diviser la pâte en quatre parts égales et les peser. Rouler chaque part entre les mains de façon à produire quatre cordes d'environ dix-huit pouces (50 cm) de long. Crever les grosses bulles d'air qui auront pu se former au cours de ce processus. Si la pâte résiste, maintenir une extrémité sur la table et y rabattre l'autre extrémité, ce qui la fera s'étirer. Amincir les extrémités des cordes.

2 — Déposer les cordes sur une tôle à cuisson graissée et les pincer ensemble à l'une de leurs extrémités. Les cordes occuperont de gauche à droite les positions 1, 2, 3, et 4.

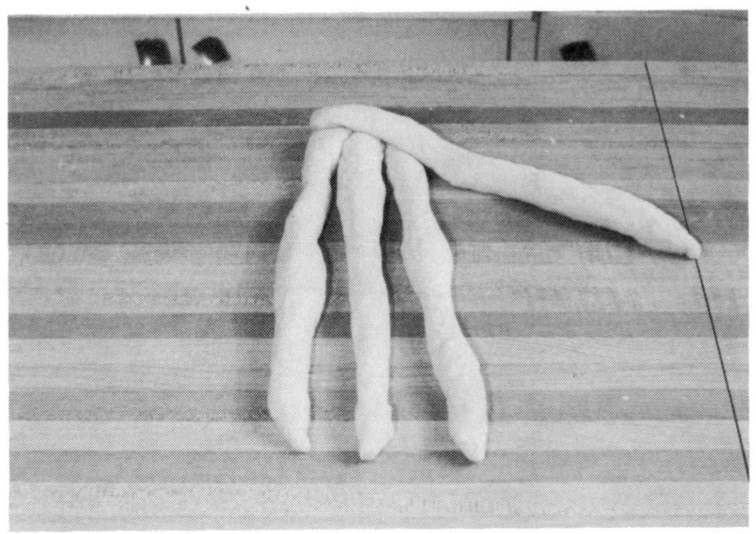

3 — Ramener la corde 1 de l'extrême gauche à la position 4, à l'extrême droite.

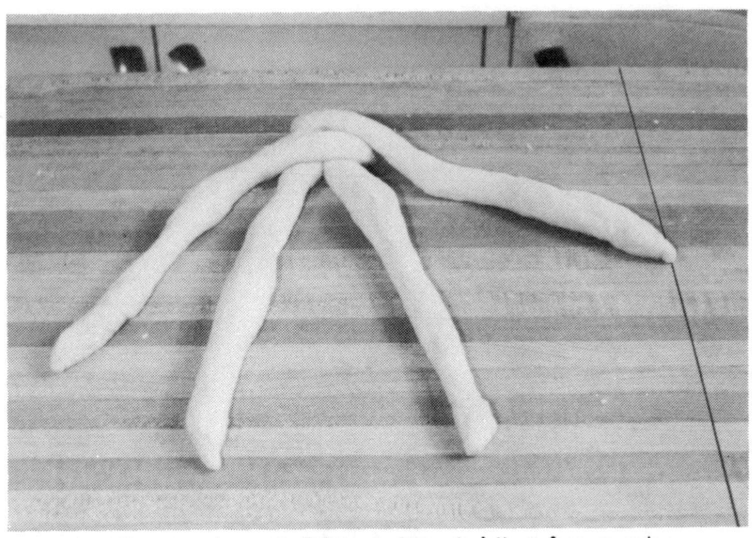

4 — Ramener la corde 3 à la position 1, à l'extrême gauche.

5 — Ramener la corde 4 de l'extrême droite à la position 3.

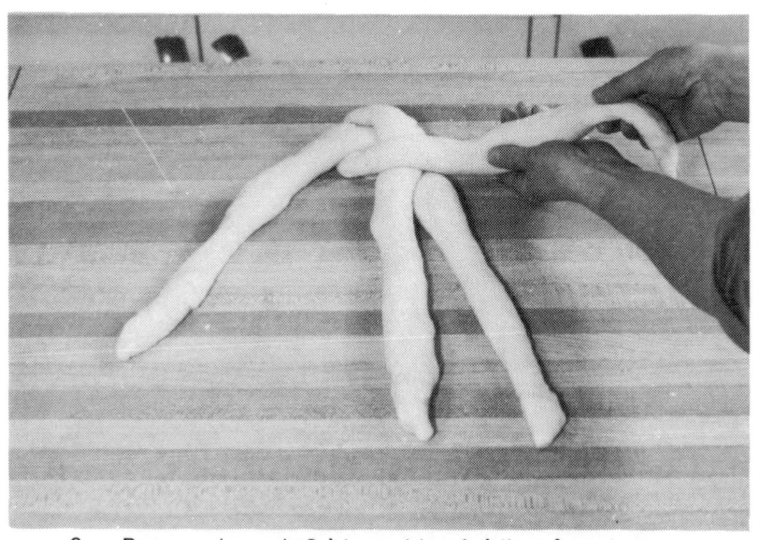

6 — Ramener la corde 2 à la position 4, à l'extrême droite.

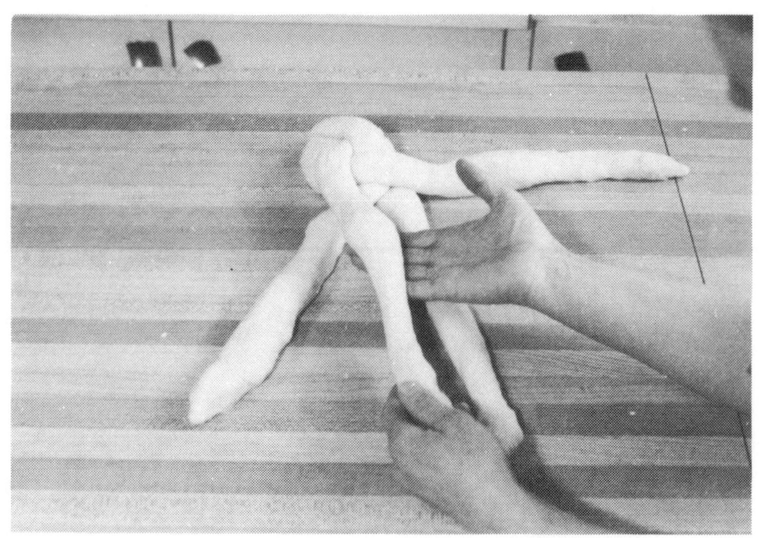

7 — Ramener la corde 1 de l'extrême gauche à la position 2.

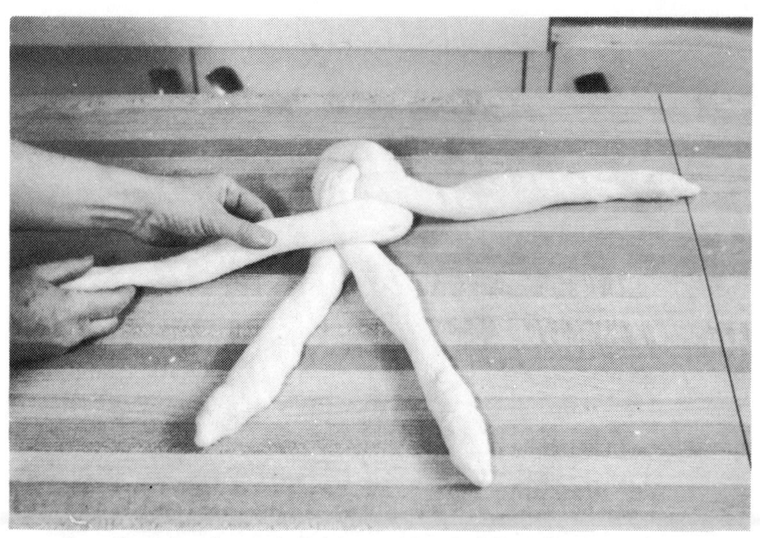

8 — Ramener la corde 3 à la position 1, à l'extrême gauche.

9 — Ramener la corde 4 de l'extrême droite à la position 3.

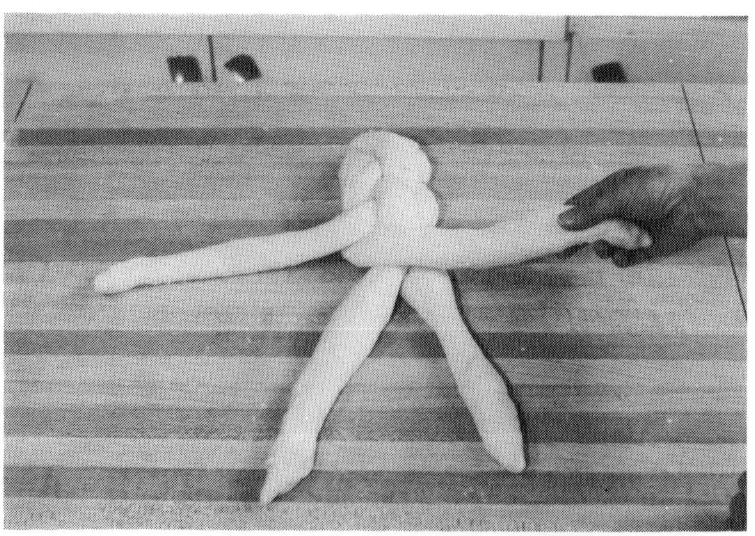

10 — Ramener la corde 2 à la position 4, à l'extrême droite.
11 — Ramener la corde 1 de l'extrême gauche à la position 2.

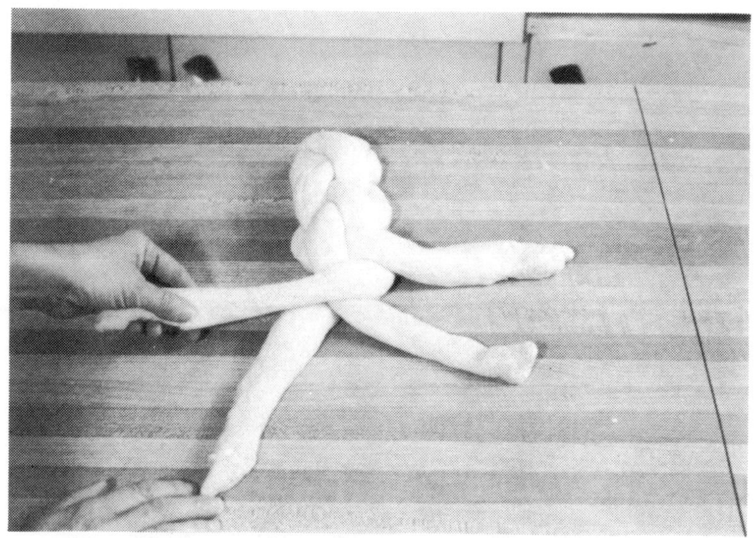

12 — Ramener la corde 3 à la position 1, à l'extrême gauche.

13 — Répéter les étapes 9, 10, 11 et 12 jusqu'à ce que la tresse soit terminée. Éviter d'étirer les cordes au cours du tressage, mais les assembler lâchement.

14 — Ramener les extrémités sous la tresse pour lui donner belle apparence.

Tresse à six brins

La plupart des gens, lorsqu'ils produisent une miche tressée à six brins, superposent deux miches tressées à trois brins d'inégale grosseur. L'apparence est sauve, mais il arrive souvent qu'en cours de levée ou de cuisson, les tresses se déplacent au point que la tresse du dessus tombe. Tressés de la façon que voici, tous les brins sont assemblés entre eux, et la forme ne change pas.

1 — Diviser la pâte en six parts égales et rouler celles-ci en cordes d'environ dix-huit pouces (50 cm) de long, amincies aux extrémités.

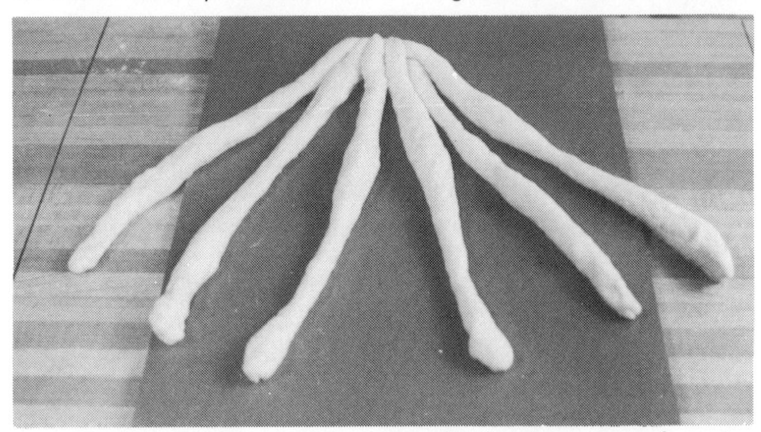

2 — Déposer les cordes sur une tôle à cuisson graissée et les pincer ensemble à l'une des extrémités. Les cordes occuperont de gauche à droite les positions 1, 2, 3, 4, 5 et 6.

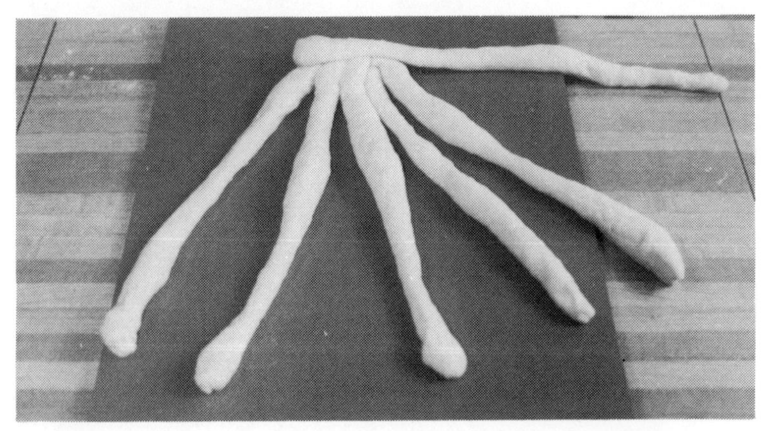

3 — Ramener la corde 1 à la position 6, à l'extrême droite.

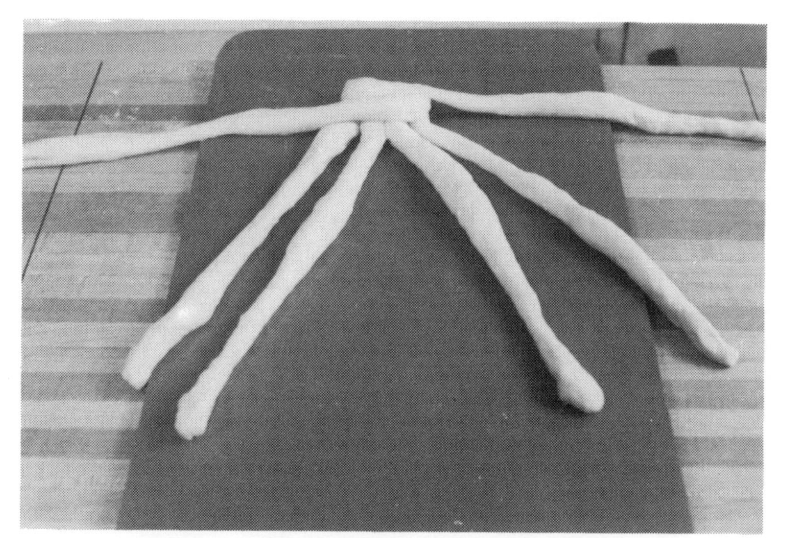

4 — Ramener la corde 5 à la position 1, à l'extrême gauche.

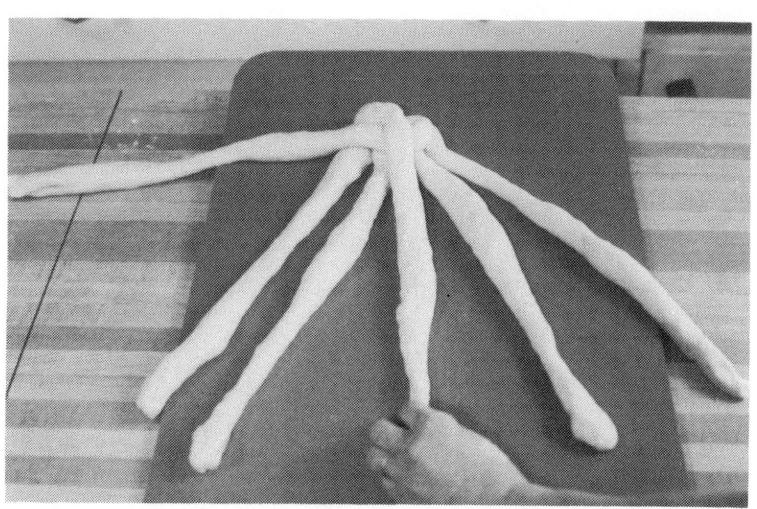

5 — Ramener la corde 6 de l'extrême droite à la position 4.

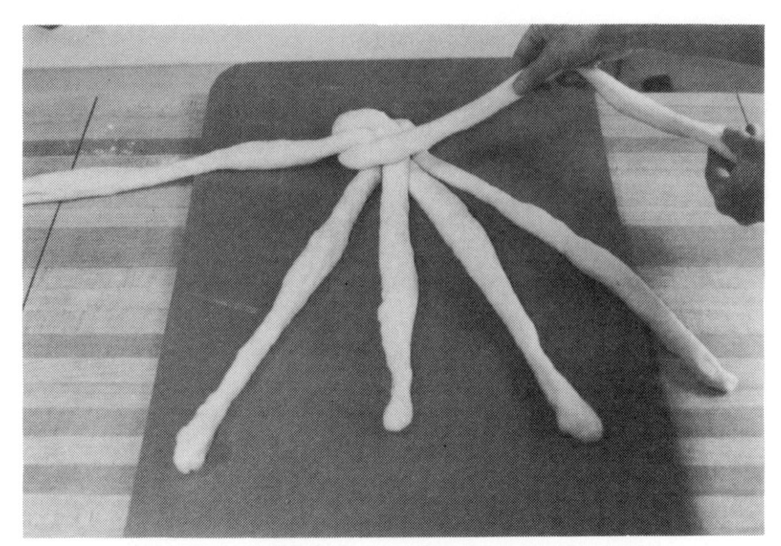

6 — Ramener la corde 2 à la position 6, à l'extrême droite.

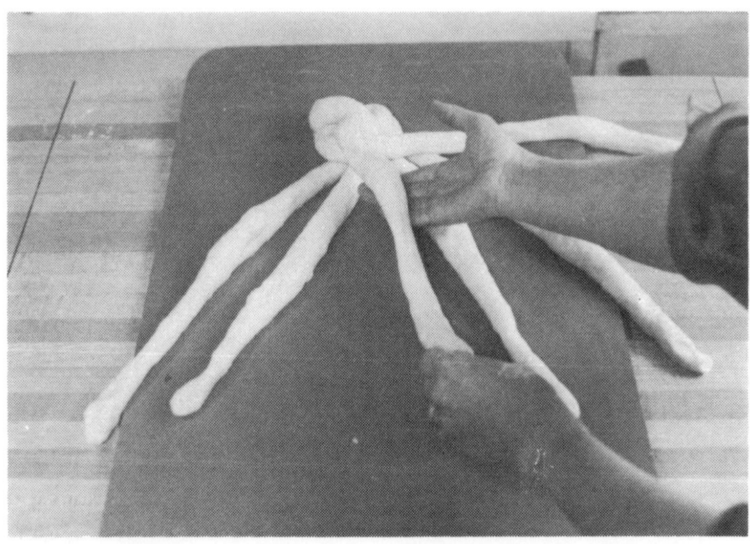

7 — Ramener la corde 1 de l'extrême gauche à la position 3.

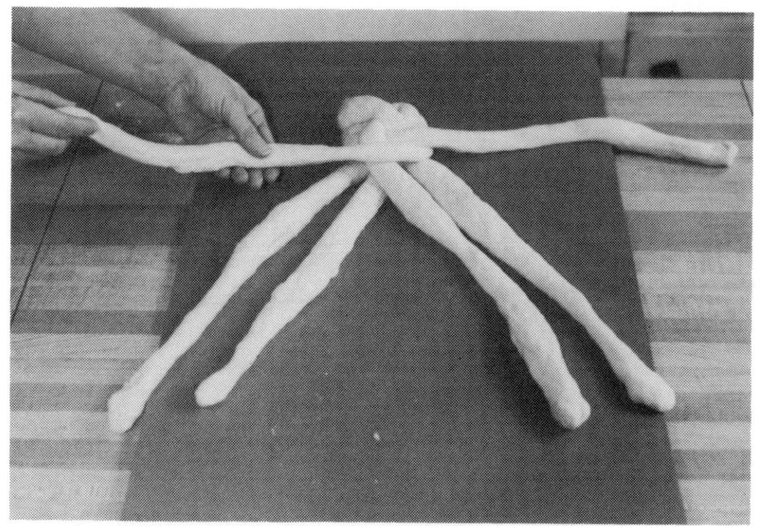

8 — Ramener la corde 5 à la position 1, à l'extrême gauche.

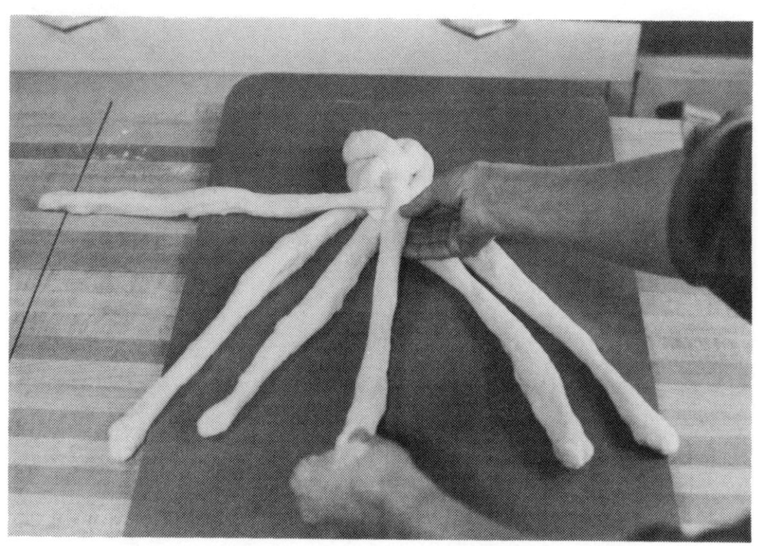

9 — Ramener la corde 6 de l'extrême droite à la position 4.

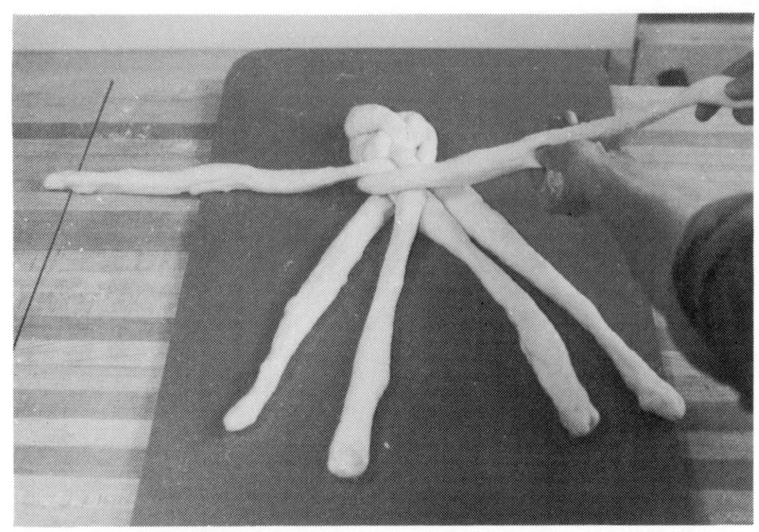

10 — Répéter les étapes 6, 7, 8 et 9 jusqu'à ce que la tresse soit terminée. Éviter d'étirer les cordes au cours du tressage, mais les assembler lâchement.

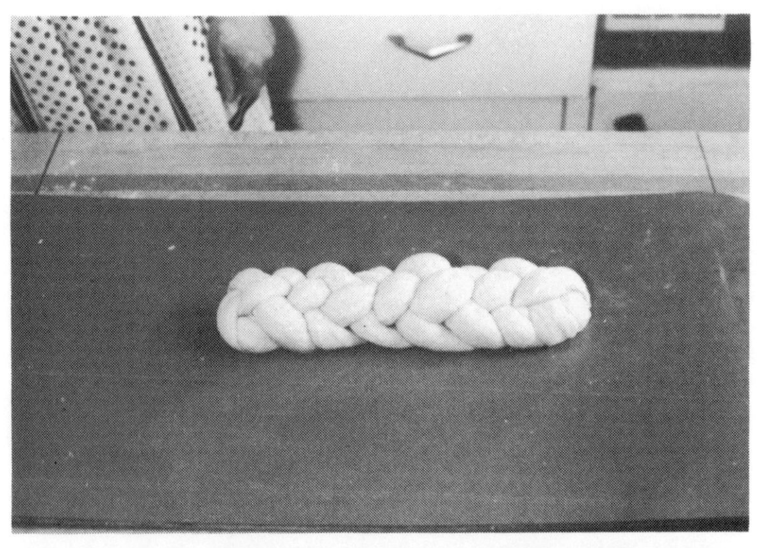

11 — Ramener les extrémités sous la tresse pour lui donner belle apparence.

Petits pains mous

La forme attrayante des petits pains d'accompagnement répond à deux fonctions. Elle est agréable à l'oeil et en facilite l'ingestion, surtout lorsqu'on mange debout. Leur poids habituel est de deux onces (60 g) ou, s'il s'agit d'un petit pain qui accompagne le repas du soir, de trois onces (100 g). Il arrive aussi que soient servies de petites miches individuelles de quatre (125 g) ou de six onces (185 g), surtout si une soupe constitue le plat principal.

Petits pains au moule

Ces petits pains sont habituellement cuits dans des moules à gâteau carrés ou rectangulaires. Ils se joignent pendant la levée et la cuisson, et on les sépare au moment de les servir. Ils ont une croûte sur le dessus et en dessous, mais pas sur les côtés:

1 — Diviser la pâte en parts de deux onces (60 g). Peser la pâte si l'on veut que les petits pains soient identiques.

2 — Former des boulettes en roulant la pâte entre les mains, une paume courbée et l'autre droite pour que la forme donnée soit la bonne.

3 — Déposer les boulettes de pâte dans un moule graissé de façon à ce qu'elles se touchent à peine. Ne pas surcharger le moule.

4 — Une fois les petits pains cuits, renverser soigneusement le moule, sinon ceux-ci risquent de se disjoindre. Laisser refroidir avant de séparer.

N.B.: On peut donner à ces petits pains la forme de longs doigts si l'on veut produire des pains à hot dog.

Petits pains en forme de tulipes

1 — Former des boulettes de pâte de deux pouces et demi (6 cm) de diamètre.

2 — Déposer chaque boulette dans un moule à *muffins* graissé.

3 — Entailler en croix le tiers supérieur des boulettes avec des ciseaux aiguisés.

4 — Couvrir et laisser lever jusqu'à obtention du double du volume. Les entailles s'ouvriront alors à la façon de pétales de tulipes. Arrondir les arêtes aiguës, faute de quoi elles brûleront.

5 — Badigeonner de beurre fondu.

Pieds d'éventail

1 — Abaisser la pâte de façon à obtenir un rectangle d'environ un huitième de pouce (50 mm) d'épais.

2 — Badigeonner de beurre fondu et laisser reposer environ dix minutes pour amoindrir le rétrécissement.

3 — Découper la pâte en lanières d'un pouce (2,5 cm) de large avec un couteau aiguisé.

4 — Déposer cinq lanières les unes sur les autres et découper chaque pile de lanières en morceaux d'un pouce (2,5 cm) de large.

5 — Déposer chaque pile à plat dans un moule à *muffins* graissé.

6 — Couvrir et laisser lever jusqu'à obtention du double du volume.

Petits pains en forme de trèfle

1 — Former des boulettes de pâte d'un pouce (2,5 cm) de diamètre.

2 — Plonger chaque boulette dans du beurre fondu et secouer pour éliminer l'excès de gras.

3 — Déposer trois boulettes dans chaque moule à *muffins* graissé.

4 — Couvrir et laisser lever jusqu'à obtention du double du volume.

Noeuds papillons

1 — Former avec la pâte des cordes d'un demi-pouce (1,25 cm) de diamètre et de six pouces (15 cm) de long.

2 — Nouer lâchement chaque corde sans trop étirer la pâte.

3 — Déposer sur une tôle à cuisson graissée, couvrir et laisser lever jusqu'à ce que la pâte ait doublé de volume.

4 — Glacer au goût et saupoudrer de graines.

Escargots

1 — Former avec la pâte une corde d'un demi-pouce (1,25 cm) de diamètre et de six pouces (15 cm) de long.

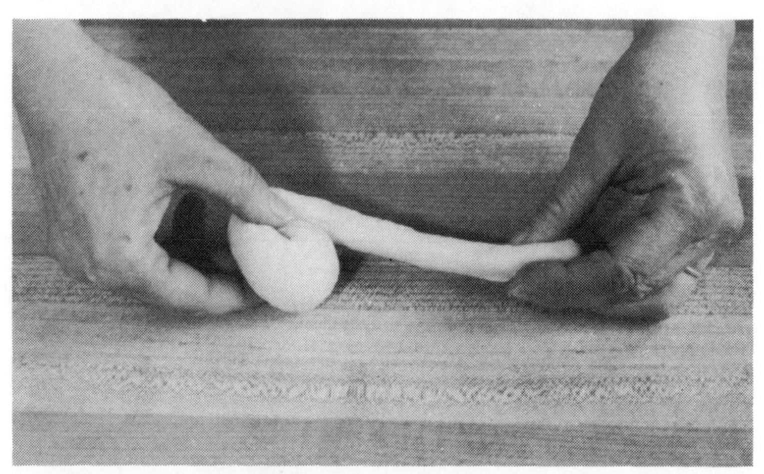

2 — En tenant l'une des extrémités, enrouler en spirale et cacher l'autre extrémité.

3 — Déposer sur une tôle à cuisson graissée; couvrir et laisser lever jusqu'à ce que la pâte ait atteint le double de son volume initial. On peut aussi cuire les escargots dans des moules à *muffins* graissés.

4 — Badigeonner de beurre fondu. Les escargots brûlent facilement; il faut donc préparer de petits capuchons en papier d'aluminium pour le cas où ils bruniraient trop rapidement.

Petits pains en forme de marguerites

1 — Former avec la pâte une corde d'un demi-pouce (1,25 cm) de diamètre et de huit pouces (20 cm) de long.

2 — Nouer très lâchement, sans étirer la pâte, le centre de la corde.

3 — Une fois le noeud déposé à plat, l'une des extrémités pointera vers le haut et l'autre, vers le bas. Ramener vers le haut celle qui pointe vers le bas et l'insérer dans la boucle formée par le noeud.

4 — Ramener vers le bas l'extrémité qui pointe vers le haut et l'insérer dans la boucle formée par le noeud de façon à ce qu'elle dessine un "coeur" au centre du petit pain.

5 — Déposer sur une tôle à cuisson graissée ou dans des moules à *muffins* graissés; couvrir et laisser lever jusqu'à ce que la pâte ait doublé de volume; glacer au goût.

Petits pains croustillants

Contrairement à la façon de procéder pour les petits pains moulés, on dispose ceux-ci loin les uns des autres sur les tôles à cuisson ou on les place dans les moules de façon à ce qu'une fois cuits, ils ne se touchent pas. Garnis d'une croûte sur tous leurs côtés, ils peuvent être glacés comme de grandes miches. Ils se prêtent aussi à différentes mises en forme.

Petits pains "Parker House"

Ces petits pains sont originaires du célèbre hôtel Parker House de Boston. Leur recette traditionnelle est particulière, mais on peut l'adapter à n'importe quelle pâte molle blanche.

1 — Abaisser la pâte de manière à ce qu'elle ait un quart de pouce (50 mm) d'épais. Couvrir d'un linge et laisser reposer environ dix minutes. Cette étape est importante sans quoi les petits pains rétréciront.

2 — Découper la pâte avec un moule à découper circulaire de trois pouces (7,5 cm) de diamètre. Entailler chaque rondelle en y enfonçant jusqu'au tiers environ le dos de la lame d'un couteau de cuisine.

3 — Ramener le plus petit segment sur le plus grand et pincer les coins de façons à sceller l'entaille.

4 — Bien badigeonner de beurre fondu et déposer sur une tôle à cuisson graissée.

5 — Couvrir et laisser lever jusqu'à ce que la pâte ait doublé de volume.

Petits pains en forme de croissants

On forme ainsi les croissants de boulangerie. Les pâtisseries danoises en croissants ou les croissants français traditionnels sont faits différemment (se reporter dans ces deux cas aux recettes).

1 — Abaisser la pâte de manière à obtenir un cercle de douze pouces (30 cm) de diamètre et d'environ un quart de pouce (50 mm) d'épais. Couvrir et laisser reposer dix minutes pour prévenir le rétrécissement.

2 — Découper en douze pointes à la façon d'une tarte.

3 — Rouler chaque pointe vers son angle aigu.

4 — Déposer, angle en dessous, sur une tôle à cuisson graissée.

5 — Couvrir et laisser lever jusqu'à ce que la pâte ait atteint le double de son volume initial; badigeonner d'un blanc d'oeuf battu dans un peu d'eau; saupoudrer de graines de pavot ou de graines de sésame.

Petits pains en forme de huit

Pour avoir belle apparence, ces petits pains doivent être assez grands, et il est préférable de les façonner avec trois onces (100 g) de pâte.

1 — Travailler la pâte de manière à obtenir une corde d'un demi-pouce (1,25 cm) de diamètre et de douze pouces (30 cm) de long.

2 — Partir du tiers de la longueur de la pâte pour former le huit.

3 — Ramener la longue extrémité de la pâte sous la boucle du côté gauche, puis à travers l'anneau du haut, par-dessus la boucle du côté droit, sous la boucle du côté droit et à travers l'anneau du bas.

4 — Déposer sur une tôle à cuisson graissée; couvrir et laisser lever jusqu'à ce que la pâte ait atteint le double de son volume initial.

5 — Glacer et badigeonner de graines au goût.

LA CUISSON DU PAIN

Après la mise en forme et une deuxième levée, la pâte est prête pour la cuisson. Il est important que les miches aient doublé de volume au cours de cette levée, mais tout aussi important qu'elles n'aient pas trop levé. Dans ce cas, les miches seront grosses, et leur forme en souffrira; elles pourront même s'affaisser lorsqu'on les mettra au four. C'est en effet durant la levée et la cuisson que les miches prennent l'apparence caractéristique déterminée par la mise en forme. Le dessus de la miche, en forme de champignon, est désigné sous le nom de FLEUR et peut être accompagné d'une fente sur le côté de la miche appelée FISSURE . Cette fissure n'est pas un défaut du pain; son apparence effilochée est au contraire plutôt agréable à l'oeil. Certaines miches sont entaillées en surface de façon à permettre leur expansion et à les empêcher de se rompre.

Au four, le gaz contenu dans les miches se dilate très rapidement sous l'effet de la chaleur, et celles-ci ne mettent pas longtemps à lever. Ce phénomène s'appelle DÉTENTE DU FOUR , et son effet sur certains pains peut être assez dramatique surtout si l'on a eu l'imprudence de laisser une grille au-dessus de la miche dans le four. Quinze minutes après la mise au four, on peut alors s'apercevoir que la miche passe à travers la grille supérieure! Si la pâte a levé trop longtemps, le gluten n'aura ni assez de force ni assez d'élasticité pour se dilater et contenir l'expansion rapide du gaz, les petites bulles de pâte éclateront, le gaz s'échappera, et la miche s'affaissera. À cette exception près, il est peu probable qu'une miche convenablement levée s'affaisse au four. On peut sans danger ouvrir et refermer le four de même que tourner les miches. Bien qu'il soit préférable d'interrompre la cuisson le moins possible, il n'est pas nécessaire d'approcher du four sur la pointe des pieds, comme si un soufflé y cuisait. En fait, suivant certaines recettes, il faut même retirer les miches et les glacer à mi-cuisson mais, la plupart du temps, on les glace avant de les mettre au four. À la fin de ce chapitre, on trouvera une liste des glaces les plus courantes ainsi que leurs effets sur l'apparence et la texture de la croûte.

De nos jours, au Canada, la majeure partie du pain de ménage est cuite dans des fours au gaz ou à l'électricité équipés de thermostats sûrs. Mais on cuit aussi le pain dans des fours à l'huile, au bois ou au charbon. Ces fours exigent un peu plus d'attention, mais produisent d'excellentes miches puisque leur chaleur, d'intense qu'elle est d'abord, décline régulièrement et également, ce qui assure au pain des conditions de cuisson parfaites. Ce déclin régulier, pourvu qu'il ne soit pas trop rapide, permet une meilleure cuisson que les fluctuations de température des cuisinières électriques. C'est ce qui faisait la grande qualité des vieux fours à briques ou des fours d'argile, et c'est pourquoi certaines boulangeries commerciales annoncent encore fièrement que leur pain est cuit au "four à briques".

Il n'existe malheureusement plus guère de maisons dotées d'un énorme foyer ouvert jumelé avec l'un de ces fours, et s'il en existe encore, on y utilise rarement un tel mode de cuisson. La pièce où se trouve le superbe foyer ne servira jamais plus de cuisine, et le four, la porte en moins, n'aura plus pour fonction que l'entreposage du bois. Ce four peut pourtant tout aussi bien cuire qu'au moment de sa construction! Il serait possible d'y allumer un feu de brindilles qui, une fois celles-ci consumées, aurait rendu l'intérieur assez chaud pour produire des étincelles lorsqu'on en frapperait la paroi avec un tisonnier; il n'y aurait plus alors qu'à enlever les cendres, enfourner les moules et laisser la chaleur réfléchie par la voûte cuire les pains à la perfection.

Bien que l'occasion de cuire au four à briques nous soit refusée, plusieurs auteurs de livres culinaires ont tenté de reproduire les conditions de ces merveilleuses enceintes de cuisson. Dans son excellent livre *Beard on Bread,* James Beard suggère de recouvrir d'une couche d'argile cuite non vitrifiée la grille sur laquelle le pain doit cuire. Les carreaux (tuiles) produisent "une chaleur égale et constante". J'abonde dans son sens et crois que, de cette façon, on obtient une croûte d'une qualité supérieure. Le seul inconvénient d'une telle méthode provient de ce qu'il est embarrassant de retirer et d'entreposer les carreaux et qu'il devient impossible, si on les laisse dans le four, de déplacer la grille, sans compter qu'ils gênent la circulation de l'air lorsqu'on se sert du four à d'autres fins. Si l'on fait cuire beaucoup de pain et si l'on a à sa disposition un second four susceptible d'être transformé en "four à briques" où l'entreposage des carreaux ne causerait pas de problème, un tel arrangement pourrait valoir la peine.

N.B.: Il ne s'agit pas, dans ce cas, de carreaux de mur, trop minces, mais de carreaux de plancher, plus épais.

Dans son merveilleux ouvrage *English Bread and Yeast Cookery,* Elizabeth David s'arrête, elle aussi, au four à briques. Elle souligne qu'elle a eu beaucoup de succès avec une méthode de cuisson par réflexion, soit en renversant un grand bol d'argile sur la miche de forme libre déposée sur la tôle à cuisson, le transformant ainsi en un petit four à brique voûté. La forme de voûte est importante puisqu'elle agit à l'instar des ondes sonores dans un dôme, c'est-à-dire qu'elle réverbère la chaleur de haut en bas, baignant ainsi le pain dans une chaleur égale. Selon madame David, "l'augmentation en volume d'une miche cuite à couvert d'un grand bol durant les 15 à 30 premières minutes ou même durant 45 minutes est particulièrement spectaculaire, la qualité de la croûte est très améliorée et la mie, moite et cuite également."

J'ai pu constater, en essayant cette méthode, qu'Elizabeth David n'avait pas exagéré, et je me suis demandé si l'idée ne pouvait pas être poussée plus loin. Heureuse propriétaire d'une très grande marmite en argile, j'ai décidé de vérifier si je ne pourrais pas la transformer en un four à briques miniature. Je savais que les professionnels ont sur les boulangers domestiques l'avantage de posséder des fours à injection de vapeur et qu'une atmosphère humide favorise la production de bon pain. Plusieurs auteurs recommandent de déposer un récipient rempli d'eau sur la grille inférieure du four lors de la cuisson de pain, mais je n'ai jamais perçu de différence notable avec cette méthode; la vapeur est en effet trop diffuse. Décidée à essayer la marmite d'argile, je l'ai d'abord fait tremper dans l'eau (comme elle est non vernissée et poreuse, elle en absorbe beaucoup) pour la déposer ensuite au four, vide et couverte, à une température de 425°F (218°C). Passé le premier cycle du thermostat du four, j'ai ouvert celui-ci et ai mis le moule à pain ordinaire où reposait la miche dans la marmite d'argile. Ainsi le pain a-t-il cuit trente minutes, après quoi je l'ai retiré de la marmite et en ai terminé la cuisson comme à l'accoutumée. La croûte était à la hauteur de mes espérances. Malheureusement, même avec une très grande cocotte d'argile, il ne m'était pas possible d'utiliser un moule de dimension habituelle (8 1/2" x 4 1/2" ou 21 x 12 cm), et il a fallu me contenter d'une plus petite miche dans un plus petit moule. Il s'agit néanmoins d'une très intéressante méthode de cuisson surtout si l'on procède par comparaison en faisant cuire en même temps une deuxième miche de la façon habituelle.

Au cours des dernières années, on a découvert d'autres méthodes de cuisson du pain. Les fabricants de cocottes *mijoteuses* ont mis au point des recettes de pâte levée susceptible de cuire dans ces appareils. Ayant levé comme à l'accoutumée à l'intérieur de casseroles ou de cylindres, les pâtes sont ensuite déposées dans la cocotte mijoteuse chaude et laissées à cuire de deux à trois heures. Une telle méthode de cuisson donnerait normalement une miche desséchée, mais l'espace restreint de la cocotte mijoteuse couverte conserve l'humidité, et les pains qui y cuisent sont humides au point d'en être presque "caoutchouteux". Cette caractéristique peut être voulue, particulièrement s'il s'agit de pain de pâte aigrie. Règle générale, toutefois, la texture et la croûte sont d'une qualité légèrement inférieure à celles du pain cuit au four, et bien qu'en certaines circonstances, il puisse être préférable d'employer à cette fin la cocotte, il est peu probable qu'une telle pratique se généralise jamais.

La plupart des fabricants de pain de ménage se serviront certainement d'une cuisinière ordinaire au gaz ou à l'électricité. Les fours ont tous leurs particularités qu'il s'agit de comprendre si l'on veut cuire du pain de première qualité. Pour ce faire, il faut d'abord se procurer un thermomètre de four peu coûteux et mesurer la température réelle des différentes parties du four, en haut comme en bas, en avant comme en arrière, pour différents réglages. Le thermomètre devrait, idéalement, indiquer la température demandée, disons 400°, au centre exactement du four, et celle-ci devrait être légèrement supérieure dans le haut du four. Plusieurs personnes s'apercevront néanmoins que la température réelle varie beaucoup d'une partie du four à une autre. Si les variations sont trop grandes, il faut bien sûr faire appel au représentant du manufacturier; mais on pallie les variations légères en déposant le plat à cuire dans la partie du four où la température correspond le mieux à celle qui est prescrite par la recette.

Idéalement, le pain devrait cuire à une température d'abord élevée, nous l'avons vu, puis graduellement réduite tout au long de la cuisson. Une bonne façon d'y parvenir consiste à chauffer le four à une température supérieure de 25°F (20°C) à celle qu'exige la recette. Le temps venu d'ouvrir le four pour y mettre les miches, la chaleur qui s'en échappera réduira la température au degré requis. On peut alors régler le thermostat en conséquence. Cette façon de faire empêche l'élément chauffant de se rallumer par suite de l'ouverture du four et permet de mieux répartir la chaleur. La température peut être réduite de nouveau d'un cran quinze minutes avant la fin de la cuisson pour empêcher que la croûte ne brunisse trop. Ainsi réalise-t-on également une économie d'électricité.

Quand on fait cuire plusieurs miches à la fois, on doit les retourner au moins une fois durant la cuisson. Si le four cuit de façon particulièrement inégale, l'opération sera nécessaire même pour une seule miche afin qu'elle cuise également des deux côtés. Cette opération devrait être effectuée après quinze minutes de cuisson. Il ne faut en aucun cas entasser les miches dans le four, mais les disposer de telle sorte que l'air ait toujours suffisamment d'espace pour circuler entre elles et autour d'elles. Trop rapprochées, les miches risquent de coller l'une à l'autre, et on devra alors les rompre au sortir du four. Si cela se produit, la partie rompue de la miche deviendra pâteuse. Lorsqu'il s'agit de miches de formes libres déposées sur une tôle à cuisson, cette dernière doit être telle qu'elle laisse suffisamment d'espace de tous côtés dans le four pour permettre à l'air de circuler. Sur une tôle trop grande, le dessus des miches ne brunira pas, et le dessous brûlera.

Sans brûler, la croûte du côté et du dessous doit être croustillante et brune. Si tel n'est pas le résultat obtenu, il faut peut-être en attribuer la responsabilité à des moules trop clairs et luisants; contrairement aux gâteaux, les pains cuisent en effet mieux dans des moules foncés. À défaut de moules foncés, on peut démouler les miches et les déposer directement sur la grille du four pendant les dix dernières minutes de cuisson afin d'assurer leur brunissement. On ne doit cependant pas s'attendre à reproduire chez soi la croûte très croustillante du pain "croûté" commercial puisque les boulangers emploient un appareillage qui injecte de la vapeur.

Un nouvel appareil a fait récemment son apparition sur le marché canadien. Il s'agit du four à convection où l'air chaud circule grâce à un ventilateur. Cet appareil commercialisé depuis plusieurs années a l'avantage de réduire les temps de cuisson. Il produit une excellente miche et convient particulièrement à la cuisson simultanée de plusieurs miches puisqu'il permet aussi de les retourner moins souvent.

Il faut enfin dire quelques mots des fours à micro-ondes puisqu'ils envahissent de plus en plus les cuisines nord-américaines. La cuisson du pain levé n'est PAS ce que le four à micro-ondes accomplit de mieux, mais il est possible d'y faire cuire certaines pâtes douces. Le pain n'y brunit pas et n'a à peu près pas de croûte; néanmoins, on peut toujours soutenir qu'un pain sans croûte est préférable à rien du tout bien que j'aie des doutes là-dessus. La plupart des manufacturiers de fours à micro-ondes s'accordent sur ce point, et seuls les livrets d'instructions de quelques modèles contiennent des recettes de pain levé. James Beard a inclus une recette de pain en cocotte cuit au four à micro-ondes dans son livre, mais il recommande de le faire griller avant de le servir. Dans son introduction à la recette, il souligne qu'il est amusant de regarder ce pain lever au four, et il "bondit" en effet de façon assez spectaculaire, mais c'est là l'intérêt le plus évident du pain cuit au four à micro-ondes. D'un autre côté, le four à micro-ondes est un excellent appareil lorsqu'il s'agit de faire dégeler du pain congelé ou de rafraîchir du pain légèrement rassis. Mais attention à ne pas surchauffer, sinon le pain durcira.

La cuisson est cependant terminée et le pain, prêt lorsque, détaché de la paroi du moule, il sonne creux quand on le frappe avec les jointures. Si le son produit est plat, "humide," on peut remettre la pâte au four et la faire cuire plus longtemps (ah, si l'on pouvait faire de même avec un gâteau!). Au sortir du four, on doit démouler le pain sur-le-champ, à moins que la recette ne demande expressément le contraire, et le laisser refroidir sur une grille à l'abri des courants d'air. Déposé directement sur le comptoir, il transpire, et le dessous en devient pâteux. Une grille de cuisson ordinaire fait très bien l'affaire, mais il existe des grilles supérieures faites de planchettes chevillées. Le bois étant mauvais conducteur de la chaleur, la miche refroidit plus lentement, la croûte ride moins, et les lattes de bois, plus larges, ne s'incrustent pas dans les pains mous comme le font les tiges métalliques. Si l'on désire une croûte très molle, on peut couvrir d'un linge les miches qui refroidissent, mais il ne faut jamais les mettre dans un sac ni les envelopper avant qu'elles soient complètement refroidies. On doit de même attendre deux heures avant de trancher un pain frais — SI POSSIBLE!

LE GLAÇAGE DES MICHES

On badigeonne souvent le pain de ménage avec une substance qui lui donne une couleur brun-doré égale ou une surface luisante évoquant la touche professionnelle. On applique la glace avec un pinceau à poils mous avant, pendant ou juste après la cuisson. Le meilleur pinceau à pâtisserie a une largeur d'un pouce à un pouce et demi (2,5 à 4 cm), ce qui lui permet de pénétrer dans les crevasses du pain tressé. Ses poils doivent être mous et ne jamais durcir ni raidir afin de ne pas endommager la surface de la pâte levée. Il faut pour la même raison appliquer la glace sans appuyer. Lorsqu'on peint, toutes les surfaces doivent être couvertes également, et les traînées, éliminées. Ainsi une glace où se sont formées des plaques et des traînées détruit-elle l'apparence de la miche.

Différentes glaces produisent différents finis. Voici une liste des glaces les plus courantes ainsi que leurs effets sur la croûte des miches.

Eau

— La croûte devient croustillante si l'on badigeonne d'eau la miche toutes les cinq minutes après les quinze premières minutes de cuisson.

Eau salée

— Dissoudre deux cuillerées à café (10 mL) de sel dans trois cuillerées à soupe (50 mL) d'eau.

— La croûte devient croustillante et salée si l'on badigeonne régulièrement la miche de cette solution après les quinze premières minutes de la cuisson. L'eau, en s'évaporant, laisse sur la miche une couche poudreuse de sel.

Lait

— La croûte brunit davantage si l'on badigeonne la miche de lait durant la cuisson puisque le lait brunit facilement. On traite ainsi les pains à l'eau dont la croûte serait autrement très pâle.

Blanc d'oeuf

— Battre très légèrement dans une cuillerée à café (5 mL) d'eau. Ne pas monter le blanc d'oeuf en neige, mais le défaire simplement.

— La croûte devient très luisante, mais ne fonce pas si on la badigeonne de blanc d'oeuf avant de la mettre au four.

Jaune d'oeuf

— Mélanger avec une cuillerée à café (5 mL) d'eau.

— La croûte devient très brillante et très foncée si on la badigeonne de cette solution avant de la mettre au four. On peut aussi la saupoudrer de graines de pavots ou de sésame.

Oeuf entier

— Battre suffisamment pour que la couleur soit uniforme.

— La croûte devient très brillante et brun-doré si on la badigeonne d'un oeuf entier battu avant de la mettre au four. On peut aussi la saupoudrer de graines.

Sirop

— Faire chauffer le sirop de maïs ou tout autre sirop.

— La croûte des pains sucrés devient douce et luisante si on la badigeonne de sirop au sortir du four.

Beurre

— Faire fondre ou ramollir le beurre.

— La croûte devient tendre et à peine luisante si on la badigeonne de beurre avant, pendant ou après la cuisson. La croûte fonce si on l'en badigeonne pendant ou après.

Glace à la fécule

— Mélanger cinq cuillerées à café (25 mL) de fécule de maïs ou de pomme de terre et sept cuillerées à soupe (100 mL) d'eau bouillante. Cuire jusqu'à consistance épaisse, mais suffisamment fluide pour que le pain puisse être badigeonné de ce mélange.

— La croûte acquiert un fini dur et lustré si on la badigeonne de glace à la fécule de maïs une fois avant la mise au four, deux fois au cours de la seconde moitié de la cuisson, puis de nouveau à la sortie du four. On badigeonne de ce mélange les pains de seigle foncés.

Glace au sucre glace

— Mélanger du sucre glace et suffisamment de lait ou d'eau pour produire une glace lisse et fluide. On peut obtenir une glace au chocolat en ajoutant du cacao.

— La glace au sucre glace devient luisante en durcissant si on la laisse couler en un fil sur les gâteaux sucrés ou les brioches servis avec le café.

Glace à l'abricot

— Faire chauffer de la confiture d'abricot jusqu'à consistance fluide et la passer dans un tamis pour enlever les morceaux de fruit. Mélanger la confiture passée avec un peu d'eau chaude pour l'empêcher de durcir.

— La glace à l'abricot donne un fini orange translucide aux gâteaux sucrés qui accompagnent le café ou aux babas au rhum.

L'ENTREPOSAGE DU PAIN

On ne doit pas entreposer le pain avant qu'il soit complètement refroidi. Le pain reste frais de deux jours à une semaine selon le cas. Si sa teneur en sucre est faible, il peut commencer à moisir dans une atmosphère chaude et humide bien que cette situation ait peu de chance de se présenter. Il n'est donc pas nécessaire de le mettre au réfrigérateur. L'atmosphère très sèche du réfrigérateur tend à assécher le pain plutôt qu'à le conserver en bonne condition.

À l'époque où les familles préparaient une fournée de pain par semaine, on entreposait les miches dans de grandes armoires ou dans des huches à pain ventilées. Celles-ci constituent encore le meilleur lieu d'entreposage à court terme. Plusieurs experts recommandent d'envelopper le pain dans un sac ou une feuille de plastique, mais l'humidité que dégage le pain se trouve ainsi emprisonnée dans son emballage hermétique, et la croûte devient pâteuse et molle. Il est même plus probable qu'alors, elle moisisse. Les huches à pain en métal ou en bois qu'on trouve sur le marché, souvent vendues ensemble avec d'autres contenants, sont excellentes pour l'entreposage du pain pourvu que la ventilation en soit assurée par des trous percés à l'arrière ou sur les côtés. Lorsqu'on place ces huches sur le comptoir de cuisine, il faut veiller à ne pas obstruer les trous de ventilation. Les grandes huches occupent en fait un espace important sur le comptoir. Dans une cuisine où l'espace est compté, on peut entreposer le pain dans un tiroir profond dont il n'est alors pas mauvais de recouvrir le fond avec une feuille de métal brillant ou d'*arborite* et que l'on peut munir d'un couvercle à glissière percé de trous de ventilation. Les miettes de pain s'accumuleront aussi bien dans le tiroir que dans la huche à pain; c'est là que se manifesteront d'abord la moisissure et la vermine. Il ne suffit pas de nettoyer à l'aide d'un chiffon humide; au contraire, on risque ainsi de favoriser le développement de la moisissure. L'aspirateur est encore le meilleur moyen d'éliminer toutes les miettes de pain. Si l'on ne dispose d'aucun lieu d'entreposage, un linge sec et propre enroulé autour du pain le protège davantage qu'une feuille de plastique.

On ne doit pas perdre de vue que ces modes d'entreposage ne s'appliquent qu'à court terme. Pour le long terme, le congélateur constitue la solution idéale. Les produits de boulangerie comptent en effet parmi les aliments les mieux adaptés à la congélation. Bien enveloppés, ils se conservent plusieurs mois. Les enveloppes peuvent être en plastique épais, en papier d'aluminium ou en papier pour congélateur. Si l'on se sert de sacs en plastique, il faut en faire sortir l'air de façon à ce que le pain soit enserré dans le sac. Chaque pain doit être étiqueté et daté. Les célibataires et les familles peu nombreuses peuvent trancher leur pain avant de le congeler dans un sac en plastique. On ne retire alors du congélateur que la quantité de pain nécessaire pour chaque repas. Les tranches individuelles dégèlent très rapidement à la chaleur ambiante; on peut aussi les mettre une minute dans un grille-pain. Cette façon de procéder s'adresse aussi aux familles qui aiment varier le pain qu'elles mangent, et il n'y a pas de raison pour que la variété manque s'il y a un boulanger dans la famille.

Un pain entier congelé dégèle en deux ou trois heures à la chaleur ambiante. On peut le faire dégeler plus rapidement en le mettant au four. On le retire alors de son emballage de plastique ou de papier, on l'enveloppe de papier d'aluminium et on le met vingt minutes au four à 375°F (190°C). On enlève le papier d'aluminium au bout de quinze minutes pour empêcher que la croûte ne s'empâte.

On garnit les pains sucrés et les brioches qui doivent être glacés une fois qu'ils sont dégelés, juste avant de les servir. On peut rafraîchir les petits pains un peu rassis en les mettant dans un grand sac de papier brun épais avec une cuillerée à soupe (15 ml) d'eau. On ferme le sac et on le met au four préalablement chauffé à 375°F (190°C) qu'on ÉTEINT alors. Les petits pains se réchauffent et se refroidissent en dix minutes.

LES USTENSILES QUI SERVENT À LA PRÉPARATION DU PAIN

Les boulangers ont beaucoup de chance en ce sens que peu d'ustensiles leur sont nécessaires. Une surface plane où mélanger les ingrédients et pétrir ainsi qu'une tôle à cuisson leur suffisent; mais le grand nombre a besoin d'un petit quelque chose encore, et l'amateur de gadgets découvre qu'il existe une grande variété d'articles ingénieux pour la boulangerie, articles vendus dans les boutiques d'accessoires de cuisine qui se multiplient aussi rapidement que la levure d'un bout à l'autre du continent. Voici une liste des articles les plus usités, certains parmi les plus exotiques.

Bols à mélanger

Il existe des bols de toutes formes, de toutes tailles et de toute matière, mais quand il s'agit de faire du pain, les meilleurs sont les bols à large ouverture en acier inoxydable ou en faïence. L'acier est léger et incassable tandis que la terre cuite garde la chaleur et prémunit la pâte contre le refroidissement. Seuls ces derniers conviennent à la préparation de la pâte aigrie. Les bols doivent être suffisamment grands pour qu'il soit possible d'y travailler à l'aise et pour permettre à la pâte de doubler de volume.

Cuillers en bois

Rien ne vaut une cuiller en bois pour battre une pâte lourde. Les racloirs en caoutchouc sont souvent munis d'un manche fait d'une matière trop légère, et la tête se casse. Les cuillers utilisées pour battre doivent posséder un manche solide et un cuilleron peu profond. Les meilleurs sont en bois dur et de fabrication artisanale. On ne doit jamais laisser tremper les ustensiles en bois dans l'eau; on les nettoie avec de la farine ou de l'huile quand c'est possible.

Mélangeur à pâte

Il s'agit essentiellement de l'appareil dont se servaient déjà nos grands-mères. Il consiste en un grand contenant métallique muni d'un couvercle. Un trou dans le couvercle permet de rattacher à une manivelle la palette qui se trouve à l'intérieur. On y met tous les ingrédients nécessaires à la production d'une grande quantité de pâte, et on tourne la manivelle jusqu'à ce qu'ils forment un ensemble homogène et que la pâte soit pétrie. Cet appareil peut être utile quand on produit du pain en grande quantité.

Tôles à cuisson

Les tôles à cuisson pour le pain devraient être en acier épais et de couleur sombre. Les meilleures sont celles dont les côtés ne se recourbent pas ou, si ce n'est pas le cas, dont un des côtés au moins permet de retirer les miches par glissement.

Moules à pains

Il existe des douzaines de moules à pain, mais les moules ordinaires sont les plus usités. Leur grandeur varie, mais, règle générale, un boulanger moyen se sert de deux moules des trois tailles suivantes:

— Grand: 11" x 5" x 3 1/2" (27 x 12 x 8,75 cm)

— Moyen: 8 1/2" x 4 1/4" x 2" (22 x 10,5 x 7 cm)

— Petit: 5" x 2 1/2" x 2 1/4" (15 x 6,25 x 5 cm)

Les dimensions varient légèrement d'un manufacturier à un autre. Les moules doivent être foncés et mats. Les meilleurs sont faits d'une feuille d'acier épais de grande qualité, mais on obtient aussi de bons résultats avec les moules de type *Ekcoloy*, vendus dans les quincailleries et les magasins à rayons. On peut aussi se servir de moules en verre, mais ils ne sont pas aussi pratiques.

Moule à pain "Pullman"

Il s'agit d'un moule spécial, équipé d'un couvercle à glissière, qui produit des pains de croûte tendre en forme de briques. On le vend surtout dans les boutiques assez bien pourvues en ustensiles de cuisine.

Moules à brioche

Ces moules existent en différentes tailles, mais le plus pratique a une capacité d'une pinte et demie (1,5 L). Les côtés en sont inclinés d'après la forme classique de la brioche. Certains ont un tube central amovible, ce qui les rend adaptables à de multiples usages. Ils sont faits d'aluminium, d'acier étamé, de verre ou de céramique. Il en existe un modèle individuel, mais un moule à *muffins* fait tout aussi bien l'affaire.

Moules à "kugelhof"

Il s'agit de moules hémisphériques qui rappellent un tourbillon. La plupart ont un tube central qui conduit la chaleur au centre du pain. Les plus agréables à l'oeil sont d'origine européenne. Ils peuvent être faits d'acier étamé, d'aluminium, de céramique ou de verre. Les moules d'acier, s'ils sont de bonne qualité, produisent les gâteaux les mieux découpés.

Moules "Bundt"

Ces moules ont connu une grande vogue récemment, et on les trouve dans toutes les quincailleries et même au supermarché en grandeurs de douze, neuf et six tasses (3, 2,25 et 1,5 L). Le moule de taille moyenne est le mieux adapté à la pâte levée même si on trouve plus facilement la taille supérieure. Ce moule peut remplacer le moule à kugelhof en plus de servir à plusieurs fins qui lui sont propres.

Moules tubulaires

Habituellement connus sous l'appellation de moules à gâteau des anges, ces moules sont faciles à trouver; il en existe une grande variété de tailles et de qualités. Certains ont un fond amovible, mais il est préférable d'employer un moule d'une pièce pour les pains de *singe*, les couronnes et les anneaux briochés. Peu coûteux, ils se vendent dans la plupart des quincailleries; le moule de neuf tasses (2,25 L) est le plus pratique pour le *Sally Ann* et autres gâteaux de ce genre.

Moule à savarin

On cuit habituellement le savarin dans un moule circulaire peu profond dont le fond concave est incurvé et qui est muni d'un tube plus large que le moule *Bundt* ou le moule à gâteau des anges. Il se présente sous toutes les tailles, mais, comme le savarin doit tremper dans le sirop, on obtiendra un gâteau difficile à manipuler si on choisit le plus grand. Le moule de deux tasses (500 mL) convient le mieux; fait d'aluminium repoussé, il est peu coûteux, et la solution la meilleure est encore d'en acheter quatre.

Moules à "muffins"

Un ou deux moules à *muffins* peuvent se révéler très utiles pour faire cuire des petits pains ou des babas. De même que les moules à pain, ils doivent être foncés. Les meilleurs sont en acier étamé lourd. Pour cuire de petits pains, le moule le mieux approprié est celui dont les "coquilles" ont un diamètre de deux pouces et trois quarts (6,8 cm) et une capacité de trois onces liquides et demie (100 mL). Un moule à muffins miniature peut servir à cuire de petits babas.

Moules à babas

Il s'agit de petits moules en forme de gobelets dans lesquels les babas prennent leur apparence traditionnelle. Les seuls disponibles au Canada sont trop brillants pour que les babas acquièrent la magnifique couleur brun-doré qui devrait être la leur. Je préfère pour ma part préparer mes babas dans des moules à *muffins*. Ceux-ci se manipulent plus facilement. Si on a le sentiment que les moules à babas sont indispensables, il faut en acheter au moins une douzaine.

Moule à pain français

Il s'agit d'une tôle à cuisson transformée par pression en un moule ondulé qui peut compter un, deux ou trois canaux. À la différence de la tôle ordinaire qui donne des pains français au dessous plat, ce moule permet d'obtenir des pains cylindriques. Voilà un objet utile, surtout si l'on sert souvent son pain français dans une soupe à l'oignon!

"Bake-A-Round"

Il s'agit d'un cylindre en verre réfractaire fabriqué par la Corning Glass Company. Une grille spéciale l'accompagne, mais il s'emploie et s'entrepose difficilement. Il produit cependant une miche d'une belle apparence, et je m'en suis servi de façon expérimentale en y faisant cuire debout un superbe et altier *koulitch*.

Moules à pains cylindriques

Il s'agit de moules très coûteux, la plupart du temps importés de France. Ils sont faits de deux sections articulées qui forment entre elles un cylindre parfait. On met la pâte dans l'une des sections, puis on referme le moule que la pâte en levant remplit tout entier. Cuite, la miche a une forme parfaitement cylindrique, et sa croûte est légère. De telles miches sont idéales pour les toasts *Melba* ou certains sandwiches particuliers. Les moules existent en versions simple, double et triple, avec des diamètres variables. C'est un appareil de luxe pour le boulanger qui ne manque de rien.

Moules à gâteaux rectangulaires et circulaires

Ces moules sont utiles pour les petits pains et les gâteaux qui accompagnent le café. La plupart des adeptes de l'art culinaire possédant déjà des moules à gâteaux, il n'est pas nécessaire d'en acheter de nouveaux pour les pâtes à la levure. Si l'on ne fait que commencer, cependant, les plus utiles sont les moules carrés de neuf pouces (22,5 cm) de côté et les moules circulaires de dix pouces (25 cm) de diamètre. Des moules profonds sont utiles pour les pains de pâte douce.

Couteau à pain

Il s'agit d'un ustensile d'autant plus nécessaire que le pain de ménage ne se tranche pas aussi facilement que le styromousse acheté au magasin. La lame du couteau doit avoir un fil dentelé en décroissant puisque le fil en dents de scie déchirera une mie de texture lâche. Son apparence doit permettre sa présence à table. Le meilleur couteau à pain qu'il soit possible de trouver sur le marché est un produit canadien fabriqué par une compagnie sise à Picton, en Nouvelle-Écosse. Les Allemands et les Français fabriquent aussi de bons couteaux à pain.

Moules à découper

Un ensemble de moules à découper ordinaires et circulaires de différentes tailles peut servir à découper de petits pains tels que les petits pains *Parker House* ou les petits pains à *hamburger*. On peut cependant en fabriquer soi-même avec des boîtes de conserves vides. Il faut simplement, après avoir enlevé le couvercle, passer de nouveau avec l'ouvre-boîte pour aplatir les éclats métalliques et percer quelques trous dans le deuxième couvercle afin de permettre à l'air de s'échapper. Le cylindre conservera mieux sa forme si l'on procède ainsi plutôt que d'enlever les deux couvercles.

Couteau à croissant

Il s'agit d'un instrument horriblement cher analogue au croisement que l'on réaliserait entre un rouleau à pâte et une tondeuse à gazon. On le fait rouler sur un morceau de pâte à croissants et hop! voilà de parfaits triangles prêts à être transformés en croissants. Cet instrument très pratique sauve du temps et élimine la pâte perdue — mais Dieu qu'il coûte cher! Rien ne justifie un tel achat. Pourtant, si l'on se dit: "Tant pis!" et qu'on l'achète tout de même, on aimera s'en servir.

Grilles de refroidissement

Presque tous les pains DOIVENT, pour ne pas s'empâter, refroidir sur une grille. Il est nécessaire d'en posséder au moins quelques-unes d'une bonne taille puisque les petits pains ou les pâtisseries danoises peuvent occuper beaucoup d'espace. Elles doivent être de bonne qualité, fermes, hautes d'au moins trois quarts de pouce (2 cm) et, de préférence, d'un pouce (2,5 cm) par rapport au comptoir. Les grilles métalliques sont tout à fait adéquates bien qu'elles puissent à l'occasion marquer les pains très mous. Il en existe pour les perfectionnistes de merveilleuses en lattes de bois minces. Elles ne servent que pour le pain — il suffit d'essayer d'y faire refroidir un gâteau pour s'en rendre compte. On les trouve difficilement, mais n'importe quel bricoleur peut les fabriquer avec des lattes de trois seizièmes de pouce assemblées à deux lattes transversales.

Pinceau à pâtisserie

Il sert à glacer les pains avant et après leur cuisson. Il ne faut pas lui substituer un vulgaire pinceau à peinture dont les poils ne sont pas adaptés au glaçage. Un bon pinceau à pâtisserie est fait de poils de porc et peut être circulaire ou plat. Si l'on utilise le modèle plat, il ne faut pas qu'il soit trop large. À mon sens, le pinceau d'un pouce et demi (3,75 cm) de large est idéal.

Racloir à pâte

Le racloir à pâte est essentiel pour la pâte de brioche et très utile dans toutes les tâches reliées à la fabrication du pain, qu'il s'agisse d'extraire la pâte des bols ou de nettoyer la planche à pain. C'est un ustensible qu'on trouve difficilement. La plupart des boutiques spécialisées vendent des racloirs en bois ou en métal, mais, dans le cas présent, les meilleurs sont en vinyle. Il y a quelques années, la compagnie Robin Hood en donnait en prime dans ses sacs de farine de vingt livres. Aucune prime n'a jamais été autant appréciée. Peut-être une campagne écrite inciterait-elle la Robin Hood à recommencer.

ERREURS DE PARCOURS

Les miches de pain de ménage ne sont malheureusement pas toutes d'une stupéfiante beauté. Le tableau qui suit relève les erreurs de parcours les plus courantes dans la fabrication du pain et leur apporte quelques corrections.

CORRECTION DES ERREURS DE PARCOURS DANS LA FABRICATION DU PAIN DE MÉNAGE

Erreur	Raison	Correction
La pâte ne lève pas ou lève trop lentement.	La levure est morte ou inactive.	S'assurer que la levure n'entre pas en contact avec un liquide chaud. Vérifier la date d'expiration sur le paquet de levure.
	La température de la pâte est trop basse.	Faire lever la pâte à une température d'environ 75° à 85 °F (24° à 29 °C).
La mie est grossière et présente de grands trous.	La pâte a trop levé.	S'assurer que la pâte ne lève pas de plus du double de son volume.
	Il y a trop de levure ou trop peu de sel.	Réduire la quantité de levure ou augmenter la quantité de sel.
	La pâte a été trop pétrie (cela est peu probable s'il s'agit d'un pétrissage manuel).	Arrêter de pétrir quand de petites ampoules apparaissent à la surface de la pâte.
La texture est belle, mais contient de très grands trous incurvés.	Au moment où on l'a mise en forme en la pliant ou en la roulant, la pâte a emprisonné de l'air.	Veiller à sceller ensemble les surfaces de la pâte lors de ces opérations et, lorsqu'on roule la pâte, à ce qu'il n'y ait pas trop de farine sur la planche à pain.

Le pain montre des traces circulaires.	Le contraire de l'erreur précédente. Ici, la pâte a été roulée trop serré.	Rouler ou plier la pâte un peu plus lâchement en veillant à ne pas emprisonner de bulles d'air.
La mie est trop dense et trop resserrée et la miche est petite.	La pâte n'a pas assez levé.	S'assurer que le volume des miches a doublé avant de les enfourner.
	Trop de farine.	Se souvenir que la quantité de farine varie d'une cuisson à l'autre. S'assurer que la pâte n'est pas trop raide.
	Trop de sel ou trop peu de levure.	Modifier les proportions de la levure et du sel.
	Four trop chaud.	Abaisser la température du four.
Le pain contient des grumeaux durs et pâteux.	Battage et pétrissage insuffisants.	Battre toujours très bien la pâte douce et pétrir jusqu'à consistance lisse et élastique.
Pas de *détente du four*	Four trop chaud. La croûte a ainsi figé, et la pâte n'a pas pu prendre de l'expansion.	Vérifier la température du four. Déposer les miches plus bas dans le four.
Le pain s'affaisse quand on le met au four.	La pâte a trop levé.	Ne jamais laisser trop lever la pâte après sa mise en forme.

Erreur	Raison	Correction
La croûte est trop pâle.	La température du four est trop basse.	Augmenter la température du four.
	Le pain à l'eau n'a pas été glacé.	Les pains à l'eau ont une croûte pâle et doivent être glacés.
	La miche a été placée trop bas dans le four.	Déposer la miche dans le haut du four.
La croûte est trop foncée.	Le four est trop chaud.	Réduire la température du four.
	La croûte est trop glacée.	Badigeonner d'une glace mince.
	Trop de sucre dans la pâte.	Réduire la quantité de sucre de la recette.
	Cuisson trop longue.	Si le pain demande une longue cuisson, protéger la croûte au cours de la dernière phase en la couvrant d'une feuille de papier d'aluminium.
	Le pain est placé trop haut dans le four.	Cuire le pain au centre du four.
Le pain a un goût sur.	Le lait n'a pas été ébouillanté et, en conséquence, a suri au cours de la levée.	Toujours ébouillanter et laisser refroidir le lait ou la crème.
	La levée s'est effectuée à une température trop élevée et l'alcool s'est transformé en vinaigre.	Ne pas exposer la pâte à une température trop élevée, c'est-à-dire supérieure à 85 °F (29 °C).
Le pain a un goût de levure.	Trop de levure.	Ne pas intégrer trop de levure à la pâte.
	La pâte a été laissée trop longtemps à elle-même.	Si on doit la conserver, la couvrir hermétiquement et la réfrigérer.

Le pain présente des veines roses.	Une bactérie inoffensive provoque cette coloration.	Stériliser tous les ustensiles qui servent à la fabrication du pain avec de l'eau bouillante. Ne pas oublier la planche à pain; la racler avec une solution chlorée, puis la rincer.
La croûte est ridée et craquelée.	Le pain, en se refroidissant, a été exposé à un courant d'air.	Laisser refroidir le pain sur une grille à l'abri des courants d'air.
La croûte du dessous et du côté est trop pâle et molle.	Le pain a cuit dans des moules luisants de couleur claire.	Cuire le pain dans des moules foncés.
	Le pain n'a pas été démoulé aussitôt retiré du four.	Démouler et laisser refroidir sur une grille, à défaut de quoi le pain transpirera.
	Le pain a été enveloppé ou mis dans un sac avant d'être complètement refroidi.	Laisser refroidir le pain deux heures sur une grille avant de l'emballer.
Le pain devient rapidement rassis. N.B.: Certains pains qui, a l'instar du pain français, contiennent peu de matières grasses, de sel ou de sucre ou qui, au contraire, en contiennent beaucoup, à l'instar de la brioche, tendent à devenir rapidement rassis et devraient être congelés s'ils ne sont pas consommés immédiatement. Il s'agit ici du pain qui devrait conserver sa fraîcheur plusieurs jours dans des conditions normales.	Trop de levure ou temps de levée trop court.	Employer la quantité correcte de levure et accorder suffisamment de temps à la pâte pour qu'elle mûrisse.
	Trop de farine.	S'assurer que la pâte n'est pas trop raide.
	Farine "faible", trop molle.	Veiller à n'employer que de la farine de blé dur, et non pas de la farine à pâtisserie.
	La température du four est trop basse, et le pain se dessèche pendant la cuisson.	Tenter de le faire cuire plus rapidement en élevant la température du four.

Erreur	Raison	Correction
La croûte du sommet du pain se détache de la mie. Ce n'est pas une erreur grave, et elle se produit souvent, même dans les boulangeries commerciales.	Malformation de la miche. Les grosses bulles de gaz qui ont été repoussées vers l'extérieur pendant qu'on roulait la pâte, n'ont pas été percées et se sont accumulées sous la surface de la pâte. Ce phénomène peut aussi être provoqué par l'emploi d'une farine trop âgée, bien que, dans ce cas, d'autres erreurs soient possibles.	Faire éclater toutes les bulles qui apparaissent lorsqu'on abaisse la pâte avant de former les miches. Si la croûte continue à se détacher, il vaut mieux changer de méthode.
Les miches sont trop grandes.	Trop longue levée.	Ne laisser lever les miches que jusqu'au double de leur volume (bon nombre préfèrent toutefois un pain de texture légère produit par une levée allongée).
	Pas assez de sel.	Si telle est la raison, mais que le goût est assez salé, diminuer la quantité de levure.
	Trop de pâte dans un trop petit moule. Si telle est la raison, le pain aura une forme de "champignon" exagérée, et il est possible qu'un sillon profond se forme à sa base.	Employer un plus grand moule ou produire les miches en plus grande quantité.
La miche est de la bonne taille, mais bancale et de texture irrégulière.	Mauvaise répartition de la chaleur du four, souvent provoquée par un trop grand entassement des miches.	Cuire moins de miches à la fois ou les changer de position dans le four pendant la cuisson.

Le pain montre des veines foncées là où la texture est serrée.	La pâte a produit une croûte en levant ou le bol où elle a levé était trop graissé.	Veiller à ne pas trop graisser le bol où la pâte doit lever et à le couvrir d'un couvercle HERMÉTIQUE plutôt que d'un linge.
La mie est humide et trop caoutchouteuse.	La température du four était trop basse ou le temps de cuisson, insuffisant.	Augmenter la température du four, en particulier si la croûte est pâle. Ou encore, cuire plus longtemps.
	Levure "faible".	Phénomène courant avec la pâte aigrie. Ajouter de la levure commerciale à la culture ou préparer une nouvelle culture.
Le pain se déforme après avoir été retiré du four.	Cuisson trop courte ou, peut-être, température du four trop basse.	Vérifier la température du four et, si elle est juste, allonger la durée de la cuisson.
Les miches de formes libres s'étalent ou sont trop plates.	La pâte était trop molle.	La pâte des miches de formes libres doit être un peu plus ferme que la pâte des pains moulés. Ajouter de la farine.
	La pâte a trop levé.	Ne jamais laisser les miches de formes libres lever de plus du double de leur volume puisqu'elles ne sont pas retenues par les côtés d'un moule.

RECETTES DE PAINS BLANCS

La plupart des recettes qui suivent sont apparentées à celle de notre pain quotidien. Elles proviennent de tous les coins du pays et, bien que certaines se ressemblent, il n'est pas mauvais d'insister sur leurs différences de goût et de texture. Quelques-unes sont mieux adaptées à des usages précis, par exemple, à la confection de sandwiches; quand un tel cas se présentera, on en trouvera mention ici.

Toutes les recettes de ce chapitre peuvent servir aussi bien à la cuisson de brioches qu'à celle de grosses miches. Pour préparer des brioches, suivez les instructions du chapitre qui traite de la forme des pains et des brioches et réduisez le temps de cuisson dans un four légèrement plus chaud: il faut généralement régler le four à 25°F (14°C) de plus que s'il s'agissait d'une miche et, d'habitude, retirer les brioches après vingt minutes. Pour savoir si elles sont à point, procédez de la même façon qu'avec les miches, en les frappant légèrement au-dessous.

Le novice aurait avantage à commencer par l'une des recettes à base de pâte douce, en se reportant à l'indication qui se trouve au début de chaque recette.

PÂTE BÂTARDE

Pain blanc d'Acadie

1 c. à soupe (15 mL) de levure sèche
2 tasses (500 mL) d'eau tiède

1 c. à soupe (15 mL) de sucre
4 c. à café (20 mL) de saindoux fondu et refroidi
1 c. à soupe (15 mL) de sel
1 oeuf
1 c. à café (5 mL) de vinaigre de vin blanc
6 tasses (1500 mL) environ de farine

Activez la levure avec le sucre dans l'eau tiède. Une fois la levure activée, soit après 10 minutes au moins, ajoutez en mélangeant le saindoux, le sel, l'oeuf et le vinaigre. Mélangez bien, puis ajoutez peu à peu la farine en battant bien. Quand la pâte est trop ferme pour être battue et se détache du bol, retournez-la sur une planche à pain légèrement enfarinée et pétrissez bien en ajoutant juste assez de farine pour qu'elle n'adhère pas. Mettez la pâte, lisse et satinée, dans un bol graissé et laissez-la reposer 2 heures. Abaissez-la, retournez-la dans le bol, couvrez-la, puis laissez-la de nouveau doubler de volume. Faites alors deux miches que vous déposerez dans des moules graissés. Couvrez d'un linge et laissez doubler de volume. Mettez à cuire pendant 40 à 45 minutes dans un four réglé à 350°F (176°C). Démoulez et laissez refroidir sur une grille.

PÂTE BÂTARDE ACTIVÉE AU FROID

Pain arménien

Au début du siècle, un grand nombre d'Arméniens ont fui leur patrie malheureuse. Contre tout espoir, certains d'entre eux sont parvenus aux États-Unis et au Canada, des femmes et des enfants pour la plupart, les hommes ayant été tués. Une fois établis dans leurs nouveaux foyers, ils ont commencé à préparer ce pain en forme de soucoupe.

2 c. à soupe (30 mL) de levure sèche
1/4 tasse (300 mL) d'eau chaude
1 c. à soupe (15 mL) de sucre
1 tasse (250 mL) de lait ébouillanté et rafraîchi
2 c. à soupe (30 mL) de sucre
2 c. à café (10 mL) de sel
1/4 de tasse (60 mL) d'huile d'olive
6 à 7 tasses (1500 à 1750 mL) de farine
1/4 de tasse (60 mL) de graines de sésame moulues
un oeuf battu

Activez la levure dans l'eau tiède avec 1 cuiller à soupe (15 mL) de sucre. Une fois cette opération terminée, mélangez en ajoutant le lait où vous aurez préalablement fait dissoudre le reste du sucre, le sel et l'huile d'olive. Mélangez en ajoutant la farine et en battant vigoureusement jusqu'à ce que la pâte se raffermisse et se détache du bol. Renversez la pâte sur une planche à pain légèrement enfarinée et pétrissez-la jusqu'à ce qu'elle soit d'une texture lisse et satinée. Laissez-la ensuite reposer sur la planche, recouverte d'un grand bol, durant environ 30 minutes. Séparez la pâte en trois et prélevez sur chaque part la valeur d'une balle de tennis. Graissez trois tôles à pizza ou à biscuits. Façonnez les trois plus importants volumes de pâte en rondelles de 9 pouces (22 cm) de diamètre en vous servant d'un moule à gâteau comme repère. Creusez un trou de 3 pouces (8 cm) de diamètre au centre de chacune d'elles en ramenant la pâte vers l'extérieur de façon à ce que la miche ressemble à une énorme couronne. Façonnez à leur tour les trois moins importants volumes de pâte en rondelles et placez-les à l'intérieur de chaque couronne. Couvrez la pâte de papier d'aluminium graissé et réfrigérez au moins 2 heures ou jusqu'au lendemain. Sortez alors du réfrigérateur, chambrez 15 minutes, badigeonnez avec l'oeuf battu et saupoudrez de graines de sésame. Faites cuire 30 minutes au four à 350°F (176°C).

PÂTE BÂTARDE

Pain blanc des minoteries

Voici les recettes de base de pain blanc mises au point par les trois plus importantes minoteries canadiennes. Elles ont été disposés côte à côte de façon que le lecteur puisse noter les légères différences qui existent entre elles. Si vous les essayez toutes les trois, vous serez en mesure de comparer les effets qu'ont sur le produit fini les différences dans la quantité des ingrédients qui entrent dans leur composition.

	Robin Hood	*Purity*	*Five Roses*
levure	2 c. à soupe (30 mL)	2 c. à soupe (30 mL)	2 c. à soupe (30 mL)
sucre	2 c. à café (10 mL)	2 c. à café (10 mL)	2 c. à café (10 mL)

eau tiède	1 tasse (250 mL)	1 tasse (250 mL)	1/2 tasse (125 mL)
lait ébouillanté	2 tasses (500 mL)	2 tasses (500 mL)	2 tasses (500 mL)
eau	1 tasse (250 mL)	1 tasse (250 mL)	2 tasses (500 mL)
sucre	6 c. à soupe (90 mL)	1/4 de tasse (60 mL)	1/4 de tasse (60 mL)
sel	5 c. à café (25 mL)	4 c. à café (20 mL)	5 c. à café (25 mL)
shortening	1/4 de tasse (60 mL)	1/4 de tasse (60 mL)	1/4 de tasse (60 mL)
farine	10 à 12 tasses (2,5 à 3L)	10 à 12 tasses (2,5 à 3 L)	12 à 14 tasses (3 à 3,5 L)
température de cuisson	400°F (204°C)	400°F (204°C)	375°F (190°C)
temps de cuisson	30 à 35 minutes	30 à 35 minutes	40 à 45 minutes

Mode d'emploi des trois recettes

Faites fondre les 2 cuillerées à café (10 mL) de sucre dans l'eau tiède et saupoudrez la solution de levure. Laissez activer pendant 10 minutes. Mélangez. Ajoutez la seconde quantité de sucre et le sel au lait ébouillanté. Ajoutez le *shortening* en mélangeant bien pour le faire fondre. Ajoutez l'eau froide et laissez reposer le mélange jusqu'à ce qu'il soit tiède. Ajoutez la levure activée et 4 tasses (1 litre) de farine au mélange et battez vigoureusement à l'aide d'un mixeur ou à la main. Ajoutez très lentement juste ce qu'il faut de farine pour que la pâte s'adoucisse et se détache de la paroi du bol. Renversez sur une planche enfarinée et pétrissez 10 minutes jusqu'à ce que la pâte soit lisse et élastique. Pendant le pétrissage, enfarinez suffisamment la planche pour que la pâte n'y adhère pas. Mettez dans un bol légèrement graissé et couvrez d'un linge ou de papier d'aluminium graissé. Laissez lever à une température d'environ 75° à 85°F (24° à 29°C) jusqu'à ce que le volume de la pâte ait doublé, soit entre 1 heure et 1 heure 30. Abaissez la pâte, puis séparez-la en quatre et laissez-la reposer, couverte, durant 10 minutes. Façonnez quatre miches en vous servant de l'une des méthodes décrites dans le chapitre intitulé *La pâte en forme.* Déposez-les dans des moules graissés de 8 1/2" x 4 1/2" x 2 3/4" (21,25 x 11,25 x 6,8 cm). Graissez le dessous des miches. Laissez-les lever jusqu'à ce que leur volume ait doublé (environ 1 heure). Faites cuire au four aux températures et durant le temps indiqués ci-dessus.

N.B.: Ces pains sont tous très bons, mais on peut employer la moitié de la quantité de levure indiquée sans augmenter la durée totale du temps d'activation de plus d'une heure et demie. Le pain y gagne en saveur et en texture pour un prix moins élevé. Cette remarque s'applique à la plupart des recettes de pain blanc ordinaire. Si le temps ne constitue pas un obstacle, il est recommandé d'adopter cette solution.

PÂTE BÂTARDE

Pain blanc ordinaire en quantité

Les congélateurs permettant l'entreposage, on peut raisonnablement, dans la mesure du possible, faire son pain en grande quantité. Il n'est cependant pas nécessaire de multiplier chacun des ingrédients qui le composent lorsqu'on double ou qu'on triple la quantité de pain d'une recette modèle. Le tableau qui suit peut servir de guide à la multiplication de toutes les recettes modèles de cet ouvrage. Dans le cas de recettes à base de pâte sucrée, cependant, il y a peu de chances pour que l'on veuille faire plus du double de pain: on peut simplement multiplier par deux chacun des ingrédients qui entrent dans la composition de ces pâtes riches.

	Deux miches	*Quatre miches*	*Six miches*
levure	2 c. à café (10 mL)	1 c. à soupe (15 mL)	1 c. à soupe (15 mL)
eau	1½ tasse (375 mL)	3 tasses (750 mL)	4 1/2 tasses (1,125 L)
lait	1/2 tasse (125 mL)	1 tasse (250 mL)	1 1/2 tasse (375 mL)
sucre	1 c. à soupe (15 mL)	1½ c. à soupe (30 mL)	3 c. à soupe (45 mL)
sel	2 c. à café (10 mL)	1 c. à soupe (15 mL)	1 c. à soupe (15 mL)

matière grasse	1 c. à soupe (15 mL)	2 c. à soupe (30 mL)	3 c. à soupe (45 mL)
farine (environ)	6 tasses 1,5 L)	12 tasses (3 L)	18 tasses (4,5 L)
pétrissage	10 minutes	10 minutes	12 minutes

	Huit miches	*Dix miches*	*Douze miches*
levure	2 c. à soupe (30 mL)	2 c. à soupe (30 mL)	3 c. à soupe (45 mL)
eau	6 tasses (1,5 L)	7 ½ tasses (1,75 L)	9 tasses (2,25 L)
lait	2 tasses (500 mL)	2 ½ tasses (625 mL)	3 tasses 750 mL)
sucre	¼ de tasse (60 mL)	1/3 de tasse (75 mL)	6 c. à soupe (90 mL)
sel	2 c. à soupe (30 mL)	2 c. à soupe (30 mL)	3 c. à soupe (45 mL)
matière grasse	¼ de tasse (60 mL)	1/3 de tasse (75 mL)	6 c. à soupe (90 mL)
farine (environ)	24 tasses (6 L)	30 tasses (7,5 L)	36 tasses (9 L)
pétrissage	15 minutes	15 minutes	20 minutes

Mode d'emploi

Ébouillantez le lait. Activez la levure dans l'eau tiède après y avoir dissous 2 c. à café (10 mL) de sucre. Mélangez le reste du sucre, le sel et la matière grasse avec le lait chaud et laissez reposer jusqu'à ce que le mélange soit tiède. Ajoutez la levure à ce mélange. En remuant, ajoutez environ le tiers de la farine et battez vigoureusement à la main ou au mixeur. Ajoutez de la farine jusqu'à ce que la pâte se détache de la paroi du bol (si vous ne disposez pas d'un bol de dimensions suffisantes, vous pouvez verser directement la pâte liquide sur le tas de farine à même la table, mais il vous sera alors impossible de battre la pâte, et la durée du pétrissage devra être allongée). Ajoutez de la farine jusqu'à ce que la pâte soit ferme et pétrissez-la sur une planche légèrement enfarinée jusqu'à ce qu'elle soit lisse et élastique. Mettez-la ensuite dans un ou plusieurs bols graissés; couvrez et attendez que la pâte double de volume. Renversez-la alors sur la planche et divisez-la selon le nombre de miches désirés. Couvrez et laissez reposer 10 minutes, puis façonnez les miches et déposez-les dans des moules graissés. Laissez reposer jusqu'a obtention du double du volume. Faites cuire 40 minutes au four à 375°F (190°C).

N.B.: N'entassez pas les miches dans le four et, si vous en faites cuire plusieurs en même temps, retournez-les deux fois durant la cuisson, la première après 15 minutes, la deuxième après 30 minutes.

PÂTE BÂTARDE

Pain au beurre et aux oeufs

Un pain magnifique, d'une texture serrée, qui se tranche merveilleusement bien! Idéal pour les toasts, excellent en sandwiches à l'heure du thé.

1 c. à soupe (15 mL) de levure sèche
1/4 de tasse (60 mL) d'eau tiède
1/4 de tasse (60 mL) de beurre fondu et rafraîchi
1 c. à soupe (15 mL) de sucre
2 oeufs
2 c. à café (10 mL) de sel
1/2 tasse (100 mL) d'eau bouillante
1/4 de tasse (60 mL) d'eau froide
4 tasses (1 L) de farine

Activez la levure dans l'eau tiède avec 1/2 c. à café (2 mL) de sucre. Mettez le beurre, le sel et le reste du sucre dans le bol à mélanger et versez-y l'eau bouillante. Mélangez bien, puis ajoutez l'eau froide, les oeufs et la levure. Mélangez de nouveau, puis ajoutez environ le tiers de la farine. Battez vigoureusement en incorporant petit à petit la farine jusqu'à ce que la pâte devienne trop épaisse et se détache de la paroi du bol. Renversez alors la pâte sur une planche où vous la pétrirez, en ajoutant suffisamment de farine pour qu'elle n'adhère pas à la surface, jusqu'à ce que sa texture soit satinée. Souple et molle, cette pâte se laisse très bien manipuler. Mettez-la dans un bol graissé, couvrez et laissez lever jusqu'à obtention du double du volume. La quantité élevée de graisse contenue dans cette pâte fait qu'elle lève lentement; il n'y a pas à s'en inquiéter. Une fois la pâte levée, abaissez-la et pétrissez-la encore un peu. Au début, la pâte semble avoir perdu une élasticité qu'elle retrouve après quelques minutes de pétrissage. Donnez-lui la forme d'une double miche et déposez-la dans un moule graissé ou divisez-la en trois, quatre ou six parts que vous tresserez suivant les indications du passage consacré au pain tressé dans le chapitre intitulé *La pâte en forme.* Laissez lever jusqu'à obtention du double du volume. Badigeonnez la miche de jaune d'oeuf et saupoudrez-la au goût de graines de sésame. Faites cuire 40 minutes au four à 375°F (190°C). Laissez refroidir sur une grille.

PÂTE BÂTARDE

Pain au lait de beurre

Ce pain tire son origine de la ferme où il servait à utiliser les nombreux surplus de lait de beurre dus au barattage. Le bicarbonate réagit en présence du lait de beurre et amorce le processus d'activation; la levure peut agir très rapidement dans une pâte légère. Les résultats ne sont pas, à mon avis, aussi satisfaisants avec le lait de beurre commercialisé: la saveur y gagne, mais la texture est mince, humide et caoutchouteuse. C'est un pain qui se conserve bien.

1 c. à soupe (15 mL) de levure sèche
1/2 tasse (125 mL) d'eau tiède
3 c. à soupe (50 mL) de sucre
5 c. à soupe (100 mL) de beurre non salé
1 1/2 c. à café (7 mL) de sel
1 tasse (250 mL) de lait de beurre
1 c. à café (2 mL) de bicarbonate de soude
3 à 3 1/2 tasses (750 à 875 mL) de farine

Activez la levure dans l'eau tiède avec 1/2 c. à café (2 mL) de sucre. Faites chauffer le lait de beurre (il n'est pas nécessaire de l'ébouillanter) et ajoutez-y le beurre, le reste du sucre et le sel. Mélangez le tout jusqu'à ce que le beurre fonde. Assurez-vous que le mélange n'est pas trop chaud et versez-y la levure. Mêlez le bicarbonate à 1 tasse (250 mL) de farine et mélangez avec le liquide. Battez bien en ajoutant peu à peu la farine jusqu'à ce que la pâte se raffermisse et se détache de la paroi du bol. Renversez-la sur une planche où vous la pétrirez jusqu'à ce que la texture devienne lisse et satinée. Il est possible que cette pâte lève très rapidement. Mettez-la dans un bol graissé; couvrez et laissez lever jusqu'à obtention du double du volume. Abaissez-la et façonnez une miche. Déposez celle-ci, badigeonnée de beurre fondu, dans un moule à pain graissé et laissez-la lever jusqu'à ce qu'elle double de volume. Faites cuire de 35 à 40 minutes au four à 400°F (204°C). Démoulez et laissez refroidir sur une grille.

N.B.: Il ne faut ni réfrigérer cette pâte ni la laisser lever la nuit durant. L'action des enzymes contenus dans le lait de beurre risquerait de tuer les cellules de levure.

PÂTE DOUCE

Pain en cocotte

1 c. à soupe (15 mL) de levure sèche
3/4 de tasse (200 mL) d'eau tiède
1/2 c. à café (2 mL) de sucre
1 tasse (250 mL) de lait ébouillanté et refroidi
1/4 de tasse (60 mL) de beurre ou de shortening
1 oeuf
1 1/2 c. à soupe (25 mL) de sucre
1 c. à café (5 mL) de sel
3 1/2 à 4 1/2 tasses (800 mL à 1 L) de farine
1 tasse (250 mL) de raisins sans pépins (au goût)

Activez la levure dans l'eau tiède et sucrée. Ébouillantez le lait et ajoutez-y le reste du sucre, le sel et le beurre. Mélangez jusqu'à ce que le beurre fonde et laissez reposer le mélange jusqu'à ce qu'il soit tiède. Ajoutez l'oeuf battu, puis le mélange de levure. Ajoutez environ un tiers de la farine et battez bien; ajoutez encore de la farine jusqu'à ce que la pâte se raffermisse, mais en arrêtant de battre *avant* qu'elle se détache de la paroi du bol. Couvrez et laissez lever jusqu'à obtention du double du volume. Cette pâte lève un peu plus rapidement que les pâtes plus fermes. Abaissez-la et ajoutez-y, au goût, les raisins. Ceux-ci ne doivent jamais être ajoutés avant la *dernière* levée de la pâte sous peine de devenir amers. Ne battez pas trop la pâte en ajoutant les raisins, sinon des sillons risquent de s'y former, surtout si les raisins sont mous et juteux. Déposez la pâte dans deux cocottes de 1 pinte (1 L). Laissez-la lever, mais interrompez l'opération avant qu'elle atteigne le double de son volume (ce genre de pâte prend beaucoup d'extension au four). Faites cuire 40 minutes au four à 350°F (176°C).

PÂTE DOUCE

Pain "Crock Pot"

Il y a quelques années, un nouvel appareil électroménager a fait son apparition sur le marché: la cocotte *mijoteuse* qu'une compagnie lança sous la marque de commerce "Crock-Pot" d'où le pain cuit dans un tel appareil tire son nom. Celui-ci peut être utile si l'on désire du pain frais, mais que l'on doive s'absenter pendant sa cuisson. Le pain ainsi réalisé ne peut cependant rivaliser en qualité avec le pain cuit dans un four ordinaire. Le temps de cuisson varie considérablement selon la marque de cocotte qui sera utilisée.

1 c. à soupe (15 mL) de levure sèche
1/4 de tasse (60 mL) d'eau tiède
1/2 c. à café (2 mL) de sucre
1 tasse (250 mL) de lait ébouillanté
1/4 de tasse (60 mL) de shortening *fondu.*
1 1/2 c. à café (7 mL) de sel
1 oeuf
2 c. à soupe (30 mL) de sucre
4 tasses (1 L) environ de farine

Faites chauffer la cocotte une demi-heure avant la cuisson. Activez la levure dans l'eau tiède sucrée. Ajoutez au lait ébouillanté le *shortening,* le sel et le reste de sucre. Mélangez et laissez reposer jusqu'à ce que le mélange s'attiédisse. Ajoutez l'oeuf battu et le mélange de levure. Incorporez en battant la moitié de la farine, puis battez vigoureusement au moins 5 minutes à l'aide d'un mixeur. En mélangeant, ajoutez le reste de la farine jusqu'à ce que la pâte commence à se détacher de la paroi du bol. Déposez la pâte dans un moule à gâteau rond et graissé d'un diamètre inférieur à celui de la cocotte. Les côtés du moule doivent avoir au moins 3 pouces (8 cm) de haut. Placez le moule dans la cocotte et recouvrez-le de papier d'aluminium graissé. Celui-ci joue le rôle d'un parapluie en empêchant la condensation d'humidifier le dessus du pain. Couvrez la cocotte et faites cuire à la température la plus élevée durant environ 2½ heures ou jusqu'à ce que le pain brunisse légèrement. Retirez le moule et laissez reposer 5 minutes. Démoulez le pain et laissez-le refroidir sur une grille. Ce pain n'a pas de croûte véritable.

PÂTE BÂTARDE

Pain en pot de fleurs

L'argile réfractaire des pots de fleurs produit une croûte extraordinaire. On peut remplacer le pot de fleurs par un four d'argile pour faire cuire une grande miche.

2 c. à soupe (30 mL) de levure sèche
1/2 tasse (125 mL) d'eau tiède
1 c. à café (5 mL) de sucre
2 tasses (500 mL) de lait ébouillanté
1/2 tasse (125 mL) de beurre
2 c. à café (30 mL) de miel liquide
1 1/2 c. à café (7 mL) de sel
3 jaunes d'oeuf
6 tasses (1,5 L) de farine de blé écrue (ou, à défaut, de farine ordinaire)
1 blanc d'oeuf
2 c. à soupe (30 mL) d'eau froide

Activez la levure dans l'eau tiède sucrée. Ajoutez au lait ébouillanté le beurre, le miel et le sel en mélangeant pour faire fondre le beurre. Laissez reposer jusqu'à ce que le mélange s'attiédisse, puis ajoutez-y les jaunes d'oeuf légèrement battus ainsi que la levure. Ajoutez le tiers environ de la farine en battant bien, puis autant de farine qu'il le faut pour que la pâte résiste et se détache de la paroi du bol. Renversez la pâte sur une planche et pétrissez-la en y ajoutant de la farine jusqu'à ce qu'elle soit assez ferme. Pétrissez vigoureusement cette pâte au moins 15 minutes. Déposez dans un moule graissé. Couvrez et laissez lever jusqu'à obtention du double du volume. Abaissez la pâte et pétrissez-la pour en raffermir le gluten. Quand la pâte a retrouvé son élasticité, divisez-la en trois et façonnez des boulettes; déposez celles-ci dans des pots de fleurs préalablement apprêtés (voir ci-dessous). Couvrez d'un linge et laissez lever jusqu'à obtention du double du volume. Badigeonnez légèrement avec le blanc d'oeuf battu dans l'eau froide. Faites cuire 10 minutes au four à 425°F (218°C), puis 30 minutes à 375°F (190°C). Retirez les pots du four, placez-les sur une grille et laissez-les refroidir 10 minutes. Démoulez et laissez refroidir sur la grille.

Préparation des pots de fleurs pour la cuisson du pain

N'utilisez que des pots de terre NEUFS et bruts, d'une ouverture de 4" à 4 1/2" (10 à 11 cm) de diamètre. Nettoyez-les à l'eau très chaude avec une brosse dure sans utiliser de savon. Laissez-les sécher le plus complètement possible, puis enduisez-en l'intérieur d'une épaisse couche d'huile et mettez-les au four à 275°F (135°C) de 2 à 3 heures pour les conditionner. Éteignez le four et laissez les pots refroidir lentement. Lorsque leur température permet leur manipulation, enlevez délicatement le surplus d'huile, mais SANS LES LAVER. Le moment venu de les utiliser, graissez-les abondamment avec de la graisse végétale et couvrez le trou qui se trouve à la base d'un petit carré de papier d'aluminium graissé. Ils sont maintenant prêts à servir. Il est possible que la première fois, le pain adhère par endroits, mais, à la longue, il s'en détachera très facilement. Essayez d'éviter de laver les pots; les essuyer devrait s'avérer suffisant.

PÂTE BÂTARDE

Pain français

2 c. à soupe (30 mL) de levure sèche
1 c. à café (5 mL) de sucre
4 c. à café (20 mL) de sel
4 tasses (1 L) d'eau tiède
*8 tasses (2 L) de farine**
farine de maïs

* Un mélange fait de trois quarts de farine tout usage et d'un quart de farine à pâtisserie (farine de blé légère) donne de meilleurs résultats. Il n'est pas absolument nécessaire de se servir de farine à pâtisserie pour faire un bon pain, mais, quand on le fait, on reproduit mieux le goût du pain français original.

Activez la levure dans l'eau sucrée. Une fois la levure bien activée, versez-y en mélangeant une petite quantité de farine mêlée avec le sel. Ajoutez de la farine en battant vigoureusement et poursuivez l'opération jusqu'à ce qu'il ne soit plus possible de battre et que le mélange se détache de la paroi du bol. Renversez et pétrissez en ajoutant suffisamment de farine pour obtenir une pâte ferme. Pétrissez très vigoureusement. Cette pâte commence à lever rapidement, donc, après 10 minutes de pétrissage, rabattez-la violemment sur la table pour comprimer les bulles de CO_2: la pâte y gagnera une plus belle "peau". Pétrissez de nouveau jusqu'à ce que de petites ampoules apparaissent dans la peau. Mettez la pâte dans un bol légèrement graissé, couvrez et laissez lever jusqu'à obtention du double du volume (opération sensiblement moins longue que pour d'autres pâtes). Abaissez la pâte, renversez-la et divisez-la en quatre. Formez quatre baguettes en vous reportant au chapitre intitulé *La pâte en forme*. Saupoudrez deux tôles de farine de maïs dorée et déposez deux miches sur chaque tôle. Pratiquez des entrailles en diagonale dans chaque miche en vous servant d'un couteau affûté ou d'une lame de rasoir. Couvrez les miches d'un linge propre et laissez-les lever jusqu'à obtention du double de leur volume. Faites cuire 20 minutes au four à 375°F (190°C). Badigeonnez d'eau salée ou de blanc d'oeuf battu dans un peu d'eau. Remettez au four et faites cuire encore 20 minutes. Laissez refroidir sur une grille.

N.B.: Le pain aura une texture grossière et trouée. Pour obtenir une texture plus serrée, la pâte, après avoir été abaissée et avant d'être divisée, doit lever une deuxième fois dans le bol.

PÂTE BÂTARDE

Pain italien

1 c. à soupe (15 mL) de levure sèche
2 1/2 tasses (625 mL) d'eau tiède

1 1/2 c. à café (7 mL) de sel
1 c. à soupe (15 mL) de miel
2 c. à café (10 mL) d'huile d'olive
4 à 5 tasses (1 à 1,25 L) de farine
farine de maïs

Activez la levure dans l'eau tiède sucrée. Une fois la levure activée, ajoutez-y 1 tasse (250 mL) de farine et mélangez. Incorporez le sel et l'huile d'olive. Battez vigoureusement. Ajoutez de la farine jusqu'à ce que la pâte soit trop ferme pour être battue et se détache de la paroi du bol. Renversez et pétrissez en ajoutant suffisamment de farine pour obtenir une pâte ferme. Pétrissez jusqu'à ce que la texture de celle-ci soit lisse et satinée. Mettez dans un bol graissé; couvrez et laissez lever jusqu'à obtention du double du volume. Abaissez. Divisez la pâte en deux et formez des baguettes en vous reportant au chapitre intitulé *La pâte en forme.* Évitez d'effiler les extrémités, mais donnez-leur une forme plus volumineuse, plus trapue que celle du pain français. Saupoudrez une tôle de farine de maïs et déposez-y les miches. Couvrez d'un linge et laissez lever jusqu'à obtention du double du volume. Badigeonnez d'un peu de lait et faites cuire 40 minutes au four à 375°F (190°C). Laissez refroidir sur une grille.

Mélange maison

bon

un sac de 5 livres (2,5 kg) de farine tout usage
1 tasse (250 mL) de lait écrémé en poudre
1/2 tasse (125 mL) de sucre
2 c. à soupe (30 mL) de sel
7 c. à soupe (100 mL) de shortening
3 enveloppes de levure sèche de type Rapidmix

Transvidez le sac de farine dans un grand bol ou dans une cuvette. Mêlez-y le *shortening* à l'aide d'une broche à pâtisserie jusqu'à ce qu'il soit bien réparti. Si vous utilisez un mixeur, mettez 3 tasses (750 mL) de farine dans le bol et mélangez avec le shortening jusqu'à ce qu'il prenne l'apparence de la chapelure; puis incorporez ce mélange au reste de la farine. Ajoutez le lait en poudre, le sel et le sucre en mélangeant de façon à ce que les ingrédients soient également répartis. Ajoutez la levure à la toute fin, en mélangeant de nouveau de façon à obtenir une répartition égale. Entreposez à la fraîcheur dans un contenant scellé. NE CONGELEZ PAS. Le moment venu de faire du pain, mélangez 6 tasses (1,5 L) du produit à 2 tasses (500 mL) d'eau chaude. Battez vigoureusement jusqu'à ce que la pâte résiste et se détache de la paroi du bol. Renversez-la et pétrissez-la jusqu'à ce qu'elle devienne lisse, en ajoutant si nécessaire un peu du produit pour l'empêcher d'adhérer. Quand la pâte est devenue lisse et satinée, mettez-la dans un bol graissé; couvrez et laissez lever jusqu'à obtention du double du volume. Abaissez, renversez et pétrissez de nouveau. Divisez la pâte en deux et donnez-lui sa forme. Déposez dans des moules à pain bien graissés, couvrez d'un linge et laissez lever jusqu'à obtention du double du volume. Faites cuire de 35 à 40 minutes au four à 375°F (190°C). Démoulez et laissez refroidir sur une grille.

N.B.: Si vous ne disposez pas de la levure appropriée, le mélange peut être préparé autrement; le moment venu de cuire le pain, activez une enveloppe de levure sèche ordinaire dans de l'eau tiède à peine sucrée avant de la mélanger au reste des ingrédients. Procédez pour la suite comme il est indiqué ci-dessus.

PÂTE BÂTARDE

Pain blanc des Mennonites

2 c. à soupe (30 mL) de levure sèche
1/2 tasse (125 mL) d'eau tiède
1 c. à café (5 mL) de sucre
2 tasses (500 mL) de lait
1 1/2 tasse (375 mL) d'eau de pommes de terre
4 c. à café (20 mL) de sel
1/4 de tasse (60 mL) de sucre
1/4 de tasse (60 mL) de shortening
10 tasses (2,5 L) de farine

Activez la levure dans l'eau tiède avec 1 c. à café (5 mL) de sucre. Ébouillantez le lait. Ajoutez le sel, le sucre et le *shortening;* mélangez pour faire fondre ce dernier et ajoutez l'eau de pommes de terre. Laissez reposer jusqu'à ce que le mélange s'attiédisse. Ajoutez de la farine en battant très vigoureusement. Ajoutez encore de la farine en battant, puis en vous servant de vos mains, jusqu'à ce que la pâte se détache de la paroi du bol. Renversez et pétrissez alors celle-ci jusqu'à ce que sa texture devienne lisse et satinée. Mettez-la dans un bol graissé; couvrez et laissez lever jusqu'à obtention du double du volume. Abaissez, divisez en quatre et enfarinez les miches. Déposez-les dans des moules graissés et laissez-les lever jusqu'à obtention du double du volume. Faites cuire de 45 à 50 minutes au four à 350°F (176°C). Démoulez et laissez refroidir sur une grille.

PÂTE BÂTARDE

Pain au lait

1 c. à soupe (15 mL) de levure sèche
1 c. à café (5 mL) de sucre
1/4 de tasse (60 mL) d'eau tiède
2 tasses (500 mL) de lait ébouillanté
2 c. à soupe (30 mL) de shortening
2 c. à café (10 mL) de sel
5 à 6 tasses (1,25 à 1,5 L) de farine

Activez la levure dans l'eau tiède et sucrée. Versez le lait ébouillanté dans le bol à mélanger, puis ajoutez le *shortening.* Laissez reposer jusqu'à ce que le mélange s'attiédisse. Vérifiez soigneusement la température avant d'ajouter la levure. Incorporez environ un tiers de la farine et battez vigoureusement. Ajoutez encore de la farine jusqu'à ce qu'il soit impossible de battre le mélange et que celui-ci se détache de la paroi du bol. Renversez et pétrissez en ajoutant suffisamment de farine pour que la pâte n'adhère pas. Pétrissez vigoureusement celle-ci jusqu'à ce qu'elle devienne lisse et satinée. La pâte doit être assez molle. Placez-la dans un bol graissé; couvrez et laissez lever jusqu'à obtention du double du volume. Abaissez et laissez lever de nouveau jusqu'à obtention du double du volume, soit moins longtemps que la première fois. Renversez et pétrissez une troisième fois jusqu'à ce que la pâte retrouve son élasticité. Divisez en deux et façonnez des miches. Déposez-les dans deux moules à pain graissés et couvrez d'un linge. Laissez lever jusqu'à obtention du double du volume. Badigeonnez de lait ou de blanc d'oeuf battu dans l'eau. Faites cuire 10 minutes au four à 400°F (204°C), puis de 30 à 45 minutes à 30 °F (176°C).

N.B.: Cette recette donne aussi de belles miches de formes variées du genre pain de campagne. Dans ce cas, il faut davantage de farine puisque la pâte doit être plus ferme.

PÂTE BÂTARDE

Pain de campagne

1 c. à soupe (15 mL) de levure sèche
2 tasses (500 mL) de bière
2 c. à soupe (30 mL) de sucre
2 c. à café (10 mL) de sel
3 c. à soupe (50 mL) de saindoux
5 à 6 tasses (1,25 à 1,5 L) de farine

Réchauffez la bière jusqu'à ce qu'elle soit tiède et faites-y fondre le sucre. Activez la levure dans la bière. Entre-temps, mélangez le sel, la graisse végétale et 4 tasses (1 L) de farine dans un grand bol en coupant le saindoux avec une broche à pâtisserie, deux couteaux ou un mixeur jusqu'à ce que le mélange soit uniforme et que la graisse prenne l'apparence de la chapelure. Creusez un puits dans la farine et versez-y la levure. Mélangez à la main ou avec une cuiller en bois en ajoutant suffisamment de farine pour que la pâte soit d'une consistance plutôt ferme. Pétrissez 10 minutes; la pâte doit être lisse et satinée. Mettez dans un bol graissé; couvrez et laissez lever jusqu'à obtention du double du volume. Abaissez, renversez et pétrissez vigoureusement. Donnez à la pâte la forme d'une grande miche double et déposez celle-ci dans un grand moule à pain graissé ou, si la pâte est suffisamment ferme, donnez-lui la forme d'un pain de campagne québécois en vous référant au chapitre intitulé *La pâte en forme.* Faites cuire de 40 à 50 minutes au four à 400°F (204°C) ou jusqu'à ce que la croûte soit dorée et que le pain sonne creux quand vous le frappez.

PÂTE BÂTARDE

Pain aux pommes de terre

Anciennement, quand la farine coûtait cher ou qu'il n'en restait presque plus, les ménagères soucieuses d'économies "étiraient" la pâte à pain en y ajoutant des pommes purée. Cet additif avait pour effet de produire du pain de texture moite qui se conservait fort bien. Il se tranche aisément et est excellent grillé.

2 pommes de terre de taille moyenne
2 1/2 tasses (625 mL) d'eau
5 c. à café (25 mL) de levure sèche
1/2 c. à café (2 mL) de sucre
1/2 tasse (125 mL) de lait ébouillanté
3 c. à soupe (50 mL) de beurre
5 c. à café (25 mL) de sel
5 à 6 tasses (1,25 à 1,5 L) de farine

Pelez les pommes de terre, coupez-les en dés et mettez-les à bouillir jusqu'à ce qu'elles soient ramollies. Faites fondre la 1/2 c. à café (2 mL) de sucre dans 1/2 tasse (125 mL) de l'eau de cuisson des pommes de terre et laissez tiédir. Vérifiez la température; saupoudrez la solution de levure et laissez activer. Entre-temps, réduisez les pommes de terre en purée dans le reste de leur eau de cuisson en vous servant si possible d'un *blender,* puis ajoutez le sel, le reste du sucre et le beurre. Mélangez pour faire fondre le beurre et ajoutez le lait ébouillanté. Laissez tiédir, puis incorporez la farine petit à petit en battant vigoureusement jusqu'à ce que la pâte résiste et se détache de la paroi du bol. Renversez et pétrissez celle-ci, en y ajoutant de la farine si elle devient collante. Faites très attention au cours de cette étape, car selon la variété de pommes de terre utilisées, la pâte peut devenir très collante, et il ne faut pas y ajouter de farine au point qu'elle se raffermisse trop. Quand la pâte semblera avoir atteint le niveau de densité approprié, n'ajoutez de farine que si c'est absolument nécessaire pour l'empêcher d'adhérer à la surface de pétrissage et uniquement en très petites quantités. Après avoir pétri 10 minutes, mettez dans un bol graissé; couvrez et laissez lever jusqu'à obtention du double du volume. Cette pâte lève très lentement. Abaissez-la, façonnez deux miches que vous déposerez dans des moules à pain bien graissés. Couvrez d'un linge et laissez lever jusqu'à obtention du double du volume. Faites cuire de 40 à 45 minutes au four à 375°F (190°C). Retirez du four et laissez refroidir sur une grille.

PÂTE BÂTARDE

Pain blanc des Prairies

Dans l'Ouest, quand on s'apprête à faire du pain, on ne se limite pas à une ou deux miches. On vise plutôt la douzaine, de quoi nourrir une petite armée ou une équipe de moissonneurs affamés!

2 c. à soupe (30 mL) de levure sèche
1 tasse (250 mL) d'eau tiède
1 pinte (1 L) de lait ébouillanté
1 pinte (1 L) d'eau froide
2 c. à café (10 mL) de sel
1/2 tasse (100 mL) de saindoux
1/3 de tasse (75 mL) de sucre
22 tasses (4 L) environ de farine

Activez la levure dans l'eau tiède avec 1 c. à café (5 mL) de sucre. Mettez dans un bol le sel, le saindoux et le reste du sucre et versez-y le lait ébouillanté. Mélangez pour faire fondre le saindoux et ajoutez l'eau froide. Vérifiez la température et ajoutez la levure au mélange tiède. Incorporez la farine en mélangeant, puis pétrissez au moins 20 minutes jusqu'à ce que la pâte soit lisse. Laissez la pâte sur la surface de pétrissage et couvrez-la avec un grand bol graissé. Si vous n'avez pas de bol suffisamment grand, divisez la pâte en deux et laissez-la lever séparément. Abaissez et pétrissez de 3 à 4 minutes; couvrez d'un linge et laissez reposer 10 minutes. Divisez la pâte en douze et façonnez les miches. Déposez-les dans des moules graissés; couvrez de linges et laissez lever jusqu'à obtention du double du volume. Faites cuire 10 minutes au four à 400°F (204°C), retournez les moules, réduisez la température à 375°F (190°C) et faites cuire encore 30 à 35 minutes. Retirez les pains et laissez-les refroidir sur une grille.

PÂTE DOUCE

Pain au riz

3/4 de tasse (175 mL) de riz blanc écru
1 1/2 tasse (350 mL) d'eau
1 pincée de sel
1/2 c. à soupe (7 mL) de levure sèche
1 c. à café (5 mL) de sucre
1 tasse (250 mL) d'eau tiède
2 c. à café (10 mL) de sel
4 tasses (1 L) environ de farine

Nettoyez le riz et laissez-le égoutter. Mettez-le dans une casserole épaisse avec la pincée de sel et 1 1/2 tasse (350 mL) d'eau. Portez au point d'ébullition, réduisez la chaleur et couvrez hermétiquement. Laissez mijoter jusqu'à ce que toute l'eau soit absorbée ou que le riz soit tendre.

Pendant la cuisson du riz, activez la levure dans l'eau tiède et sucrée. Une fois le riz cuit, éliminez-en l'excès d'eau et, pendant qu'il est encore tiède, mélangez-le avec la farine. Mélangez de telle sorte qu'il ne subsiste pas de grumeaux, mais en essayant d'éviter de broyer les grains de riz. Ajoutez la levure et le sel et battez vigoureusement avec une cuiller en bois. La pâte devrait être très molle. Couvrez le bol et laissez lever jusqu'à obtention du double du volume. Abaissez la pâte en remuant et battez-la une minute ou deux, puis déposez-la dans un moule à pain graissé ou une casserole de 1 1/2 pinte (1 1/2 L). Laissez lever jusqu'à obtention du double du volume et faites cuire 10 minutes au four à 450°F (232°C); réduisez la température à 400°F (204°C) et faites cuire encore 20 minutes. Démoulez soigneusement et remettez au four de 15 à 20 minutes. La miche aura une belle croûte.

PÂTE ORDINAIRE

Pain non salé

Même si l'on est soumis à un régime qui exclut le sel, il est possible de faire son propre pain. Il ne faut pas perdre de vue que, sans sel, la levée est très rapide: on devra par conséquent freiner un peu le processus pour permettre à la pâte de mûrir. Comme le gluten ne possède pas les propriétés de raffermissement du sel, le pétrissage devra être prolongé en conséquence.

1 c. à café (5 mL) de levure sèche
1 1/2 tasse (375 mL) d'eau tiède
1 c. à café (5 mL) de sucre
2 c. à soupe (30 mL) d'huile à salade
3 tasses (750 mL) de farine

Une fois la levure activée dans l'eau tiède sucrée, ajoutez l'huile et 1 tasse (250 mL) de farine tout en mélangeant. Battez 5 minutes à l'aide d'un mixeur électrique, mais plus longtemps si vous battez à la main, puis ajoutez la farine petit à petit en battant toujours très vigoureusement jusqu'à ce que le mixeur refuse de fonctionner. Si vous battez à la main, ajoutez de la farine jusqu'à ce que la pâte devienne molle et cesse d'être collante. Pétrissez très vigoureusement et mettez dans un bol graissé. Couvrez et laissez lever dans un endroit frais, mais non pas froid, à environ 65°F (18°C) jusqu'à obtention du double du volume. Abaissez et pétrissez 5 minutes en ajoutant un peu de farine si la pâte semble TRÈS collante. Façonnez une miche et déposez-la dans un moule graissé. Couvrez d'un linge et laissez lever jusqu'à obtention du double du volume. Faites cuire 30 minutes au four à 400°F (204°C) ou jusqu'à ce que le pain soit cuit. Il s'agit d'un pain à l'eau dont la croûte ne fonce pas. Démoulez et laissez refroidir sur une grille.

N.B.: S'il vous est possible d'obtenir du lait en poudre à basse teneur en sodium, vous pouvez en ajouter 3/4 de tasse (175 mL) à la recette.

PÂTE BÂTARDE

Pain à sandwiches

S'il est possible de faire de bons sandwiches avec du pain de ménage, on ne peut en réussir de présentables qu'avec un pain de texture serré, qui donne des tranches égales. Plusieurs pains cités dans ce chapitre correspondent à une telle description, en particulier le pain au riz et le pain aux pommes de terre, mais quand on désire pour collation un sandwich plutôt sucré, au fromage à la crème, par exemple, on peut se servir du pain un peu plus riche dont il est question ici.

2 c. à soupe (30 mL) de levure sèche
1/2 tasse (125 mL) d'eau tiède
1 c. à café (5 mL) de sucre
6 tasses (1,5 L) de farine tout usage
1 c. à soupe (25 mL) de sel
1/2 tasse (125 mL) de beurre froid non salé
1 tasse (250 mL) de lait ébouillanté
5 c. à café (25 mL) de sucre

Activez la levure dans l'eau tiède avec 1 c. à café (5 mL) de sucre. Mettez la farine, le sel et le reste du sucre dans un bol à mélanger et coupez-y le beurre comme pour la pâtisserie. Ne laissez pas le beurre ramollir ni devenir huileux. Ajoutez environ 1/4 de tasse (60 mL) de lait tiède à la levure, puis incorporez le mélange de farine avec les mains tout en versant le lait de façon à produire une pâte solide et collante. Il n'est pas possible de la pétrir. Frappez-la entre vos mains ou rabattez-la sur une plaque de marbre ou un comptoir de *formica;* détachez-la avec un racloir de plastique et rabattez-la derechef. Après avoir subi quelque temps ce traitement, la pâte devient tout à coup molle, souple et cesse d'être collante. Mettez-la alors dans un bol graissé; couvrez et laissez lever jusqu'à obtention du double du volume, soit pendant un bon bout de temps. Abaissez, pétrissez légèrement et remettez ensuite dans le bol; couvrez et laissez lever de nouveau jusqu'à obtention du double du volume. Abaissez, pétrissez derechef et façonnez une miche. Déposez-la dans un moule à pain graissé ou dans un moule pour pain à sandwiches muni d'un couvercle (le moule à pain *Pullman*). Laissez lever jusqu'à obtention du double du volume et mettez au four à 400°F (204°C). Réduisez immédiatement la température à 375°F (190°C) et faites cuire de 45 à 50 minutes. Démoulez et laissez refroidir sur une grille. Pour obtenir des tranches très minces, mettez le pain au froid avant de le trancher.

Mode d'emploi du moule à pain Pullman

Graissez bien ce moule ainsi que l'intérieur de son couvercle à glissière. Déposez-y la pâte; elle ne devrait pas en occuper plus du tiers. NE SURCHARGEZ PAS. Sinon, vous le REGRETTEREZ: une fois que la pâte a doublé de volume, elle occupe les deux tiers du moule! À ce moment, glissez le couvercle sur ce dernier, mais sans le fermer complètement. Laissez une ouverture d'environ 1/4" (5 mm) à l'une des extrémités de façon que l'air puisse s'échapper. Autrement, le moule pourrait exploser! Mettez celui-ci au four et, à mi-cuisson, inclinez-le sur un flanc, puis sur l'autre durant 5 minutes. Cela fait, enlevez le couvercle et poursuivez la cuisson à découvert. Ce pain a la forme d'une petite brique et donne des tranches idéales pour la confection de sandwiches.

PÂTE FERME

Pain viennois

Les boulangers de Vienne avaient la réputation d'être les meilleurs d'Europe. Ils ont apporté plusieurs innovations à l'art de la boulangerie. En se servant de la meilleure farine des plaines de Hongrie, ils sont devenus des spécialistes d'une telle envergure que certains ne produisaient qu'un seul genre de pain. Le pain blanc viennois a été imité d'un bout à l'autre de l'Europe, et des émigrants venus de l'Empire austro-hongrois l'ont emporté avec eux au Canada.

1 c. à soupe (15 mL) de levure sèche
1 tasse (250 mL) d'eau tiède
1 c. à café (5 mL) de sucre
1 1/2 tasse (325 mL) de lait ébouillanté
1 c. à soupe (15 mL) de sel
1 c. à soupe (15 mL) de sucre
1 oeuf (pour la glace)
des graines de pavot
6 tasses (1,5 L) de farine

Activez la levure avec 1 c. à café (5 mL) de sucre dans l'eau tiède. Une fois la levure activée, ajoutez en mélangeant 2 tasses (500 mL) de farine pour obtenir une pâte rudimentaire. Assurez-vous que la farine est complètement humidifiée. Couvrez hermétiquement et laissez reposer de 3 à 5 heures ou réfrigérez toute la nuit. La pâte aura eu le temps de lever, et sa texture sera lâche et spongieuse. Mélangez soigneusement avec la pâte le lait tiède, le sel et le reste du sucre; ajoutez lentement le reste de la farine en battant le mélange avec une cuiller en bois jusqu'à ce que la pâte se détache de la paroi du bol. Renversez et pétrissez la pâte jusqu'à ce qu'elle devienne à la fois ferme et élastique en ajoutant suffisamment de farine pour qu'elle n'adhère pas. Elle devrait être plutôt ferme. Mettez-la dans un bol graissé; couvrez et laissez lever jusqu'à obtention du double du volume. Abaissez et divisez la pâte en deux. Façonnez des croissants ou des pains fendus en vous reportant au chapitre intitulé *La pâte en forme.* Couvrez d'un linge et laissez lever jusqu'à obtention du double du volume. Badigeonnez avec l'oeuf légèrement battu et saupoudrez de graines de pavot. Faites cuire 10 minutes au four à 450°F (232°C); réduisez ensuite la température à 350°F (176°C) et faites cuire encore 30 minutes. Retirez du four et laissez refroidir sur une grille.

PÂTE BÂTARDE

Pain blanc de Terre-Neuve

Cette ancienne recette réclame l'utilisation de lait évaporé en boîte parce qu'à certaine époque, un grand nombre de foyers terre-neuviens ne pouvaient se procurer de lait frais. Il en résulte un pain plutôt salé, comme il convient à ses origines, et d'une mie serrée.

2 c. à soupe (30 mL) de levure sèche
1/4 de tasse (60 mL) d'eau tiède
1 c. à café (5 mL) de sucre
1 boîte d'1 livre (385 mL) de lait évaporé
1 tasse (250 mL) d'eau chaude
1/4 de tasse (60 mL) de sucre
2 c. à soupe (30 mL) de sel
*1/4 de tasse (60 mL) de saindoux ou de graisse de rôti**
8 tasses (2 L) environ de farine tout usage

* Graisse récupérée après la cuisson d'un rôti de porc.

Activez la levure dans l'eau tiède avec 1 c. à café (5 mL) de sucre. Pendant l'activation, transvasez le lait dans le bol à mélanger. Rincez la boîte vide avec 1 tasse (250 mL) d'eau chaude et ajoutez celle-ci au lait évaporé. Incorporez en mélangeant le sucre, le sel et la graisse fondue. Quand le mélange est tiède, ajoutez-y la levure et 2 tasses (500 mL) de farine tout en mélangeant. Battez très vigoureusement avec une cuiller en bois; ajoutez 2 tasses (500 mL) de farine, puis suffisamment pour obtenir une pâte molle. Pétrissez vigoureusement environ 10 minutes. Mettez dans un bol graissé; couvrez et laissez lever jusqu'à obtention du double du volume. Abaissez. Renversez et pétrissez 2 minutes. Couvrez et laissez reposer sur la surface de pétrissage de 10 à 15 minutes. Façonnez trois miches et déposez-les dans des moules à pain graissés. Laissez lever jusqu'à obtention du double du volume. Faites cuire 15 minutes au four à 400°F (204°C); réduisez la température à 375°F (190°C) et remettez à cuire de 15 à 20 minutes ou jusqu'à ce que les miches soient à point. Démoulez et laissez refroidir sur une grille.

PÂTE BÂTARDE

Pain blanc d'Ontario

Une mie molle, d'une texture égale et qui se conserve bien!

1 c. à soupe (15 mL) de levure sèche
1/2 c. à café (2 mL) de sucre
1/4 de tasse (60 mL) d'eau tiède
3 1/2 tasse (750 mL) de lait
2 c. à soupe (30 mL) de beurre
1 c. à soupe (15 mL) de sel
2 c. à café (10 mL) de sucre
8 tasses (2 L) environ de farine
beurre fondu

Ébouillantez le lait et ajoutez-y le beurre, le sel et 2 c. à café (10 mL) de sucre. Mélangez pour faire fondre le beurre et laissez reposer jusqu'à ce que le liquide soit tiède. Entre-temps, activez la levure dans l'eau tiède avec 1/2 c. à café (2 mL) de sucre. Quand la levure est activée et que le mélange à base de lait est devenu tiède, versez la première dans le second. Incorporez en mélangeant 2 tasses (500 mL) de farine et battez vigoureusement 5 minutes avec une cuiller en bois, puis ajoutez petit à petit de la farine jusqu'à ce que la pâte résiste et se détache de la paroi du bol. Renversez et pétrissez jusqu'à ce que la texture devienne lisse et élastique, en ajoutant suffisamment de farine à la pâte pour l'empêcher d'adhérer. Mettez-la dans un bol graissé; couvrez et laissez lever jusqu'à obtention du double du volume. Abaissez, renversez et pétrissez 2 minutes. Couvrez et laissez reposer de 10 à 15 minutes. Façonnez trois miches et déposez-les dans des moules à pain graissés. Laissez lever jusqu'à obtention du double du volume. Badigeonnez de beurre fondu et faites cuire 35 minutes au four à 375°F (190°C) ou jusqu'à ce que le pain soit à point, lorsque la croûte aura pris une couleur foncée. Démoulez et laissez refroidir sur une grille en badigeonnant de nouveau de beurre fondu.

RECETTES DE PAINS BRUNS ET DE PAINS DE GRAIN ENTIER

On trouvera dans les pages qui suivent des recettes de pains foncés et de grain entier, recherchés pour leur goût délicieux. Fait important à signaler, toutes les recettes de pains blancs du chapitre précédent peuvent être réalisées en remplaçant, au maximum, le tiers de la farine requise par de la farine de blé entier sans effectuer d'autre substitution par ailleurs. En pareil cas, il est préférable d'incorporer d'abord la farine de blé entier au mélange et de terminer avec la farine tout usage. Les recettes dont il est question ici sont un peu plus complexes, et il faut une bonne dose d'expérience en boulangerie avant de faire subir de grands changements aux proportions de grain entier, de farine de blé et de farine blanche indiquées; en ce qui concerne la quantité des ingrédients sucrés et du sel, cependant, de légères modifications sont possibles pour satisfaire au goût de chacun.

N.B.: N'oubliez pas que la proportion de gluten est réduite dans la farine de blé entier et qu'il faudra un pétrissage vigoureux si l'on veut obtenir un pain d'une texture agréable.

PÂTE BÂTARDE

Pain "Anadama"

Il existe plusieurs explications à l'appellation étrange de ce pain originaire de la Nouvelle-Angleterre. De toute évidence antérieur à la Révolution américaine, il a suivi les Loyalistes au Nouveau-Brunswick où il a cependant perdu son appellation colorée. On le connaît habituellement sous le nom de Pain à la farine de maïs, ce qui le différencie du pain au maïs que l'on fait lever avec de la poudre à lever.

1 c. à soupe (15 mL) de levure sèche
1 c. à café (5 mL) de sucre
1/2 tasse (125 mL) d'eau tiède
1/2 tasse (125 mL) de farine de maïs dorée
1/4 de tasse (60 mL) de beurre
1/2 tasse (125 mL) de mélasse foncée
1 c. à soupe (15 mL) de sel
5 à 6 tasses (1,25 à 1,5 L) de farine tout usage
2 tasses (500 mL) d'eau bouillante

Activez la levure avec le sucre dans l'eau tiède. Versez l'eau bouillante dans la partie supérieure d'un bain-marie où bout de l'eau. En mélangeant, ajoutez en un mince filet la farine de maïs et faites cuire 10 minutes. Remuez souvent. Incorporez toujours en mélangeant la mélasse, le sel et le beurre; enlevez la partie supérieure du bain-marie et laissez tiédir. Versez ensuite dans un bol, vérifiez la température, ajoutez la levure et mélangez. Ajoutez suffisamment de farine pour produire une pâte très épaisse. Pétrissez vigoureusement 10 minutes en enfarinant suffisamment la planche à pain pour que la pâte n'y adhère pas. La présence de la mélasse rendra la pâte collante durant toute l'opération du pétrissage: il faudra par conséquent veiller à ne pas trop enfariner la planche. Mettez dans un bol graissé; couvrez et laissez lever jusqu'à obtention du double du volume, soit assez longtemps. Abaissez, couvrez et laissez de nouveau lever jusqu'à obtention du double du volume. Renversez sur la planche légèrement enfarinée et pétrissez doucement. Divisez la pâte en deux, façonnez les miches et déposez-les dans des moules à pain graissés. Couvrez d'un linge et laissez encore lever jusqu'à obtention du double du volume. Faites cuire 10 minutes au four à 425°F (218°C), réduisez alors la température à 350°F (176 °C) et faites cuire encore 35 minutes. Démoulez et laissez refroidir sur une grille en badigeonnant de temps en temps de beurre fondu.

PÂTE BÂTARDE

Pain d'orge

Un autre pain de campagne destiné à étirer la coûteuse farine de blé! On peut se procurer la farine d'orge chez les détaillants d'aliments naturels; n'achetez pas d'orge moulu dans les magasins d'aliments pour animaux. Certaines recettes anciennes requièrent l'utilisation de la seule farine d'orge, mais le pain qui en résulte est très lourd, sec et d'une déplaisante apparence grisâtre. La proportion de farine d'orge peut cependant être augmentée au goût sans modifier la texture du pain, et chacun découvrira par expérience quelle proportion produit la miche la plus satisfaisante.

1 c. à soupe (15 mL) de levure sèche
1 tasse (250 mL) d'eau tiède
1 c. à café (5 mL) de sucre
2 c. à café (10 mL) de sel
2 c. à soupe (30 mL) de lait de beurre ou de crème légère
1/2 tasse (125 mL) de farine d'orge
1/2 tasse (125 mL) de farine de blé entier
1 tasse (250 mL) de farine tout usage

Activez la levure avec le sucre dans l'eau tiède. Une fois la levure activée, ajoutez le lait de beurre. Mêlez le sel, la farine d'orge et la farine de blé entier et versez dans le mélange de levure en battant bien. Ajoutez suffisamment de farine blanche pour produire une pâte molle et pétrissez vigoureusement sur une planche enfarinée. Mettez dans un bol graissé; couvrez et laissez lever jusqu'à obtention du double du volume. Abaissez et pétrissez de nouveau en ajoutant un peu de farine si la pâte adhère. Façonnez une petite miche et déposez celle-ci dans un moule à pain graissé. Couvrez d'un linge et laissez lever jusqu'à obtention du double du volume. Faites cuire 35 minutes au four à 375°F (190°C). Démoulez et laissez refroidir sur une grille. Cette recette ne produit qu'un seul petit pain. Si vous en désirez davantage, doublez tous les ingrédients. Il est primordial que la pâte ne soit pas trop ferme, sinon le pain sera sec. Pour cette raison, il est préférable de faire cuire ce pain dans un moule, bien que la plupart des recettes anciennes annoncent un pain circulaire de forme plutôt libre.

PÂTE BÂTARDE

Pain brun ordinaire très bon

2 c. à soupe (30 mL) de levure sèche
1 tasse (250 mL) d'eau tiède

1 c. à café (5 mL) de sucre
1 1/2 tasse (375 mL) de lait ébouillanté
1/2 tasse (125 mL) de miel
1/3 de tasse (75 mL) de beurre ou de shortening
4 c. à café (20 mL) de sel
3 tasses (750 mL) de farine de blé entier
3 tasses (750 mL) environ de farine tout usage

Activez la levure avec le sucre dans l'eau tiède. Ébouillantez le lait et ajoutez-y le miel, le sel et le beurre en mélangeant de façon à les faire fondre. Laissez reposer jusqu'à ce que le mélange soit tiède. Entre-temps, mêlez la totalité de la farine de blé entier et 2 tasses (500 mL) de farine blanche. Vérifiez la température du lait et ajoutez la levure. En mélangeant, incorporez environ la moitié des farines mêlées et battez très vigoureusement. Ajoutez de la farine jusqu'à ce que la pâte résiste et se détache de la paroi du bol. Renversez la pâte en ajoutant suffisamment de farine blanche pour qu'elle n'adhère pas. Cette pâte sera plutôt collante; il est donc important de ne pas y ajouter trop de farine pour ne pas la raffermir. Pétrissez-la jusqu'à ce qu'elle soit élastique et mettez-la dans un bol graissé; couvrez hermétiquement et laissez lever jusqu'à obtention du double du volume. Abaissez, renversez sur une planche légèrement enfarinée, pétrissez quelques minutes, divisez en deux et façonnez les miches. Déposez-les dans des moules à pain graissés et couvrez d'un linge. Laissez lever jusqu'à obtention du double du volume. Faites cuire 30 minutes au four à 400°F (204°C). Démoulez, badigeonnez de beurre fondu et laissez refroidir sur une grille.

PÂTE BÂTARDE

Pain noir

Le pain noir est le pain de campagne de l'Europe. Sa lourdeur et sa densité lui ont valu une réputation inférieure à celle du pain blanc que mangeaient les nantis. On refusait par snobisme de reconnaître qu'il pouvait être délicieux, appétissant et nourrissant. À notre époque, heureusement, on estime cet extraordinaire pain à sa juste valeur. Il en existe des centaines de recettes, et sa couleur peut varier à l'infini. Voici deux de ces recettes. La liste des ingrédients change de l'une à l'autre, mais la préparation de la pâte reste la même.

Pain noir numéro 1

2 c. à soupe (30 mL) de levure sèche
1/2 tasse (125 mL) d'eau tiède
1 c. à café (5 mL) de sucre
2 tasses (500 mL) d'eau très chaude
3 c. à soupe (50 mL) de beurre
1/3 de tasse (75 mL) comble de cassonade foncée
1 c. à soupe (15 mL) de sel
2 c. à café (10 mL) de graines de carvi
1 tasse (250 mL) de céréales de son
1/2 tasse (125 mL) de cacao en poudre
1 c. à soupe (15 mL) de café soluble
4 tasses (1 L) de farine de seigle
2 tasses (500 mL) de farine de blé entier
2 tasses (500 mL) de farine tout usage

Pain noir numéro 2

2 c. à soupe (30 mL) de levure sèche
1/2 tasse (125 mL) d'eau tiède
1 c. à café (5 mL) de sucre
2 tasses (500 mL) d'eau chaude
2 c. à soupe (30 mL) de shortening
1/2 tasse (125 mL) de mélasse foncée
1 c. à soupe (15 mL) de sel
2 c. à café (10 mL) de Kitchen Bouquet *
2 tasses (500 mL) de farine de seigle
3 à 4 tasses (0,75 à 1 L) de farine tout usage
* Mélange d'épices en solution

Activez la levure avec le sucre dans l'eau tiède. Mettez tous les autres ingrédients, à l'exception des farines, dans un grand bol à mélanger et versez-y l'eau chaude. Mélangez bien de façon à dissoudre la matière grasse et à rendre l'ensemble homogène. Mettez de côté 1 tasse (250 mL) de farine tout usage et mêlez les autres farines. Quand le mélange chaud est devenu tiède, ajoutez-y la levure ainsi qu'un tiers environ de la farine tout en mélangeant. Battez vigoureusement durant 5 minutes. Ajoutez de la farine jusqu'à formation d'une pâte molle. Renversez et pétrissez. Cette pâte sera très collante, et il vous faudra veiller à ne pas ajouter trop de farine afin de ne pas l'alourdir. Mettez la pâte dans un bol graissé; couvrez-la et laissez-la lever jusqu'à obtention du double du volume. Abaissez, divisez la pâte en deux, façonnez deux demi-sphères en vous référant au chapitre intitulé *La pâte en forme.* Déposez-les dans des moules à tartes et laissez lever jusqu'à obtention du double du volume. Avant de mettre au four, badigeonnez d'une glace de fécule de pommes de terre ou de maïs en suivant les instructions de la page 151). Faites cuire 10 minutes au four à 400°F (204°C), réduisez alors la température à 350°F (176°C) et faites cuire encore de 30 à 35 minutes. Retirez du four et laissez refroidir sur une grille.

PÂTE BÂTARDE

Pain de blé entier

Voici un délicieux pain canadien dont la saveur est relevée quand on le sert grillé et tartiné de beurre d'érable qu'on fabrique en ajoutant un peu de sucre, ou de crème, d'érable à du beurre mou.

1 c. à soupe (15 mL) de levure sèche
1/3 de tasse (75 mL) d'eau tiède
1 c. à café (5 mL) de sucre
1/2 tasse (125 mL) de blé décortiqué ou de céréales de type "Red River"
1 c. à soupe (15 mL) de sel
3 c. à soupe (50 mL) de sirop d'érable
3 c. à soupe (50 mL) de beurre
1 1/2 tasse (375 mL) d'eau bouillante
1 tasse (25 mL) de lait ébouillanté
1 tasse (250 mL) de farine de blé entier
4 tasses (1 L) de farine tout usage

Activez la levure avec le sucre dans l'eau tiède. Dans une casserole où vous aurez mis l'eau bouillante et le sel, transvidez en un mince filet, sans cesser de mélanger, le blé ou les céréales. Faites cuire en mélangeant toujours jusqu'à ce que toute l'eau soit absorbée et que les céréales commencent à se dessécher. Une trace faite avec une cuiller en bois devrait ressortir nettement. Retirez du feu et ajoutez le beurre, le sirop d'érable et le lait. Mettez dans un grand bol et laissez reposer jusqu'à ce que le tout soit tiède. Ajoutez la levure activée, mélangez et incorporez la farine de blé entier. Battez vigoureusement. Ajoutez la farine tout usage jusqu'à ce que la pâte résiste et commence à se détacher de la paroi du bol. Renversez et pétrissez, en ajoutant suffisamment de farine pour produire une pâte molle. La quantité de farine prescrite par cette recette varie beaucoup selon la quantité d'eau évaporée lors de la cuisson des céréales. Rappelez-vous en pétrissant que cette pâte reste collante: n'y ajoutez pas trop de farine. Mettez dans un bol graissé; couvrez et laissez lever jusqu'à obtention du double du volume. Abaissez, renversez et façonnez deux miches. Déposez-les dans des moules à pain graissés, couvrez d'un linge et laissez lever jusqu'à obtention du double du volume. Faites cuire 35 minutes au four à 375°F (190°C) ou jusqu'à ce que le pain soit à point. Démoulez et laissez refroidir sur une grille. Badigeonnez au goût d'un peu de sirop d'érable avant que le pain refroidisse.

PÂTE BÂTARDE

Pain pour tous les goûts

Rien n'oblige qui que se soit à suivre aveuglément une recette de pain. S'il est en effet plus sage de s'en tenir aux instructions quand il s'agit d'un gâteau, la pâte à pain offre au contraire la possibilité d'exprimer ses goûts personnels quand ce n'est pas de se débarrasser des surplus! La liste qui suit permet de réaliser quelque 525 variétés de pain, et, chacun pouvant y aller de ses propres idées, ce nombre n'a virtuellement pas de limites!

1/2 tasse (125 mL) d'eau tiède
2 c. à soupe (30 mL) de levure sèche
1 c. à café (5 mL) de sucre
1 tasse (250 mL) d'une céréale au goût:
- *avoine en flocons*
- *flocons de* Granary
- Triticale
- Shredded wheat *broyé*
- Weatabix *broyé*
- Grape Nuts
- *Céréales de son*
- *toute autre céréale de grain entier*

1/2 tasse (125 mL) d'une matière sucrante au goût:

mélasse
miel solide
sirop d'érable
sirop de maïs
cassonade

2 tasses (500 mL) d'un liquide au goût:
eau bouillante
eau de pommes de terre bouillante
lait ébouillanté

1/3 de tasse (75 mL) d'une matière grasse au goût:
beurre fondu
saindoux fondu
shortening *fondu*
margarine fondue
huile végétale

1 oeuf battu

1 c. à soupe (15 mL) de sel

6 à 7 tasses (1,6 à 1,75 L) de farine au goût:
farine tout usage ou
un tiers de farine de blé entier et deux tiers de farine tout usage

Activez la levure avec le sucre dans l'eau tiède. Mettez les céréales, la matière sucrante, la matière grasse et le sel dans un bol et versez-y le liquide chaud. Laissez le mélange s'attiédir. Ajoutez l'oeuf battu et la levure activée. Incorporez en mélangeant 2 tasses (500 mL) de farine et battez vigoureusement. Ajoutez de la farine au besoin. Pétrissez jusqu'à ce que la pâte devienne élastique. La pâte sera un peu collante. Mettez-la dans un grand bol graissé; couvrez et laissez lever jusqu'à obtention du double du volume. Abaissez, renversez et divisez en trois. Façonnez des miches et déposez-les dans des moules à pain graissés. Couvrez d'un linge et laissez lever jusqu'à obtention du double du volume. Faites cuire 40 minutes au four à 375°F (190°C) ou jusqu'à ce que le pain soit à point. Démoulez et laissez refroidir sur une grille. Badigeonnez au goût le dessus du pain de beurre mou pendant qu'il est encore chaud.

PÂTE DOUCE

Pain "Doris Grant"

Doris Grant a fait paraître, il y a trente-cinq ans, un excellent ouvrage consacré au pain, *Your Daily Bread* (Votre pain quotidien). Elle croyait fermement à la valeur nutritive du pain de farine de blé entier et mettait au point cette recette qui devait bientôt devenir la règle dans les foyers britanniques, puis parvenir au Canada par l'intermédiaire d'un fameux magazine, *The Family Herald and Weekly Star,* que lisait la population rurale.

*1 c. à soupe (15 mL) de levure sèche**
1 c. à café (5 mL) de sucre
1/4 de tasse (60 mL) d'eau tiède
2 1/2 tasses (625 mL) d'eau tiède
2 c. à café (10 mL) de sel
2 c. à café (10 mL) de cassonade
5 à 6 tasses (1,25 à 1,5 L) de farine de blé entier

* Mme Grant se servait de levure comprimée.

Chauffez la farine et les moules à cuisson. Activez la levure avec 1 c. à café (5 mL) de sucre dans 1/4 de tasse (60 mL) d'eau tiède. Mêlez le sel et la farine chaude dans un bol à mélanger. Faites fondre la cassonade dans les 2 1/2 tasses (625 mL) d'eau tiède et ajoutez la levure activée. Creusez un puits dans la farine et versez-y le liquide, puis mélangez avec une cuiller en bois jusqu'à ce que la farine soit humidifiée. La pâte devrait être suffisamment mouillée pour être glissante. Avec une cuiller, transvasez la pâte dans les moules chauds et graissés, puis laissez lever d'environ un tiers du volume à la chaleur. Faites cuire de 35 à 40 minutes au four à 400°F (204°C). Démoulez et laissez refroidir sur une grille. Attendez 24 heures avant de trancher ce pain.

PÂTE BÂTARDE

Pain "Graham"

1 c. à soupe (15 mL) de levure sèche
1 c. à café (5 mL) de sucre
1/4 de tasse (60 mL) d'eau tiède
1 tasse (250 mL) de lait ébouillanté
1 tasse (250 mL) d'eau
1/4 de tasse (60 mL) de cassonade
1 c. à soupe (15 mL) de sel

1 c. à soupe (15 mL) de shortening
4 à 5 tasses (1 à 1,25 L) de farine

Activez la levure dans l'eau tiède avec 1 c. à café (5 mL) de sucre. Mettez le *shortening,* le sel et la cassonade dans le lait ébouillanté; mélangez et ajoutez l'eau froide. Vérifiez la température et, une fois le mélange attiédi, ajoutez la levure. Incorporez en mélangeant le tiers environ de la farine et battez vigoureusement. Ajoutez de la farine en continuant de mélanger jusqu'à ce que la pâte résiste et se détache de la paroi du bol. Pétrissez-la jusqu'à ce qu'elle devienne élastique. Mettez dans un bol graissé; couvrez et laissez lever jusqu'à obtention du double du volume. Abaissez, renversez sur la surface de pétrissage, séparez en deux et façonnez les miches. Déposez-les dans deux moules à pain graissés, couvrez d'un linge et laissez lever jusqu'à obtention du double du volume. Badigeonnez de beurre fondu et faites cuire de 35 à 40 minutes au four à 375°F (190°C). Démoulez et laissez refroidir sur une grille.

PÂTE BÂTARDE

Pain de "Granary"

2 c. à soupe (30 mL) de levure sèche
1 c. à café (5 mL) de sucre
1/2 tasse (125 mL) d'eau tiède
1 tasse (250 mL) de flocons de Granary
2 tasses (500 mL) d'eau bouillante
4 c. à soupe (60 mL) de mélasse
*4 c. à soupe (60 mL) d'extrait de malt**
2 c. à soupe (30 mL) de saindoux
1 c. à soupe (15 mL) de sel
2 tasses (500 mL) de farine de blé entier
2 à 3 tasses (500 à 750 mL) de farine tout usage
1 tasse (250 mL) de raisins sans pépins (au goût)

* Disponible au Canada dans les pharmacies ou dans les marchés d'aliments naturels

Activez la levure avec le sucre dans l'eau tiède. Mettez les flocons de *Granary* dans un grand bol à mélanger et versez-y l'eau bouillante.

Agitez de façon à mouiller les flocons, puis laissez reposer 10 minutes. Ajoutez en mélangeant la mélasse, l'extrait de malt, le sel et le saindoux. Vérifiez la température et, une fois le mélange attiédi, ajoutez la levure. Incorporez en mélangeant la farine de blé entier et battez vigoureusement. Ajoutez en continuant de mélanger la farine tout usage jusqu'à ce que la pâte résiste et se détache de la paroi du bol. Renversez-la et pétrissez-la bien, en ajoutant suffisamment de farine pour produire une pâte molle. Cette pâte sera collante, et il faut par conséquent veiller à ne pas ajouter trop de farine. Pétrissez jusqu'à ce que la pâte devienne élastique et mettez-la dans un bol graissé; couvrez et laissez lever jusqu'à obtention du double du volume. Entre-temps, faites tremper les raisins dans de l'eau chaude ou dans 2 c. à soupe (30 mL) de rhum brun. Égouttez-les et asséchez-les à l'aide d'une serviette. Renversez la pâte sur la surface de pétrissage et insérez-y les raisins par petites quantités à la fois de la façon suivante: abaissez la pâte de manière à former un cercle; saupoudrez la moitié d'environ le quart des raisins et repliez l'autre moitié de la pâte sur la partie saupoudrée. Répétez l'opération tant qu'il restera des raisins. Couvrez la pâte avec un bol et laissez-la reposer. Divisez-la en deux, façonnez les miches et déposez-les dans des moules à pain graissés. Couvrez avec un linge et laissez lever jusqu'à obtention du double du volume. Enlevez tous les raisins qui se trouvent à la surface de peur qu'ils ne brûlent. Faites cuire 10 minutes au four à 400°F (204°C); réduisez ensuite la température à 350°F (176°C) et faites cuire encore 40 minutes. Démoulez et laissez refroidir sur une grille.

PÂTE BÂTARDE

Pain à haute teneur en protéines

La valeur nutritive de ce pain est accrue par la présence de protéines sous forme de farine de soja, de lait en poudre et de germes de blé. Il ne me paraît cependant pas très attrayant ni par son goût ni par sa texture. Une tranche de pain de blé entier ordinaire tartinée de beurre d'arachides et accompagnée d'un verre de lait semble plus appétissante, mais il peut se présenter des occasions pour utiliser le genre de pain dont il est question ici.

2 c. à soupe (30 mL) de levure sèche
1 c. à café (5 mL) de sucre

1/2 tasse (125 mL) d'eau tiède
2 tasses (500 mL) de lait
2 c. à soupe (30 mL) de margarine
1 c. à soupe (30 mL) de sel
1/2 tasse (125 mL) de lait en poudre
1/3 de tasse (75 mL) de farine de soja
1/4 de tasse (60 mL) de germes de blé
3 tasses (750 mL) de farine de blé entier
3 tasses (750 mL) de farine tout usage

Activez la levure avec le sucre dans l'eau tiède. Ébouillantez le lait et ajoutez-y le beurre et le sel. Mélangez jusqu'à ce que le beurre fonde. Versez dans le bol à mélanger et laissez reposer jusqu'à ce que le tout soit tiède. Vérifiez la température et ajoutez la levure. Incorporez en mélangeant le lait en poudre, la farine de soja et les germes de blé. Battez avec un mixeur jusqu'à ce que le mélange devienne uniforme. Ajoutez environ 2 tasses (500 mL) de farine de blé entier et suffisamment de farine tout usage pour produire une pâte assez ferme, mais pas trop dense. Renversez et pétrissez fermement tout en ajoutant suffisamment de farine pour que la pâte n'adhère pas. Continuez à pétrir jusqu'à ce que la pâte devienne souple et élastique. Veillez à ne pas écourter le pétrissage de cette pâte. Mettez-la dans un bol graissé; couvrez et laissez lever jusqu'à obtention du double du volume. Abaissez, pétrissez plusieurs minutes, puis laissez reposer environ 10 minutes sous le bol renversé. Façonnez deux miches et déposez-les dans des moules à pain graissés. Couvrez d'un linge et laissez lever jusqu'à obtention du double du volume. Faites cuire 35 minutes au four à 375°F (190 °C). Retirez du four, démoulez et laissez refroidir sur une grille.

PÂTE FERME

Pain "Limpa"

Ce pain est originaire de Suède.

1 c. à soupe (15 mL) de levure sèche
1 c. à café (5 mL) de sucre
1/4 de tasse (60 mL) d'eau tiède
2 tasses (500 mL) de bière
1/2 tasse (125 mL) de mélasse

3 c. à soupe (50 mL) de beurre fondu
1 c. à soupe (15 mL) de graines de fenouil
1 c. à soupe (15 mL) de graines de carvi
2 c. à café (10 mL) de sel
2 c. à soupe (30 mL) d'écorce d'orange fraîchement râpée
2 1/2 tasses (625 mL) de farine de seigle
3 tasses (750 mL) de farine tout usage

Activez la levure avec le sucre dans l'eau tiède. Chauffez la bière jusqu'à ce qu'elle soit tiède et ajoutez-y la mélasse, le beurre fondu, le sel, le fenouil, le carvi et l'écorce d'orange. Mêlez bien. Ajoutez la levure. Mettez de côté 1 tasse (250 mL) de farine tout usage et mêlez le reste de la farine tout usage et la farine de seigle. Incorporez en battant très vigoureusement environ la moitié du mélange de farines. Couvrez hermétiquement et laissez lever 2 heures à la chaleur. Abaissez à la cuiller et ajoutez le reste de la farine pour produire une pâte plutôt rigide. Cette pâte restera collante. Renversez-la et pétrissez-la vigoureusement, en ajoutant au besoin la farine mise de côté pour empêcher la pâte d'adhérer. Pétrissez jusqu'à ce que la pâte, toujours collante, devienne lisse et élastique. Mettez dans un bol graissé; couvrez et laissez lever jusqu'à obtention du double du volume. Abaissez et façonnez deux demi-sphères. Déposez-les sur une tôle graissée. Couvrez d'un linge et réfrigérez 3 heures. Retirez du réfrigérateur et laissez reposer 1/2 heure à la température de la pièce. Faites cuire de 40 à 45 minutes au four à 375°F (190°C). Laissez refroidir sur une grille en badigeonnant plusieurs fois de beurre fondu.

PÂTE BÂTARDE

Pain au gruau

Il y a une génération, aucune famille des Maritimes ne commençait la journée sans avoir avalé sa large part de bouillie d'avoine. Les restes étaient incorporés à un pain délicieux. De nos jours, bien peu de gens prennent le temps de préparer de la "véritable" bouillie d'avoine pour le déjeuner bien qu'elle constitue toujours l'ingrédient de base de ce merveilleux pain. Puis-je me permettre malgré cela de recommander, quand on la prépare pour le pain, d'en manger un bol au déjeuner par la même occasion!

2 c. à soupe (30 mL) de levure sèche
1/2 tasse (125 mL) d'eau tiède
1 c. à café (5 mL) de sucre
1 tasse (250 mL) de bouillie d'avoine cuite (voir ci-dessous)
2 tasses (500 mL) de lait entier ébouillanté
*3 c. à soupe (50 mL) de saindoux ou de graisse de bacon**
2 à 3 c. à café (10-15 mL) de sel
1/3 de tasse (75 mL) de cassonade bien tassée
5 à 7 tasses (1,5 à 1,75 L) de farine tout usage

* Si vous employez de la graisse de bacon, diminuez la quantité de sel.

Activez la levure avec le sucre dans l'eau tiède. Mettez la bouillie d'avoine cuite dans un grand bol à mélanger. Froide, elle peut être plutôt rigide, mais cela n'a pas d'importance. Ajoutez en mélangeant le lait ébouillanté, le saindoux ou la graisse de bacon, le sel et la cassonade. Mélangez bien le tout pour produire une pâte lisse. Vérifiez la température et ajoutez la levure activée. Incorporez en mélangeant 3 tasses (750 mL) environ de farine et battez très vigoureusement. Continuez à ajouter de la farine jusqu'à ce que la pâte résiste et se détache de la paroi du bol. Renversez et pétrissez bien en ajoutant de la farine jusqu'à ce que la pâte soit molle. La quantité de farine varie selon la proportion d'eau évaporée de la bouillie d'avoine. Pétrissez jusqu'à ce que la pâte devienne lisse et élastique. Mettez dans un bol graissé; couvrez et laissez lever jusqu'à obtention du double du volume. Abaissez, renversez et façonnez trois miches. Déposez-les dans des moules à pain graissés et laissez-les lever jusqu'à obtention du double du volume. Badigeonnez de beurre fondu et faites cuire 30 minutes au four à 375°F (190°C). Retirez du four et laissez refroidir sur une grille.

N.B.: On prépare la bouillie d'avoine avec du gruau. Celui qu'on trouve le plus facilement sur le marché canadien est un gruau de type écossais fabriqué par la compagnie Ogilvy. Plusieurs détaillants d'aliments naturels vendent aussi du gruau. Si vous avez le choix, achetez le plus finement haché. Préparez la bouillie en suivant les instructions du fabricant ou, à défaut, en procédant comme suit:

Portez 1 tasse (250 mL) d'eau au point d'ébullition dans la partie supérieure d'un bain-marie. Ajoutez 1/4 de c. à café (1 mL) de sel et 1/4 de tasse (60 mL) de gruau en un mince filet tout en mélangeant constamment pour éviter la formation de grumeaux. Placez la partie supérieure du bain-marie sur la partie inférieure remplie d'eau bouillante et faites cuire au moins 1 heure en mélangeant de temps en temps. On peut préparer la bouillie la veille à condition de ne pas la découvrir.

PÂTE BÂTARDE

Pain noir allemand "Pumpernickel"

Les nuances de couleur du pain à la grosse farine de seigle des boulangeries commerciales proviennent de la plus ou moins grande quantité d'essence de caramel qui entre dans sa fabrication.

2 c. à soupe (30 mL) de levure sèche
1 c. à café (5 mL) de sucre
1/2 tasse (125 mL) d'eau tiède
2 tasses (500 mL) d'eau ou d'eau de pommes de terre bouillante
1 1/2 c. à soupe (25 mL) de sel
1/2 tasse (125 mL) de farine de maïs dorée
1/4 de tasse (60 mL) de mélasse
1 tasse (250 mL) de pommes de terre en purée
1 c. à soupe (15 mL) de shortening
1 c. à café à 1 1/2 c. à soupe (5 à 25 mL) de Kitchen Bouquet *ou d'essence de caramel*
4 tasses (1 L) de farine de seigle
4 à 5 tasses (1 à 1,25 L) de farine blanche

Activez la levure avec le sucre dans l'eau tiède. Mettez dans un grand bol à mélanger le sel, la mélasse, les pommes de terre en purée et le *shortening.* Versez-y l'eau bouillante et mélangez bien. Laissez tiédir, vérifiez la température et ajoutez la levure. Mélangez en versant le colorant jusqu'à la nuance désirée. Mêlez la farine de maïs, la farine de seigle et la farine blanche dont vous prélèverez 1 tasse (250 mL) que vous mettrez de côté. Incorporez au mélange liquide en battant vigoureusement jusqu'à ce que la pâte se détache de la paroi du bol. Renversez et pétrissez en ajoutant suffisamment de farine pour produire une pâte molle. Couvrez et laissez reposer 15 minutes; pétrissez de nouveau 15 minutes, en rajoutant de la farine au besoin. Mettez dans un bol graissé; couvrez et laissez lever jusqu'à obtention du double du volume. Abaissez, renversez et pétrissez encore un peu. Couvrez, laissez reposer 10 minutes et façonnez deux miches rondes. Déposez-les sur une tôle à cuisson graissée, couvrez d'un linge et laissez lever jusqu'à obtention du double du volume. Faites cuire 50 minutes au four à 350°F (176°C); laissez refroidir sur une grille. Le pain de farine de seigle peut être, au goût, badigeonné d'une glace de fécule de maïs ou de fécule de pommes de terre. Pour ce faire, reportez-vous au sous-chapitre intitulé *La glace des miches* dans le chapitre de *La cuisson du pain.*

PÂTE BÂTARDE

Pain brun du Québec

2 c. à soupe (30 mL) de levure sèche
1 c. à café (5 mL) de sucre
1/2 tasse (125 mL) d'eau tiède
1 tasse (250 mL) d'eau froide
1 tasse (250 mL) de lait ébouillanté
1/3 de tasse (75 mL) de mélasse
1/3 de tasse (75 mL) de shortening *ou de saindoux*
1 1/2 c. à soupe (25 mL) de sel
5 tasses (1,25 L) de farine de blé entier
2 1/2 tasses (625 mL) de farine tout usage

Activez la levure avec le sucre dans l'eau tiède. Mettez le *shortening,* la mélasse et le sel dans un grand bol et versez-y le lait ébouillanté. Mélangez pour faire fondre le shortening. Ajoutez l'eau chaude. Vérifiez la température et ajoutez la levure. Mêlez les farines en mettant de côté un peu de farine tout usage pour le pétrissage. Battez le mélange de farines dans le mélange liquide jusqu'à ce que la pâte se raffermisse et se détache de la paroi du bol. Renversez sur la planche et pétrissez vigoureusement, en ajoutant suffisamment de farine pour produire une pâte molle. Continuez à pétrir jusqu'à ce que la pâte devienne élastique, en ajoutant de la farine au besoin. Mettez dans un bol graissé; couvrez et laissez lever jusqu'à obtention du double du volume. Abaissez, façonnez deux miches et déposez-les dans des moules à pain graissés. Couvrez d'un linge et laissez lever jusqu'à obtention du double du volume ou peut-être un peu plus. Faites cuire de 25 à 30 minutes au four à 400°F (204°C). Démoulez et laissez refroidir sur une grille.

PÂTE BÂTARDE

Pain d'avoine en flocons

Un pain qui a la faveur des habitants des Maritimes!

2 c. à soupe (30 mL) de levure sèche
1 c. à café (5 mL) de sucre
1/2 tasse (125 mL) d'eau tiède
1 tasse (250 mL) d'avoine en flocons
2 tasses (500 mL) d'eau bouillante
1 c. à soupe (15 mL) de sel
1/2 tasse (125 mL) de mélasse
1/3 de tasse (75 mL) d'huile
1 oeuf battu
6 à 7 tasses (1,5 à 1,75 litre) de farine tout usage

Activez la levure avec le sucre dans l'eau tiède. Mettez l'avoine dans un grand bol et versez-y l'eau bouillante. Laissez reposer 10 minutes. Ajoutez en mélangeant le sel, la mélasse, l'huile et l'oeuf battu. Vérifiez la température et ajoutez la levure. Battez vigoureusement. Continuez de battre en ajoutant de la farine jusqu'à ce que la pâte résiste et se détache de la paroi du bol. Renversez et pétrissez jusqu'à ce que la pâte devienne élastique. Mettez dans un bol graissé; couvrez et laissez lever jusqu'à obtention du double du volume. Abaissez et façonnez deux miches. Déposez-les dans des casseroles graissées et laissez-les lever jusqu'à obtention du double du volume. Faites cuire 1 heure au four à 300°F (149°C). Retirez du four, démoulez et laissez refroidir sur une grille.

N.B.: Servez-vous d'avoine à l'ancienne ou à cuisson rapide, mais non "instantanée". Remplacez, au goût, 1 tasse (250 mL) de farine tout usage par 1 tasse (250 mL) de farine de blé entier.

PÂTE BÂTARDE

Pain de seigle

Voici un pain de seigle léger, idéal pour les sandwiches à la viande fumée.

2 c. à soupe (30 mL) de levure sèche
2 1/2 tasses (625 mL) d'eau tiède
1/2 tasse (125 mL) de miel
1 c. à soupe (15 mL) de sel
2 c. à soupe (30 mL) de shortening *fondu et refroidi*
2 1/2 tasses (625 mL) de farine de seigle
5 à 6 tasses (1,25 à 1,5 L) de farine tout usage
2 c. à soupe (30 mL) de graines de carvi (au goût)

Activez la levure avec le sucre et le miel dans l'eau tiède. Une fois la levure bien activée, ajoutez-y le sel et le *shortening*. Mélangez bien. Ajoutez la farine de seigle et les graines de carvi et battez vigoureusement. Ajoutez suffisamment de farine tout usage pour produire une pâte molle. Pétrissez jusqu'à ce que cette pâte prenne une consistance lisse et élastique, en ajoutant de la farine pour l'empêcher d'adhérer. Mettez dans un bol graissé; couvrez et laissez lever jusqu'à ce que le volume ait atteint son double ou juste un peu plus. Abaissez la pâte, pétrissez 2 ou 3 minutes et laissez reposer sous le bol. Façonnez deux miches cylindriques en vous reportant au chapitre intitulé *La pâte en forme* et déposez-les sur une tôle saupoudrée de farine de maïs. Couvrez d'un linge et laissez lever jusqu'à obtention du double du volume. Pratiquez plusieurs entailles superficielles en travers des miches avec une lame de rasoir ou un couteau aiguisé. Laissez lever encore quelques minutes. Faites cuire 35 minutes au four à 400°F (204°C), en glaçant la pâte au goût avec une glace de fécule de pommes de terre ou de maïs. Laissez refroidir sur une grille.

PÂTE DOUCE

Pain "Triticale"

2 c. à soupe (30 mL) de levure sèche
1 c. à café (5 mL) de sucre

1/2 tasse (125 mL) d'eau tiède
1 tasse (250 mL) de flocons de Triticale
2 tasses (500 mL) d'eau bouillante
1 c. à soupe (15 mL) de sel
2 c. à soupe (30 mL) de sirop de maïs
1/4 de tasse (60 mL) de beurre
2 tasses (500 mL) de farine de blé entier
3 tasses (750 mL) de farine tout usage

Activez la levure avec le sucre dans l'eau tiède. Mettez les flocons de *Triticale* dans un grand bol à mélanger avec le sel, le sirop de maïs et le beurre, puis versez l'eau bouillante. Mélangez et laissez reposer jusqu'à ce que le tout soit tiède. Vérifiez la température, ajoutez la levure, en mélangeant, la farine de blé entier, puis battez vigoureusement avec un mixeur. Incorporez la farine tout usage en continuant de mélanger jusqu'à ce que la pâte résiste, mais arrêtez-vous avant qu'il ne soit plus possible de la battre. Couvrez et laissez lever jusqu'à obtention du double du volume. Abaissez à la cuiller et déposez dans deux casseroles graissées 1 pinte (1 L). Faites cuire de 40 à 45 minutes au four à 350°F (176°C). Démoulez et laissez refroidir sur une grille.

PÂTE BÂTARDE

Pain aux germes de blé

Voici un pain délicat, léger, à base de farine de blé entier tamisée, c'est-à-dire d'une farine dont la balle est absente, mais non le germe.

1 c. à soupe (15 mL) de levure sèche
1 c. à café (5 mL) de sucre
1/2 tasse (125 mL) d'eau tiède
1 1/2 tasse (375 mL) d'eau
1/2 tasse (125 mL) de lait
3 c. à soupe (50 mL) de beurre fondu et refroidi
3 c. à soupe (50 mL) de sucre
2 c. à café (10 mL) de sel
1/2 tasse (125 mL) de germes de blé
5 à 6 tasses (1,25 à 1,5 L) de farine de blé entier tamisée

Activez la levure avec 1 c. à café (5 mL) de sucre dans l'eau tiède. Ébouillantez le lait et ajoutez-le à 1 1/2 tasse (375 mL) d'eau dans un grand bol à mélanger. Ajoutez le beurre, le sucre, le sel et les germes de blé. Vérifiez la température et ajoutez la levure. Mélangez. Incorporez le tiers environ de la farine et battez vigoureusement. Continuez de batte en ajoutant de la farine jusqu'à ce que la pâte résiste et se détache de la paroi du bol. Renversez et pétrissez en ajoutant suffisamment de farine pour que la pâte n'adhère pas. Pétrissez-la jusqu'à ce qu'elle devienne lisse et élastique. Mettez-la dans un bol graissé; couvrez et laissez lever jusqu'à obtention du double du volume. Abaissez, façonnez deux miches et déposez-les dans deux moules à pain graissés. Couvrez d'un linge; laissez lever jusqu'à obtention du double du volume et faites cuire de 25 à 30 minutes au four à 400°F (204°C). Démoulez et laissez refroidir sur une grille.

N.B.: S'il vous est difficile de vous procurer de la farine tamisée, employez de la farine tout usage, mais mettez 2/3 de tasse (175 mL) de germes de blé au lieu de la quantité indiquée.

PÂTE BÂTARDE

Pain de blé entier

1 c. à soupe (15 mL) de levure sèche
1 c. à café (5 mL) de sucre
1 tasse (250 mL) d'eau tiède
1/3 de tasse (75 mL) de cassonade pâle
1 tasse (250 mL) de lait ébouillanté
2 c. à café (10 mL) de sel
2 c. à soupe (30 mL) de beurre
5 à 6 tasses (1,25 à 1,5 L) de farine de blé entier

Activez la levure avec le sucre dans l'eau tiède. Ajoutez la cassonade, le sel et le beurre au lait ébouillanté et mélangez pour faire fondre le beurre et dissoudre le sucre. Laissez reposer jusqu'à ce que le mélange s'attiédisse et vérifiez la température avant d'ajouter la levure. Mélangez et incorporez le tiers environ de la farine, puis battez avec vigueur. Après avoir ainsi battu plusieurs minutes, ajoutez suffisamment de farine pour produire une pâte molle qui se détache de la paroi du bol. Renversez et pétrissez vigoureusement en rajoutant suffisamment de farine pour que la pâte n'adhère pas. Pétrissez jusqu'à ce que la pâte devienne élastique. Elle n'aura pas la texture satinée de la pâte blanche, mais devra être vraiment élastique. Mettez dans un bol graissé, couvrez hermétiquement, puisque cette pâte sèche encore plus rapidement que la pâte blanche, et laissez lever jusqu'à obtention du double du volume. Abaissez, pétrissez légèrement et façonnez deux miches. Déposez-les dans des moules à pain graissés et badigeonnez-les de beurre fondu ou de graisse végétale. Couvrez d'un linge et laissez lever jusqu'à obtention d'un peu plus du double du volume. Faites cuire 10 minutes au four à 400°F (204°C); réduisez ensuite la température à 375°F (190°C) et faites cuire encore 35 minutes en couvrant la croûte d'un morceau de papier d'aluminium si elle semble trop brunir. Démoulez et laissez refroidir sur une grille.

PÂTE BÂTARDE

Pain de blé entier aux pommes de terre

2 c. à soupe (30 mL) de levure sèche
1 c. à café (5 mL) de sucre
1/2 tasse (125 mL) d'eau tiède
2 pommes de terre crues, pelées et râpées
3 tasses (750 mL) de lait de beurre
1 1/2 c. à soupe (25 mL) de sel
5 tasses (1,25 L) environ de farine tout usage
5 tasses (1,25 L) de farine de blé entier

Servez-vous du robot culinaire pour râper les pommes de terre. Faites-les chauffer avec le lait de beurre et le sel jusqu'à ce que le mélange soit tiède. Entre-temps, activez la levure avec le sucre dans l'eau tiède. Transvidez le mélange à base de lait de beurre dans un grand bol à mélanger et vérifiez-en la température. Ajoutez la levure activée. Incorporez en mélangeant la moitié de la farine et battez vigoureusement. Ajoutez de la farine jusqu'à ce que la pâte se détache de la paroi du bol. Renversez et pétrissez vigoureusement jusqu'à ce que la pâte devienne lisse et élastique. Mettez-la dans un bol graissé, couvrez, et laissez lever jusqu'à obtention du double du volume. Abaissez et pétrissez légèrement. Façonnez deux miches rondes ou campagnardes que vous déposerez sur une tôle saupoudrée de farine de maïs. Laissez lever jusqu'à obtention du double du volume. Faites cuire de 30 à 35 minutes au four à 375°F (190°C). Laissez refroidir sur une grille.

PAINS À LA SARRIETTE ET AUX HERBES

Les saveurs si particulières des pains dont voici les recettes, pour éloignées qu'elles soient de l'ordinaire, n'en devraient pas moins s'harmoniser au goût des aliments qu'ils accompagnent. Dans la plupart des cas, ils se marient bien à la soupe et font de délicieux sandwiches. Tartinés de beurre ou de fromage, ils peuvent remplacer ceux-ci. Ces variétés de pain sont plus faciles à servir et se mangent mieux que la plupart des biscottes salées et très assaisonnées que l'on offre habituellement lors d'un coquetel et peuvent ainsi trancher sur les habitudes.

Les recettes que l'on trouvera aux pages suivantes produisent, pour la plupart, une quantité de pâte inférieure à celle que produisent les recettes de pains blancs ou de pains bruns mais puisque de telles miches sont le plus souvent servies lors d'occasions spéciales, il est préférable qu'elles soient plus petites, de l'ordre de 1 livre (500 g). En ce sens, il est aussi préférable de les cuire dans de petits plutôt que dans de grands moules à pain.

Si l'on préfère la farine de blé entier, on peut remplacer jusqu'au tiers des quantités de farine tout usage requises par ces recettes sans que celles-ci en soient modifiées pour autant. La saveur du pain s'en trouvera cependant considérablement altérée.

PÂTE BÂTARDE

Pain au carvi

On peut, au goût, remplacer le carvi par du fenouil ou de l'anis.

2 c. à café (10 mL) de levure sèche
1/2 c. à café (2 mL) de sucre

3 c. à soupe (50 mL) d'eau tiède
1 c. à café (5 mL) de sel
1/2 tasse (125 mL) de lait ébouillanté
1/2 tasse (125 mL) de beurre
1 oeuf
2 c. à café (10 mL) de sucre
1 à 1 1/2 c. à soupe (15 à 25 mL) de graines de carvi
4 tasses (1 L) de farine

Activez la levure avec 1/2 c. à café (2 mL) de sucre dans de l'eau tiède. Ébouillantez le lait, ajoutez-y le sel et le reste du sucre et laissez tiédir. Ajoutez l'oeuf, vérifiez la température, puis ajoutez la levure activée. Incorporez en mélangeant les graines de carvi et, peu à peu, toute la farine. Pétrissez en ajoutant le beurre par petites quantités à la fois. La consistance du beurre est importante: elle ne doit pas être dure, mais, comme il est particulièrement salissant d'incorporer à la pâte du beurre trop mou et huileux, juste assez ferme pour retenir l'empreinte d'un doigt. Quand le beurre est complètement intégré et que la pâte est devenue lisse, mettez celle-ci dans un bol graissé et laissez-la lever jusqu'à obtention du double du volume. Abaissez et pétrissez de nouveau 3 ou 4 minutes. Façonnez une ou deux miches rondes. Déposez-les sur une tôle graissée et laissez-les lever jusqu'à obtention de près du double du volume. Faites cuire de 20 à 30 minutes au four à 375°F (190°C). Laissez refroidir sur une grille.

N.B.: Ce pain se prépare très bien à l'aide du robot culinaire qui incorpore admirablement le beurre à la pâte. Si vous vous servez d'un tel appareil, cependant, attendez la fin de l'opération pour ajouter les graines de carvi et faites-le à la main.

PÂTE BÂTARDE

Pain au fromage et au bacon

2 c. à soupe (30 mL) de levure
1 c. à café (5 mL) de sucre
1/2 tasse (125 mL) d'eau tiède
2 c. à soupe (30 mL) de graisse de bacon
1 1/2 tasse (375 mL) de lait ébouillanté
1 oeuf

1/2 livre (250 g) de bacon
1 tasse (250 mL) de fromage cheddar râpé
2 tasses (500 mL) de farine de blé entier
2 1/2 tasses (625 mL) de farine tout usage

Activez la levure avec le sucre dans l'eau tiède. Faites frire le bacon jusqu'à ce qu'il soit croustillant et égouttez-le sur des serviettes de papier. Ajoutez les 2 c. à soupe (30 mL) de graisse de bacon au lait ébouillanté. Laissez le lait tiédir et ajoutez-y l'oeuf légèrement battu. Vérifiez la température et ajoutez la levure. Incorporez en mélangeant la farine de blé entier et suffisamment de farine tout usage pour produire une pâte molle. Râpez le fromage à la main ou à l'aide du robot culinaire. N'utilisez pas de fromage râpé comme on en trouve dans les épiceries. Émiettez le bacon et incorporez-le à la pâte avec le fromage en pétrissant. Pour ce faire, saupoudrez la planche de fromage râpé, de morceaux de bacon et d'un peu de farine (celle-ci acquiert instantanément la saveur des deux autres ingrédients) et pétrissez la pâte fermement par-dessus. Une fois la planche nettoyée, le fromage et le bacon incorporés à la pâte en profondeur, et non en surface, répétez l'opération jusqu'à ce qu'il ne reste plus ni fromage ni bacon. Puis, pétrissez encore 5 minutes. Mettez la pâte dans un bol graissé; couvrez et laissez lever jusqu'à obtention du double du volume. Façonnez deux miches rondes et déposez-les sur des tôles. Couvrez d'un linge et laissez lever jusqu'à obtention du double du volume. Faites cuire de 25 à 30 minutes au four à 375°F (190°C). Laissez refroidir sur une grille.

N.B.: Ne réfrigérez pas cette pâte durant la nuit, car sa saveur pourrait en être altérée.

PÂTE DOUCE

Pain au fromage à base de pâte douce

2 c. à soupe (30 mL) de levure sèche
1 c. à café (5 mL) de sucre
1 tasse (250 mL) d'eau tiède
1 tasse (250 mL) de lait ébouillanté
2 c. à soupe (30 mL) de beurre
1 c. à soupe (15 mL) de sel
1 oeuf battu

1 1/2 tasse (375 mL) de fromage cheddar fort râpé
4 tasses (1 L) de farine tout usage

Activez la levure avec le sucre dans l'eau tiède. Ajoutez le beurre et le sel au lait ébouillanté et laissez refroidir. Ajoutez l'oeuf battu, vérifiez la température et ajoutez la levure activée. Incorporez le fromage et la moitié de la farine. Battez vigoureusement avec un mixeur au moins 5 minutes. Ajoutez le reste de la farine en battant vigoureusement avec une cuiller en bois. Couvrez et laissez lever jusqu'à obtention du double du volume. Abaissez à la cuiller et déposez dans deux cocottes graissées de 1 pinte (1 L) chacune. Laissez lever jusqu'à obtention du double du volume. Faites cuire 40 minutes au four à 375°F (190°C). Retirez les cocottes et laissez refroidir sur une grille.

PÂTE BÂTARDE

Pain au fromage

Voici une recette modèle susceptible de nombreuses adaptations. Le goût du pain qu'on obtient en s'y conformant peut être complètement modifié selon le fromage qui entre dans sa composition. Ce pain est excellent grillé. On peut aussi l'émietter, mêlé à un peu de beurre fondu, de sel et de poivre, sur un plat en cocotte auquel il faut une garniture de chapelure.

1 c. à soupe (15 mL) de levure sèche
1 c. à café (5 mL) de sucre
1 1/2 tasse (375 mL) d'eau tiède
1 c. à café (5 mL) de sel
1 oeuf
1/3 de tasse (75 mL) d'huile
1 c. à café (5 mL) de sauce aux piments "Tabasco"
1 tasse (250 mL) de fromage râpé ou déchiqueté
5 à 6 tasses (1,25 à 1,5 L) de farine tout usage

Activez la levure avec le sucre dans l'eau tiède. Une fois la levure bien activée, ajoutez dans cet ordre l'oeuf, le sel, l'huile et la sauce "Tabasco". Incorporez en mélangeant 2 tasses (500 mL) environ de farine et battez vigoureusement. Ajoutez de la farine jusqu'à ce que la pâte résiste et se détache de la paroi du bol. Renversez et pétrissez, en ajoutant suffisamment de farine pour produire une pâte molle. Continuez à pétrir jusqu'à ce que la pâte devienne élastique et d'une douceur satinée. Mettez dans un bol graissé; couvrez et laissez lever jusqu'à obtention du double du volume. Abaissez, renversez et pétrissez sur le fromage. Vous pouvez employer du romano, du parmesan ou un mélange des deux. Pour varier, mélangez un quart de romano ou de parmesan râpé et trois quarts de cheddar, de gruyère, d'emmenthal, de chesire ou de leicester rouge déchiqueté. Une fois le fromage bien incorporé à la pâte, façonnez deux miches et déposez celles-ci dans des moules à pains graissés. Couvrez d'un linge et laissez lever jusqu'à obtention du double du volume. Badigeonnez de beurre fondu et faites cuire de 30 à 35 minutes au four à 375°F (190°C). Démoulez et laissez refroidir sur une grille.

PÂTE BÂTARDE

Pain à l'aneth

Ce pain est d'origine suédoise.

1 c. à soupe (15 mL) de levure sèche
1 c. à café (5 mL) de sucre
1 tasse (250 mL) d'eau tiède
1/2 tasse (125 mL) de miel
1 oeuf
1/2 tasse (125 mL) d'huile
1 tasse (250 mL) de farine de seigle
3 tasses (750 mL) de farine tout usage
2 c. à café (10 mL) de graines d'aneth broyées
1 c. à café (5 mL) de sel

Activez la levure avec le sucre dans l'eau tiède. Mêlez les farines avec les graines d'aneth et le sel dans un bol à mélanger. Creusez un puits dans le mélange où vous mettrez la levure, le miel et l'huile. Mélangez de façon à produire une pâte épaisse. Renversez et pétrissez très vigoureusement sur une planche enfarinée en rajoutant suffisamment de farine pour que la pâte n'adhère pas. Veillez à ne pas ajouter trop de farine puisqu'il s'agit d'une pâte collante. Mettez dans un bol graissé; couvrez et laissez lever jusqu'à obtention du double du volume. Abaissez, renversez et façonnez une miche. Déposez celle-ci dans un moule à pain graissé et laissez-la lever jusqu'à obtention du double du volume. Faites cuire de 35 à 40 minutes au four à 375 °F (190 °C). Retirez du four et laissez refroidir sur une grille.

PÂTE DOUCE

Pain de blé entier au fromage et à l'aneth

1 c. à soupe (15 mL) de levure sèche
1 c. à café (5 mL) de sucre
1/2 tasse (125 mL) d'eau tiède
1 tasse (250 mL) de fromage cottage *en crème*
1 oeuf
2 c. à café (10 mL) d'oignon haché ou d'échalote française séchée
2 c. à café (10 mL) d'aneth frais haché
1 c. à café (5 mL) de sel
1/4 de c. à café (1 mL) de bicarbonate de soude
1 tasse (250 mL) de farine de blé entier
1 1/2 tasse (375 mL) de farine tout usage

Activez la levure avec le sucre dans l'eau tiède. Faites chauffer légèrement le fromage *cottage* jusqu'à ce qu'il ait atteint la température de 100°F (38°C) et ajoutez-le à la levure dans le bol à mélanger. Ajoutez l'oeuf battu, l'oignon, l'aneth, le sel, le bicarbonate de soude et la farine de blé entier et battez 5 minutes avec un mixeur. Incorporez en mélangeant le reste de la farine et battez vigoureusement avec une cuiller en bois. Couvrez et laissez lever jusqu'à obtention du double du volume. Abaissez à la cuiller, puis déposez dans deux petits moules à pain ou deux moules à soufflé d'une capacité d'une chopine (500 mL). Laissez lever jusqu'à obtention du double du volume et faites cuire de 30 à 35 minutes au four à 375°F (190°C)

PÂTE FERME

Pain à l'ail

1 c. à soupe (15 mL) de levure sèche
1 c. à café (5 mL) de sucre

1/2 tasse (125 mL) d'eau tiède
3/4 de tasse (175 mL) de farine tout usage
2 tasses (500 mL) d'eau tiède
1/2 c. à café (2 mL) de poudre d'ail
2 c. à café (10 mL) de sel
5 à 6 tasses (1,25 à 1,5 L) de farine tout usage
2 gousses d'ail
3 c. à soupe (50 mL) de beurre mou

Activez la levure avec le sucre dans 1/2 tasse (125 mL) d'eau tiède. Une fois la levure bien activée, mélangez-y les 3/4 de tasse (175 mL) de farine et donnez à cette pâte la forme d'une balle. Si la pâte n'a pas la fermeté suffisante pour conserver une telle forme, ajoutez un peu de farine. Déposez cette balle dans un grand plat à mélanger après y avoir versé les 2 autres tasses (500 mL) d'eau tiède. Couvrez et laissez environ 2 heures à la chaleur. Mélangez, puis ajoutez la poudre d'ail et le sel et incoporez en mélangeant suffisamment de farine pour produire une pâte plutôt ferme. Renversez et pétrissez sur une planche à pain où vous aurez préalablement broyé les gousses d'ail. Une planche à steak fait tout aussi bien l'affaire. Une fois que la pâte est devenue élastique et a pris une consistance lisse et satinée, mettez-la dans un bol graissé; couvrez et laissez lever jusqu'à obtention du double du volume Formez deux baguettes en vous reportant au chapitre intitulé *La pâte en forme.* Déposez-les sur une tôle graissée, couvrez d'un linge et laissez lever jusqu'à obtention du double du volume. Entre-temps, mettez l'ail et le beurre dans un poêlon et chauffez jusqu'à ce que le mélange écume. Badigeonnez la pâte levée de beurre à l'ail et faites cuire 10 minutes au four à 400°F (204°C). Réduisez alors la chaleur à 375°F (190°C) et faites cuire encore 30 minutes. Retirez du four et laissez refroidir sur une grille. Quand la pâte est tiède, badigeonnez-la de nouveau de beurre à l'ail. Remettez 5 minutes au four à 375°F (190°C) Servez ce pain chaud. S'il est froid au moment où vous voulez le présenter, badigeonnez-le de beurre à l'ail, enveloppez-le de papier d'aluminium et mettez-le 10 minutes au four à 400°F (204°C).

PÂTE DOUCE

Pain aux herbes à base de pâte douce

1 c. à soupe (15 mL) de levure sèche
1 c. à café (5 mL) de sucre

1/2 tasse (125 mL) d'eau tiède
1 tasse (250 mL) de lait ébouillanté
1 oeuf
2 c. à soupe (30 mL) de beurre
1 c. à café (5 mL) de sel
2 c. à soupe (30 mL) de sucre
1/2 c. à café (2 mL) de muscade râpée
1 c. à soupe (15 mL) de sarriette d'été
1 c. à soupe (15 mL) de graines de carvi
4 tasses (1 L) de farine

Activez la levure avec le sucre dans l'eau tiède. Ébouillantez le lait et ajoutez-y le beurre, le sel et le reste du sucre. Mélangez et laissez tiédir. Ajoutez l'oeuf légèrement battu. Vérifiez la température et ajoutez la levure activée. Réduisez en poudre la sarriette d'été et mêlez-la avec la farine, la muscade et les graines de carvi. Incorporez la moitié de la farine et battez vigoureusement avec un mixeur. Ajoutez le reste de la farine en battant continuellement et en remplaçant le mixeur par une cuiller en bois quand la pâte est devenue trop résistante. Couvrez et laissez lever jusqu'à obtention du double du volume. Abaissez à la cuiller et déposez dans un grand moule à pain ou dans deux petits moules à pain graissés. Laissez lever jusqu'à obtention du double du volume. Faites cuire 10 minutes au four à 400°F (204°C), puis réduisez la température à 375°F (190°C) et faites cuire encore de 20 à 30 minutes selon la taille des miches. Retirez du four et laissez refroidir sur une grille.

PÂTE DOUCE

Pain aux herbes en cocotte

1 c. à soupe (15 mL) de levure sèche
1 c. à café (5 mL) de sucre
1 tasse (250 mL) d'eau tiède
1 tasse (250 mL) de lait ébouillanté
2 c. à soupe (30 mL) de shortening
2 c. à café (10 mL) de sucre
1 c. à soupe (15 mL) de sel
1/4 de c. à café (1 mL) de basilic séché
1/4 de c. à café (1 mL) d'origan séché

1/4 de c. à café (1 mL) de thym
3 à 3 1/2 tasses (750 à 825 mL) de farine tout usage

Activez la levure avec 1 c. à café (5 mL) de sucre dans l'eau tiède. Ébouillantez le lait et ajoutez-y le *shortening,* le sel et le reste du sucre. Mélangez et laissez reposer jusqu'à ce que le tout soit devenu tiède. Vérifiez la température du mélange et ajoutez-le à la levure. Mêlez les herbes sèches à une partie de la farine et ajoutez l'ensemble au liquide en mélangeant. Continuez d'incorporer la farine en battant vigoureusement, d'abord à l'aide d'un mixeur, puis avec une cuiller en bois. Couvrez et laissez lever jusqu'à obtention du double du volume. Abaissez à la cuiller et battez de nouveau avec la cuiller en bois. Déposez dans deux petits moules à pain ou dans deux cocottes d'une pinte (1 L). Faites cuire 30 minutes au four à 350°F (176°C) ou jusqu'à ce que le pain soit à point. Retirez du four et laissez refroidir sur une grille.

PÂTE BÂTARDE

Pain de seigle aux herbes

1 c. à soupe (15 mL) de levure sèche
1 c. à café (5 mL) de sucre
1 tasse (250 mL) d'eau tiède
1 1/2 c. à soupe (25 mL) d'huile
1 c. à soupe (15 mL) de sauce soja
1 c. à soupe (15 mL) de poudre de cari
*1 c. à soupe (15 mL) d'herbes et d'épices fraîches hachées**
1 tasse (250 mL) de farine de seigle
1 tasse (250 mL) de farine de blé entier
1 tasse (250 mL) environ de farine tout usage

* Aneth, coriandre et persil

Activez la levure avec le sucre dans l'eau tiède. Une fois la levure bien activée, ajoutez l'huile et la sauce soja. Mêlez la poudre de cari, les herbes hachées et la farine de seigle. Ajoutez le tout, en mélangeant, à la levure et battez vigoureusement à l'aide d'un mixeur. Incorporez la farine de blé entier et battez vigoureusement avec une cuiller en bois. Ajoutez la farine jusqu'à ce que la pâte résiste. Renversez et pétrissez vigoureusement en ajoutant de la farine au besoin pour que la pâte n'adhère pas. Mettez dans un bol graissé; couvrez et laissez lever jusqu'à obtention du double du volume. Abaissez et formez une miche ronde. Déposez celle-ci sur une tôle graissée, couvrez d'un linge et laissez lever jusqu'à obtention du double du volume. Badigeonnez d'une glace de fécule de maïs ou de fécule de pommes de terre et faites cuire 40 minutes au four à 350°F (176°C). Retirez du four et laissez refroidir sur une grille.

PÂTE BÂTARDE

Pain à l'oignon

Ce savoureux pain peut être fait de soupe maison, mais, à défaut, de soupe en conserve ou, à la rigueur, de soupe en sachet.

1 c. à soupe (15 mL) de levure sèche
1 c. à café (5 mL) de sucre
1/2 tasse (125 mL) d'eau tiède
2 boîtes de 10 onces (284 mL) de soupe à l'oignon concentrée
2 c. à soupe (30 mL) de cassonade
2 c. à café (10 mL) de sel
2 c. à soupe (30 mL) de shortening
6 à 7 tasses (1,5 à 1,75 L) de farine tout usage

Activez la levure avec le sucre dans l'eau tiède. Faites chauffer la soupe sans la diluer jusqu'à ce qu'elle soit tiède et ajoutez-y en mélangeant la cassonade, le sel et le *shortening*. Vérifiez la température et ajoutez la levure. Incorporez sans cesser de mélanger le tiers environ de la farine et battez très vigoureusement. Continuez de battre en ajoutant de la farine jusqu'à ce que la pâte résiste et se détache de la paroi du bol. Renversez et pétrissez; ajoutez suffisamment de farine pour obtenir une pâte plutôt ferme. Pétrissez jusqu'à ce que la pâte devienne élastique et lisse. Mettez-la dans un bol graissé; couvrez et laissez lever jusqu'à obtention du double du volume. Abaissez et formez trois longues miches du genre baguette. Déposez-les sur des tôles à cuisson saupoudrées de farine de maïs. Entaillez la pâte en diagonale dans toute sa longueur avec une lame de rasoir ou un couteau bien aiguisé. Couvrez d'un linge et laissez lever jusqu'à obtention du double du volume. Faites cuire de 25 à 30 minutes au four à 400°F (204°C) en badigeonnant les miches d'eau salée après 15 minutes de cuisson. Retirez du four et laissez refroidir sur une grille.

PÂTE BÂTARDE

Pain aux fines herbes

1 c. à soupe (15 mL) de levure sèche
1 c. à café (5 mL) de sucre
1 tasse (250 mL) d'eau tiède
1 oeuf entier
1 jaune d'oeuf
1 c. à café (5 mL) de sel
2 c. à café (10 mL) de shortening *fondu et refroidi*
2 c. à café (10 mL) de persil haché très fin
1 c. à café (10 mL) de ciboulette hachée fin
1/2 c. à café (2 mL) de basilic ou d'aneth haché
2 c. à café (10 mL) de graines de céleri
4 tasses (1 L) environ de farine

Activez la levure avec le sucre dans l'eau tiède. Une fois la levure bien activée, ajoutez-y le sel et le *shortening.* Battez l'oeuf entier et le jaune d'oeuf avec les herbes en veillant à n'employer que des herbes fraîches et ajoutez le tout à la levure. Mêlez les graines de céleri à une partie de la farine et incorporez au liquide; mélangez bien. Battez vigoureusement en ajoutant de la farine jusqu'à ce que la pâte résiste et se détache de la paroi du bol. Renversez et pétrissez jusqu'à ce que la pâte devienne lisse et satinée; ajoutez de la farine au besoin pour l'empêcher d'adhérer. Mettez dans un bol graissé et laissez lever jusqu'à obtention du double du volume. Plus cette pâte met de temps à lever, plus la saveur des herbes est prononcée. On peut la faire lever la nuit durant au réfrigérateur. Abaissez, renversez et formez une miche. Déposez celle-ci dans un moule à pain graissé et laissez lever jusqu'à obtention du double du volume. Faites cuire 20 minutes au four à 375°F (190°C), puis badigeonnez de blanc d'oeuf battu dans un peu d'eau. Saupoudrez de gros sel et faites cuire encore 20 minutes. Si vous désirez une miche de forme libre, à la française, épaississez la pâte et déposez-la sur une tôle graissée. Laissez refroidir sur une grille. Ce pain accompagne les plats à base d'oeufs.

PÂTE BÂTARDE

Pain à la citrouille

S'il vous reste de la purée de citrouille après vous en être servi pour les tartes, les gâteaux, les *muffins* et les poudings, utilisez-la dans la confection de ce pain épicé à la citrouille. Des courges font tout aussi bien l'affaire.

1 c. à soupe (15 mL) de levure sèche
1/2 tasse (125 mL) d'eau tiède
1 c. à café (5 mL) de sucre
1 tasse (250 mL) de lait ébouillanté
1 c. à soupe (15 mL) de sel
3 c. à soupe (50 mL) de mélasse
2 c. à soupe (30 mL) de beurre ou de shortening
1 oeuf
3/4 de tasse (150 mL) de citrouille cuite en purée
1 c. à café (5 mL) de cannelle
1 c. à café (5 mL) de muscade
5 à 7 tasses (1,25 à 1,75 L) de farine tout usage
beurre fondu
1 tasse (250 mL) de sucre
2 c. à café (10 mL) de cannelle

Activez la levure avec 1 c. à café (5 mL) de sucre dans de l'eau tiède. Dans un grand bol à mélanger, ajoutez au lait ébouillanté le sel, la mélasse, le beurre et la citrouille. Laissez tiédir, ajoutez l'oeuf légèrement battu, vérifiez la température, puis ajoutez la levure. Mêlez un tiers de la farine avec 1 c. à café (5 mL) de cannelle et la muscade et ajoutez en mélangeant. Battez vigoureusement. Incorporez en mélangeant suffisamment de farine pour produire une pâte molle. La quantité de farine varie grandement selon le taux d'humidité de la purée de citrouille. Pétrissez de 8 à 10 minutes en ajoutant de la farine au besoin pour que la pâte n'adhère pas. Mettez dans un bol graissé; couvrez et laissez lever jusqu'à obtention du double du volume. Abaissez, renversez et divisez en deux. Abaissez de manière à former deux rectangles de 8" x 10" (20 x 25 cm). Badigeonnez de beurre fondu et saupoudrez de sucre et de cannelle mêlés. Roulez dans le sens de la longueur. Déposez, en veillant à ce que la bordure soit dirigée vers le bas, dans des moules à pain graissés. Couvrez d'un linge et laissez lever jusqu'à obtention du double du volume. Faites cuire 30 à 35 minutes au four à 400°F (204°C).

PÂTE BÂTARDE

Pain rouge aux betteraves

Ce pain coloré peut faire grand effet lors d'une dégustation de *smorgasbord* scandinave sur canapés.

1 c. à soupe (15 mL) de levure sèche
1 1/2 tasse (375 mL) d'eau tiède
1/2 tasse (125 mL) de miel
1 tasse (250 mL) de purée de betteraves cuites
1 c. à soupe (15 mL) de sel
1/3 de tasse (75 mL) d'huile
5 à 7 tasses (1,25 à 1,75 L) de farine

Activez la levure avec une cuillerée de miel dans l'eau tiède. Une fois la levure bien activée, ajoutez le reste du miel, le sel, l'huile et la purée de betteraves qui doit être très lisse et crémeuse. Comme le robot culinaire ne permet pas d'obtenir la texture désirable, la meilleure façon d'y parvenir consiste à passer les betteraves au moulin à légumes ou à travers un tamis à mailles serrées. Ajoutez de la farine au mélange et battez vigoureusement. Incorporez de la farine jusqu'à ce que la pâte résiste et se détache de la paroi du bol. La quantité de farine varie grandement selon le taux d'humidité de la purée de betteraves. Pétrissez jusqu'à ce que la pâte devienne lisse et mettez dans un bol graissé; couvrez et laissez lever jusqu'à obtention du double du volume. Abaissez et formez deux ou trois miches. Déposez-les dans des moules à pain graissés, couvrez-les d'un linge et laissez-les lever jusqu'à obtention du double du volume. Faites cuire de 35 à 40 minutes au four à 350°F (176°C). Démoulez et laissez refroidir sur une grille. Si vous vous servez de ce pain pour la confection de sandwiches, veillez à lui enlever sa croûte; son apparence s'en trouvera embellie de beaucoup.

PAINS SUCRÉS OU AUX FRUITS POUR ACCOMPAGNER LE THÉ

Voici du pain sucré qui, dans plusieurs cas, mériterait plutôt l'appellation de gâteau puisqu'avant l'invention de la poudre à lever (à pâte), au milieu du siècle dernier, on se servait de levure pour en faire lever la pâte. La rapidité d'action de son agent chimique devait asseoir la popularité de la poudre à lever en boulangerie et en pâtisserie, mais on n'en a pas moins conservé la meilleure part des recettes anciennes. L'invention de la poudre à lever ayant coïncidé avec une augmentation des ressources sucrières, le nouveau gâteau avait tendance à être plus sucré que celui des générations précédentes, et l'on devait en venir, dans plusieurs cas, à le considérer et à l'employer plutôt comme un pain. Ainsi l'a-t-on servi de plus en plus souvent avec le thé de fin d'après-midi ou lors de la pause café bien que le savarin, par exemple, soit demeuré un dessert. Les recettes que voici produisent un pain assez raffiné pour ne pas déparer les plateaux de l'hôtel Empress à l'heure du thé, mais en même temps assez nourrissant et assez simple pour se consommer dans un chalet des Laurentides après une journée de ski ou lors de réunions autour d'un café matinal.

On ne saurait décemment recommander ces recettes aux personnes qui suivent un régime amaigrissant; cependant, il faut souligner qu'à cause de leur volume et de leur légèreté, les produits de boulangerie à base de levure renferment infiniment moins de calories, à tranche égale, qu'un gâteau glacé ou un pain pour le thé à base de poudre à lever.

PÂTE BÂTARDE

Pain aux abricots

Pâte

1 c. à soupe (15 mL) de levure sèche
1 c. à café (5 mL) de sucre
1/2 tasse (125 mL) d'eau tiède
1/2 tasse (125 mL) de lait ébouillanté
1 c. à café (5 mL) de sel
1 oeuf
2 c. à soupe (30 mL) de shortening
1/4 de tasse (60 mL) de sucre
3 à 4 tasses (750 mL à 1 L) de farine tout usage

Garniture

1 1/2 tasse (375 mL) d'abricots cuits et secs
3 c. à soupe (50 mL) de cassonade bien tassée
1 rondelle de citron avec son écorce
1 c. à soupe (15 mL) de brandy

Mélangez les ingrédients à l'aide d'un *blender* ou d'un robot culinaire. Activez la levure avec 1 c. à café (5 mL) de sucre dans l'eau tiède. Mettez le *shortening,* le sel et le reste du sucre dans le lait ébouillanté. Mélangez et laissez refroidir. Ajoutez l'oeuf battu, vérifiez la température et ajoutez la levure activée. Incorporez suffisamment de farine pour produire une pâte plutôt ferme qui se pétrisse bien. Mettez dans un bol graissé; couvrez et laissez lever jusqu'à obtention du double du volume. Abaissez. Divisez la pâte en deux. Abaissez au moyen d'un rouleau à pâte de manière à former deux rectangles de 16" x 18" (32 x 36 cm). Déposez sur des tôles graissées. Tartinez de garniture le centre de chaque rectangle dans le sens de la longueur. Pratiquez à l'aide d'un couteau aiguisé des entailles distantes de 1 pouce (2,5 cm) en bordure des longs côtés de chaque rectangle. Ramenez les bandes par-dessus la garniture en alternant comme pour un tressage. Couvrez d'un linge; laissez lever jusqu'à obtention du double du volume. Badigeonnez d'une glace à l'oeuf et faites cuire 20 minutes au four à 350°F (176°C).

Retirez du four et laissez refroidir sur une grille. Faites couler en un mince fil du sucre glace dilué dans du brandy d'abricot ou du lait.

PÂTE BÂTARDE

Pain aux bananes des Bermudes

Quand je vivais aux Bermudes, nous achetions au panier de minuscules bananes incroyablement sucrées. C'est dans le but de les apprêter de toutes les façons possibles que j'ai conçu ce pain aux bananes. À mon retour au Canada, je me suis aperçue que ma recette donnait de meilleurs résultats avec des bananes blettes, celles dont la pelure avait noirci.

1 c. à soupe (15 mL) de levure sèche
1 c. à café (5 mL) de sucre
1/2 tasse (125 mL) d'eau tiède
2 bananes blettes
2 oeufs
1 tasse (250 mL) de sucre
1/4 de tasse (60 mL) d'huile
1 c. à café (5 mL) de sel
1/2 tasse (125 mL) de lait ébouillanté
4 à 6 tasses (1 à 1,5 L) de farine tout usage

Activez la levure avec 1 c. à café (15 mL) de sucre dans l'eau tiède. Réduisez les bananes en purée très lisse en vous servant d'un *blender* ou d'un robot culinaire. Ajoutez 1 tasse (250 mL) de sucre et poursuivez l'opération. Ajoutez le sel, les oeufs, le miel et l'huile. Transvidez dans un bol à mélanger, vérifiez la température et ajoutez la levure activée. Incorporez en mélangeant 2 tasses (500 mL) de farine et battez très vigoureusement. Ajoutez suffisamment de farine pour produire une pâte molle. Renversez et pétrissez 10 minutes en ajoutant suffisamment de farine pour que la pâte n'adhère pas. La quantité de farine utilisée varie considérablement selon la grosseur et le taux d'humidité des bananes. Mettez dans un bol graissé; couvrez et laissez lever jusqu'à obtention du double du volume. Renversez; divisez la pâte en deux et formez de petites miches. Déposez celles-ci dans de petits moules à pain graissés. Laissez lever jusqu'à obtention du double du volume. Faites cuire de 30 à 35 minutes au four à 375°F (190°C). Démoulez et laissez refroidir sur une grille. La saveur des bananes est relevée quand on grille ce pain. Il fait aussi d'excellents sandwiches au beurre d'arachides.

PÂTE DOUCE

"Kugelhof" au chocolat

Suivez les instructions de la recette de kugelhof ordinaire (p. 241), en omettant l'écorce de citron, les raisins et les amandes. Ajoutez 2 c. à soupe (30 mL) de farine à la quantité indiqué.

Une fois la pâte levée dans le bol, divisez-la en deux. Ajoutez à l'une des deux parts 1 carré de 1 once (28 g) de chocolat non sucré fondu dans 1 c. à soupe (15 mL) de sucre et 1 1/2 c. à soupe (25 mL) de lait. À l'aide d'un rouleau, abaissez chaque part de manière qu'elle ait une épaisseur de 1/4 de pouce (50 mm). Disposez la part de pâte chocolatée sur la part de pâte blanche et roulez comme pour un gâteau roulé. Déposez dans un moule en forme de couronne ou dans un moule à pain. Laissez lever jusqu'à obtention du double du volume. Faites cuire de 40 à 45 minutes au four à 350°F (176°C). Démoulez et laissez refroidir sur une grille. Garnissez de glace au chocolat.

PÂTE BÂTARDE

Gâteau aux pommes "dutch"

De nos jours, on fait habituellement lever ce gâteau avec de la poudre à lever. En voici une version plus ancienne répandue au Canada par les colons allemands qui se sont installés dans le sud de l'Ontario. Le mot "dutch" étant une corruption du mot "deutsch", il serait plus approprié de parler, à propos de cette recette, de gâteau aux pommes allemand ("dutch" signifie hollandais. N.D.T.).

Pâte

1 c. à soupe (15 mL) de levure
1 c. à café (5 mL) de sucre
2 c. à soupe (30 mL) d'eau tiède
1/2 tasse (125 mL) de lait ébouillanté
1/2 c. à café (2 mL) de sel
1/4 de tasse (60 mL) de beurre
1/4 de tasse (60 mL) de sucre
2 oeufs entiers ou 4 jaunes d'oeuf
2 à 3 tasses (500 à 750 mL) de farine tout usage

Garniture

3 pommes surettes
3 c. à soupe (50 mL) de cassonade bien tassée
1/2 c. à café (2 mL) de cannelle
1/4 de c. à café (1 mL) de clous de girofle
1/4 de c. à café (1 mL) de piment de Jamaïque
1/4 de tasse (50 mL) de beurre
1/3 de tasse (75 mL) de gelée de pommes fondue

Activez la levure avec 1 c. à café (5 mL) de sucre dans l'eau tiède. Mettez le sel, le beurre et le reste du sucre dans le lait ébouillanté; mélangez pour faire fondre le beurre et laissez reposer jusqu'à ce que le mélange soit frais. Ajoutez les oeufs ou les jaunes d'oeufs battus et la levure activée. Incorporez en mélangeant la moitié de la farine et battez vigoureusement; ajoutez suffisamment de farine pour produire une pâte lisse. Pétrissez 5 minutes en ajoutant juste assez de farine pour empêcher la pâte d'adhérer. Mettez dans un bol graissé; couvrez et laissez lever jusqu'à obtention du double du volume. Renversez et tassez dans un moule à gâteau de 13" x 9" (33 x 22 cm). Couvrez d'un linge et laissez lever jusqu'à obtention du double du volume.

Pelez et tranchez les pommes en minces lamelles, si possible, à l'aide d'un robot culinaire ou d'un ustensile adapté à cet usage; enlevez-en le coeur. Mêlez la cassonade et les épices et versez sur le tout du beurre fondu. Faites cuire 30 minutes au four à 375°F (190°C). Badigeonnez de gelée de pommes fondue. Servez chaud.

Gâteau aux pommes "dutch" — variante

On peut avec la même pâte, apprêtée de la même façon, produire une variante qui accompagne le café. On remplace alors la garniture aux pommes par la garniture à *streusel* que voici.

1/3 de tasse (75 mL) de farine
1/3 de tasse (75 mL) de cassonade
1/2 c. à café (2 mL) de cannelle
3 c. à soupe (50 mL) de beurre
1 jaune d'oeuf
2 c. à café (10 mL) de lait

Mêlez la farine, le sucre et la cannelle. À l'aide d'un robot culinaire équipé d'une lame d'acier ou au moyen d'une broche à pâtisserie, intégrez le beurre au mélange de façon à ce qu'il prenne l'apparence de chapelure. Mélangez le jaune d'oeuf et le lait et badigeonnez le dessus de la pâte levée. Saupoudrez-la de cette "chapelure". Faites cuire 30 minutes au four à 375°F (190°C). Servez chaud.

PÂTE DOUCE

Pain au miel

Veillez à employer un miel d'une saveur prononcée.

1 c. à soupe (15 mL) de levure sèche
1 c. à café (5 mL) de sucre
3 c. à soupe (50 mL) d'eau tiède
1/2 tasse (125 mL) de lait ébouillanté
1/4 de tasse (60 mL) de miel de fleurs d'oranger ou d'un autre miel brun
1/4 de tasse (60 mL) de beurre
1 oeuf
2 tasses (500 mL) de farine tout usage
1 c. à soupe (15 mL) d'écorce d'orange ou de citron râpée
2 c. à soupe (30 mL) de miel
1/4 de tasse (60 mL) de pacanes *ou de noix de Grenoble concassées*

Activez la levure avec le sucre dans l'eau tiède. Mettez le beurre et 1/4 de tasse (60 mL) de miel dans le lait ébouillanté. Mélangez pour faire fondre le beurre. Laissez reposer jusqu'à ce que le mélange soit tiède. Ajoutez l'oeuf battu. Vérifiez la température, ajoutez la levure activée et l'écorce d'orange. Incorporez en mélangeant la farine et battez vigoureusement avec une cuiller en bois ou un crochet pétrisseur. Couvrez et laissez lever jusqu'à obtention du double du volume. Abaissez à la cuiller, mettez la moitié de la pâte dans un moule à gâteau de 8" x 8" (20 x 20 cm) bien graissé, laissez-y couler en un mince fil les 2 c. à soupe (30 mL) de miel et saupoudrez-les de noix. Disposez le reste de la pâte par-dessus la première partie en égalisant bien pour couvrir le miel et les noix. Laissez lever jusqu'à obtention du double du volume. Faites cuire 35 minutes au four à 375°F (190°C). Laissez refroidir. Badigeonnez de beurre de miel.

N.B.: On trouve le beurre de miel à l'épicerie ou on peut le fabriquer en battant en crème une quantité égale de miel et de beurre dans un mixeur ou un robot culinaire.

PÂTE BÂTARDE

Anneau brioché à la hongroise

1 c. à soupe (15 mL) de levure sèche
3 c. à soupe (50 mL) d'eau tiède
1 c. à café (5 mL) de sucre
1 tasse (250 mL) d'eau
1 c. à café (5 mL) de sel
1/4 de tasse (60 mL) de sucre
2 c. à soupe (30 mL) de shortening
4 tasses (1 L) de farine tout usage
1 oeuf
1/4 de tasse (60 mL) de beurre fondu
1/2 c. à soupe (7 mL) de cannelle
raisins sans pépins
cerises glacées
noix de Grenoble ou pacanes

Activez la levure avec 1 c. à café (5 mL) de sucre dans 3 c. à soupe (50 mL) d'eau tiède. Versez ce qu'il reste d'eau dans un poêlon, ajoutez le sel, 1/4 de tasse (60 mL) de sucre et le *shortening* fondu. Laissez tiédir. Vérifiez la température et versez dans un bol avec la levure et l'oeuf battu. Ajoutez la farine en mélangeant. Pétrissez 5 minutes. Mettez dans un bol graissé et réfrigérez. La pâte peut servir après 8 heures ou se conserver 1 semaine au maximum.

Pour fabriquer l'anneau brioché, mêlez la 1/2 tasse (125 mL) de sucre et la cannelle; mélangez bien. Divisez la pâte levée en 40 morceaux à peu près. Formez des boulettes et trempez-les dans le beurre fondu, puis roulez-les dans le sucre à la cannelle. Graissez de beurre un moule tubulaire. N'employez pas un moule tubulaire à fond amovible, sinon le beurre s'en échappera durant la levée et la cuisson. Entremêlez des demi-cerises et des demi-*pacanes* au fond du moule et déposez-y les boules enrobées en insérant entre elles les raisins et ce qu'il reste de cerises et de pacanes. Le moule sera presque à demi rempli. Recouvrez le moule d'un papier d'aluminium et laissez la pâte lever jusqu'à ce qu'elle en atteigne les bords. Badigeonnez doucement avec le reste du beurre fondu. Faites cuire 45 minutes au four à 375°F (190°C). Couvrez de papier d'aluminium si la couleur devient trop foncée, mais veillez à ce que la cuisson soit complète. Retirez du four et laissez refroidir 5 minutes dans le moule. Renversez sur une grille. Servez tiède. Ne tranchez pas: les brioches se détachent avec les doigts.

PÂTE FERME

"Barnbrack" irlandais

Le nom de ce pain tire son origine de l'ancienne appellation anglaise de la levure, *barn.* Anciennement, on en pesait la pâte et on y incorporait un *poids égal* de fruits secs et candi ainsi que de zestes confits. Avec une teneur en fruits identique à celle d'un gâteau de Noël, le pain était par contre plutôt sec. De nos jours, la teneur en fruits a beaucoup diminué, et cette miche ronde constitue un excellent complément au thé.

2 c. à soupe (30 mL) de levure sèche
1 c. à café (5 mL) de sucre
3 c. à soupe (50 mL) d'eau tiède
1 tasse (250 mL) de lait ébouillanté
2 c. à café (10 mL) de sel
4 tasses (1 L) de farine tout usage
1 c. à café (5 mL) de cannelle
1/2 tasse (125 mL) de beurre
3 oeufs
1/2 tasse (125 mL) de sucre
1 c. à soupe (15 mL) de graines de carvi
1 tasse (250 mL) de raisins de Corinthe
1/2 tasse (125 mL) de zestes confits mélangés hachés
1/2 tasse (125 mL) de raisins sans pépins
1 blanc d'oeuf

Activez la levure avec 1 c. à café (5 mL) de sucre dans l'eau tiède. Faites fondre le sel dans le lait ébouillanté et laissez refroidir jusqu'à ce que le mélange soit tiède. Ajoutez la levure activée et, en mélangeant, la farine entremêlée d'épices. Mélangez bien de façon à ce que toute la farine soit humidifiée et couvrez hermétiquement. Laissez lever plusieurs heures ou toute la nuit au réfrigérateur. Entre-temps, faites macérer les fruits secs dans du thé froid et corsé pour les faire gonfler. Égouttez et asséchez à l'aide de serviettes de papier. Abaissez la pâte et ajoutez-y en battant le beurre, les oeufs et le sucre. Un mixeur équipé d'un crochet pétrisseur fait très bien l'affaire. Ajoutez en battant les graines de carvi et les fruits; veillez à ne pas veiner la pâte. Transvidez dans deux moules à gâteau ronds et graissés d'une profondeur de 8 ou 9 pouces (20 ou 22 cm). Laissez lever jusqu'à obtention du double du volume et enlevez délicatement les raisins qui ont fait surface, sinon ils brûleront. Faites cuire 10 minutes au four à 425°F (218°C), puis réduisez la température à 350°F (176°C) et remettez à cuire 20 minutes. Badigeonnez avec le jaune d'oeuf battu dans un peu d'eau; saupoudrez de sucre et faites cuire encore 20 minutes. Laissez refroidir sur une grille.

PÂTE DOUCE

"Kugelhof"

1/2 c. à soupe (10 mL) de levure sèche
2 c. à soupe (30 mL) d'eau tiède
1/2 c. à café (2 mL) de sucre
1/2 tasse et 2 c. à soupe (150 mL) de lait ébouillanté
1/2 tasse (65 mL) de sucre
6 c. à soupe (100 mL) de beurre
1/2 c. à café (2 mL) de sel
3/4 de c. à café (5 mL) de vanille
1 c. à café (5 mL) de zeste de citron râpé
2 tasses (500 mL) de farine tout usage
1 oeuf
1/4 de tasse (60 mL) de raisins
2 c. à soupe (30 mL) d'amandes émondées et hachées

Activez la levure avec 1/2 c. à café (2 mL) de sucre dans l'eau tiède. Mélangez le beurre et le lait ébouillanté; laissez refroidir. Ajoutez le sucre, le citron, le sel et la vanille. Vérifiez la température et ajoutez la levure activée. Incorporez 1 tasse (250 mL) de farine et battez vigoureusement. Ajoutez l'oeuf et battez au moins 5 minutes au *blender*. Incorporez le reste de la farine. Mélangez bien et couvrez. Laissez lever environ 1 1/2 heure. Ajoutez les raisins et les amandes. Graissez les moules à kugelhof et versez-y la pâte. Laissez lever jusqu'à ce que la pâte en atteigne presque le bord. Faites cuire de 40 à 45 minutes au four à 350°F (176°C).

PÂTE BÂTARDE

Gâteau lardé

En Angleterre, on préparait ce gâteau au temps des moissons. Il ne semble pas qu'on l'ait inclus au menu de la fête de l'Action de grâces en Amérique du Nord, probablement parce que ce menu a été établi par des colons dont l'arrivée est antérieure à l'apparition du gâteau lardé dont l'origine remonte au dix-neuvième siècle. Les seules recettes que j'en aie trouvées au Canada y ont été apportées par des fiancées de guerre britanniques venues du nord de l'Angleterre.

1 c. à soupe (15 mL) de levure sèche
1 c. à café (5 mL) de sucre
3 c. à soupe (50 mL) d'eau tiède
1/2 tasse (125 mL) de lait ébouillanté
2 c. à soupe (30 mL) de shortening
1 c. à café (5 mL) de sel
1 oeuf
3 à 4 tasses (750 mL à 1 L) de farine tout usage
1/4 de tasse (60 mL) de saindoux froid
1/4 de tasse (60 mL) de sucre
1/4 de tasse (60 mL) de raisins de Corinthe
muscade fraîche

Activez la levure avec le sucre dans l'eau tiède. Ajoutez le *shortening* et le sel au lait ébouillanté et mélangez pour faire fondre les deux. Laissez refroidir. Ajoutez l'oeuf battu, vérifiez la température et ajoutez la levure activée. Incorporez en mélangeant la moitié de la farine et battez vigoureusement avec une cuiller en bois. Ajoutez suffisamment de farine pour produire une pâte douce qui ne colle pas. Pétrissez de 5 à 10 minutes sur une planche légèrement enfarinée jusqu'à ce que la pâte devienne lisse et élastique. Mettez dans un bol graissé et couvrez hermétiquement avec du papier d'aluminium graissé. Réfrigérez à température moyenne et laissez au froid toute la nuit. Le lendemain, renversez la pâte sur une planche légèrement enfarinée et abaissez-la avec le rouleau de manière à former un rectancle trois fois plus long que large et d'une épaisseur de 1/4 de pouce(50 mm).Divisez le saindoux, le sucre et les raisins de Corinthe en trois. Réduisez le tiers du saindoux en flocons et saupoudrez-en la pâte à l'exception d'une étroite bordure. Parsemez les flocons de saindoux du tiers des raisins de Corinthe et du sucre et râpez un peu de muscade sur le tout. Repliez un tiers de la pâte sur sa partie centrale, puis un deuxième tiers de façon à obtenir une pâte de trois étages. Mettez cette pâte dans une assiette, couvrez-la de papier ciré et laissez-la reposer de 5 à 10 minutes au congélateur. Répétez l'opération en abaissant de nouveau la pâte de façon à former un rectangle et en la couvrant d'un tiers de flocons de saindoux, de raisins de Corinthe, de sucre et de muscade; repliez en trois, enveloppez et laissez reposer au congélateur. Il est très important que tous les ingrédients restent froids. Enfin, répétez toute l'opération une troisième fois en vous servant du reste des flocons de saindoux, des raisins de Corinthe et du sucre. Une fois la pâte pliée pour la troisième fois, tassez-la dans un moule graissé de 8" X 8" (20 x 20 cm). Laissez lever jusqu'à obtention du double du volume. Tracez des lignes entrecroisées sur le dessus de la pâte avec un couteau aiguisé ou une lame de rasoir et badigeonnez avec un peu de saindoux fondu. Faites cuire 30 minutes au four à 425°F (218°C). Retirez et faites refroidir en renversant sur une grille de façon à ce le saindoux pénètre bien.

N.B.: Pour ce gâteau, il est important d'employer du saindoux plutôt que du beurre ou du *shortening*: la texture et la saveur seront très différentes.

PÂTE BÂTARDE

"Mandelbrot"

Voici un gâteau aussi léger qu'élégant, d'origine allemande ou autrichienne, pour accompagner le thé.

1 c. à soupe (15 mL) de levure
1 c. à café (5 mL) de sucre
3 c. à soupe (45 mL) d'eau tiède
*1/4 de tasse (60 mL) d'huile d'amandes douces**
2 c. à soupe (30 mL) de miel
2 oeufs

2 c. à café (10 mL) de sel
1/2 tasse (125 mL) d'eau bouillante
1/4 de tasse (60 mL) d'eau froide
1 c. à café (5 mL) d'essence d'amandes
4 tasses (1 L) de farine tout usage
1 tasse (250 mL) d'amandes en copeaux émondés et hachés

* À défaut, employez de l'huile à cuisson ordinaire ou du *shortening*.

Activez la levure avec le sucre dans l'eau tiède. Mettez l'huile, le sel et le miel dans un bol à mélanger. Ajoutez l'eau bouillante, mélangez, puis ajoutez l'eau froide et l'essence d'amandes et, enfin, les oeufs battus et la levure. Incorporez en mélangeant la farine et pétrissez jusqu'à ce que la pâte devienne lisse et élastique en ajoutant juste ce qu'il faut de farine pour empêcher la pâte d'adhérer. Mettez dans un bol graissé; couvrez et laissez lever jusqu'à obtention du double du volume. Faites griller très rapidement les amandes au four et incorporez-les à la pâte. Formez deux petites miches et déposez-les dans de petits moules à pain graissés. Laissez lever jusqu'à obtention du double du volume. Faites cuire de 30 à 35 minutes au four à 375°F (190°C). Démoulez et laissez refroidir sur une grille.

PÂTE DOUCE

Pain à l'ananas

1 c. à soupe (15 mL) de levure sèche
1 c. à café (5 mL) de sucre
1/2 tasse (125 mL) d'eau tiède
1 tasse (250 mL) de lait ébouillanté
1/2 tasse (125 mL) de beurre
4 jaunes d'oeuf
4 à 5 tasses (1 à 1,5 L) de farine tout usage
4 tasses (1 L) de morceaux d'ananas non asséchés
1/2 tasse (125 mL) de sucre
3 c. à soupe (50 mL) de fécule de maïs
1 jaune d'oeuf

Activez la levure avec 1/2 c. à café (5 mL) de sucre dans l'eau tiède. Ajoutez le beurre au lait ébouillanté et mélangez pour le faire fondre. Laissez tiédir et ajoutez les 4 jaunes d'oeufs légèrement battus. Vérifiez la température et ajoutez la levure activée. Incorporez la moitié de la farine et battez très vigoureusement avec un *blender* ou une cuiller en bois. Ajoutez suffisamment de farine pour produire une pâte collante qui tienne tout juste. Couvrez le bol et mettez-le de côté pour apprêter la garniture. Pour ce faire, préparez une pâte molle avec le sucre, la fécule de maïs et un peu de jus d'ananas. Incorporez à cette pâte en mélangeant le dernier jaune d'oeuf et les morceaux d'ananas. Faites cuire à chaleur moyenne dans un poêlon épais jusqu'à ébullition et épaississement. Laissez refroidir. Tassez la moitié de la pâte à l'aide de vos mains graissées dans un moule à gâteau roulé de 15 1/2" x 10 1/2" (40 x 25 cm). Saupoudrez de garniture à l'ananas en laissant une lisière de 1/2" (1 cm) tout autour. Couvrez avec l'autre moitié de la pâte en pinçant ensemble les bordures de façon à sceller. Entaillez le dessus du gâteau pour permettre à la vapeur de s'en échapper. Couvrez d'un linge et laissez lever jusqu'à obtention du double du volume. Faites cuire de 35 à 40 minutes au four à 375°F (190°C). Glissez le moule sur une grille. Glacez avec du sucre glace pendant que le gâteau est encore chaud et laissez refroidir.

PÂTE FERME

"Poteka"

Pâte

1 c. à soupe (15 mL) de levure sèche
1 c. à café (5 mL) de sucre
1/4 de tasse (60 mL) d'eau tiède
1/2 tasse (125 mL) de crème sûre
1/2 c. à café (2 mL) de sel
1/4 de tasse (60 mL) de beurre
2 jaunes d'oeuf
1/3 de tasse (80 mL) de sucre
2 1/2 à 3 tasses (625 à 750 mL) de farine tout usage

Garniture

1 livre (250 g) de noix de Grenoble écalées
2 blancs d'oeuf

4 c. à soupe (60 mL) de sucre
une pincée de sel
zeste râpé d'un demi-citron

Activez la levure avec 1 c. à café (5 mL) de sucre dans l'eau tiède. Si vous vous servez de crème sûre de laiterie, diluez-la avec environ 1 1/2 c. à soupe (25 mL) d'eau; si vous utilisez de la crème à 30% ou à 35%, surie, il suffit de la remuer. Faites chauffer à feu doux dans un poêlon épais la crème, le sel et le reste du sucre jusqu'à ce que des bulles commencent à se former à la périphérie. Laissez tiédir, ajoutez la levure activée, puis, en mélangeant, environ la moitié de la farine. Couvrez hermétiquement et laissez lever 1 heure. Battez les oeufs jusqu'à ce qu'ils épaississent et prennent une couleur citronnée; ajoutez-y en battant le beurre qui devrait être à la température de la pièce, mais non fondu. Incorporez en battant le mélange de beurre et d'oeufs à la pâte avec suffisamment de farine pour produire une pâte molle, mais non collante. Renversez aur une planche légèrement enfarinée et pétrissez 10 minutes. Mettez dans un bol graissé; couvrez et laissez lever jusqu'à obtention du double du volume. Préparez entretemps la garniture. Hachez menu les noix de Grenoble avec un robot culinaire muni d'une lame d'acier. Montez en neige les blancs d'oeuf avec le sel jusqu'à ce qu'ils soient solides, mais non pas secs, et ajoutez-y le sucre, 1 c. à soupe (15 mL) à la fois, jusqu'à formation de pics luisants. Incorporez délicatement les noix et le zeste de citron haché en pliant les blancs d'oeuf avec un racloir. Il est important de ne pas préparer cette garniture avant que le moment soit venu de s'en servir. Abaissez la pâte au rouleau de manière à former un rectangle de 26" x 10" (65 x 25 cm). Étendez-y la garniture, mais laissez une lisière de 1" (2,5 cm) en bordure de l'un des longs côtés. Roulez le tout en commençant par l'autre long côté. Écrasez l'une des extrémités du roulé de façon à lui donner la forme d'une langue. Déposez le roulé, le long côté apparent vers le bas, dans un moule *bundt* graissé d'une capacité de 10 tasses (2,5 L) ou dans un moule tubulaire. Pressez délicatement la langue sur le dessus de l'extrémité opposée pour fermer le cercle. Couvrez d'un linge et laissez lever jusqu'à obtention du double du volume. Faites cuire 40 minutes au four à 350°F (176°C). Retirez du four, badigeonnez de miel et laissez refroidir sur une grille.

PÂTE BÂTARDE

Pain aux pruneaux

Les prunes ou les pruneaux secs servent souvent de garniture au pain originaire d'Europe centrale et d'Europe de l'Est. Cette garniture cuit à l'intérieur même du pain que voici.

2 c. à soupe (30 mL) de levure sèche
1 c. à café (5 mL) de sucre
1/4 de tasse (60 mL) d'eau tiède
1/3 de tasse (75 mL) de sucre
1/2 c. à café (2 mL) de sel
1/4 de c. à café (1 mL) de muscade râpée
1/2 c. à café (2 mL) comble de cannelle
une pincée de gingembre moulu
1 1/2 tasse (375 mL) de lait ébouillanté
2 oeufs
4 c. à soupe (65 mL) de beurre
5 à 6 tasses (1,25 à 1,5 L) de farine tout usage
1/2 tasse (125 mL) de pruneaux hachés

Activez la levure avec 1 c. à café (5 mL) de sucre dans l'eau tiède. Ajoutez dans un bol à mélanger le reste du sucre, le sel et le beurre au lait ébouillanté. Laissez refroidir et ajoutez les oeufs battus. Vérifiez la température et ajoutez la levure activée. Mêlez les épices à la motié de la farine, puis ajoutez au mélange en battant bien. Incorporez en mélangeant suffisamment de farine pour produire une pâte molle qui se détache de la paroi du bol. Renversez et pétrissez jusqu'à ce que la pâte devienne lisse et élastique; ajoutez suffisamment de farine pour empêcher la pâte d'adhérer. Mettez dans un bol graissé; couvrez et laissez lever jusqu'à obtention du double du volume. Renversez et incorporez les pruneaux à la pâte. Ce faisant, veillez à ne pas veiner celle-ci. Formez deux miches et déposez-les dans des moules à pain graissés. Laissez lever jusqu'à obtention du double du volume. Enlevez tout morceau de pruneau en surface pour éviter qu'il ne brûle. Faites cuire 10 minutes au four à 400°F (204°C), réduisez ensuite la température à 375°F (190°C) et faites cuire encore 30 minutes. Laissez refroidir quelques minutes dans les moules avant de démouler, puis sur une grille.

PÂTE BÂTARDE

Pain aux pommes du Québec

1 c. à soupe (15 mL) de levure
1 c. à soupe (15 mL) de sucre
1 1/4 tasse (300 mL) d'eau tiède
1 1/4 tasse (300 mL) de jus de pomme
2 oeufs battus
2 c. à café (10 mL) de sel
3 c. à soupe (50 mL) de shortening
1 c. à soupe (15 mL) de cannelle
6 à 7 tasses (1,5 à 1,75 L) de farine tout usage
pommes pelées et hachées menu

Activez la levure avec le sucre dans l'eau tiède. Une fois la levure activée, ajoutez-y le jus de pomme, les oeufs, le sel et le *shortening* fondu et refroidi. Mêlez la cannelle à 2 tasses (500 mL) de farine et ajoutez au liquide en mélangeant. Battez très vigoureusement. Incorporez suffisamment de farine pour que la pâte se détache de la paroi du bol. Renversez et pétrissez sur une planche enfarinée en ajoutant suffisamment de farine pour empêcher la pâte d'adhérer. Pétrissez avec soin. Mettez dans un bol graissé; couvrez et laissez lever jusqu'à obtention du double du volume. Abaissez. Inroporez les morceaux de pommes. Formez deux miches; déposez-les dans des moules graissés et laissez-les lever jusqu'à obtention du double de leur volume. Faites cuire 35 minutes, ou jusqu'à ce que le pain soit à point, au four à 375°F (190°C). Retirez du four, badigeonnez de sirop d'érable et laissez refroidir sur une grille.

PÂTE BÂTARDE

Pain aux raisins

De toutes les variétés de pains aux fruits, le pain aux raisins est sans doute celui qui jouit de la plus grande faveur. N'importe quel bon pain blanc, ou pain de blé entier, peut être transformé en pain aux raisins si l'on y ajoute une poignée de ceux-ci juste avant de former les miches, mais la recette que voici produit une miche plus sucrée, plus épicée que le pain ordinaire.

1 c. à soupe (15 mL) de levure sèche
1 c. à café (5 mL) de sucre
3 c. à soupe (50 mL) d'eau tiède
2 tasses (500 mL) de lait ébouillanté
1 c. à soupe (15 mL) de sel
3 c. à soupe (50 mL) de beurre
1 c. à café (5 mL) de cannelle
1/4 c. à café (2 mL) de macis moulu
1/3 de tasse (75 mL) de cassonade bien tassée
1 1/2 tasse (325 mL) de raisins sans pépins
suffisamment de vin de Madère pour couvrir les raisins
5 à 6 tasses (1,25 à 1,5 L) de farine tout usage

Faites chauffer le vin de Madère et versez-le sur les raisins. Laissez macérer jusqu'au lendemain. Égouttez en conservant le liquide et asséchez. Activez la levure avec 1 c. à café (5 mL) de sucre dans l'eau tiède. Ajoutez le vin récupéré, le sel, la cassonade et le beurre au lait ébouillanté. Mélangez et laissez tiédir. Ajoutez la levure activée. Mêlez les épices à 1 tasse (250 mL) de farine; ajoutez-les au liquide en mélangeant. En continuant de mélanger, incorporez la farine, battez vigoureusement jusqu'à ce que la pâte résiste et se détache de la paroi du bol. Renversez et pétrissez; rajoutez de la farine de façon à produire une pâte plutôt ferme. Pétrissez jusqu'à ce que la pâte devienne lisse, satinée et élastique. Mettez dans un bol graissé; couvrez et laissez lever jusqu'à obtention du double du volume. Abaissez et incorporez les raisins en veillant à ne pas les écraser. Formez deux miches et déposez-les dans des moules à pain bien graissés. Laissez lever jusqu'à obtention du double de leur volume, enlevez les raisins qui ont fait surface de façon à ce qu'ils ne brûlent pas. Faites cuire 10 minutes au four à 400°F (204°C), réduisez la température à 350°F (176°C) et faites cuire encore de 25 à 30 minutes. Badigeonnez de beurre fondu, retirez du four et laissez refroidir sur une grille. Couvrez les miches d'un linge pendant qu'elles refroidissent de façon à en ramollir la croûte.

PÂTE DOUCE

Gâteau au safran

On retrouve les Cornouaillais ou leurs descendants dans tous les puits de mine du monde. Le gâteau et le pain au safran sont une ancienne spécialité des Cornouailles, mais la recette que voici est d'importation récente. Mon mari et elle ont la même origine: ma belle-mère!

1 c. à soupe (15 mL) de levure sèche
1 c. à café (5 mL) de sucre
3 c. à soupe (50 mL) d'eau tiède
1/2 tasse (125 mL) de lait ébouillanté
1/2 tasse (125 mL) de crème ébouillanté
1/2 c. à café (3 mL) de stigmates de safran
*1 c. à soupe (15 mL) de graines de carvi**
1/2 tasse (125 mL) de beurre
1 c. à soupe (15 mL) d'eau de rose, au goût
1/3 de tasse (85 mL) de sherry (xérès) ou de madère
1 tasse (250 mL) de raisins de Corinthe ou d'un mélange de raisins de Corinthe et de raisins secs de Smyrne
1/4 de tasse (65 mL) de zeste de citron confit
3 à 4 tasses (750 mL à 1 L) de farine tout usage

* Contrairement à la tradition, je ne m'en sers pas.

Déposez les stigmates de safran dans une soucoupe réfractaire et faites-les sécher 15 minutes au four à 250°F (121°C). Broyez-les avec le dos d'une cuiller, ajoutez-y le lait et la crème ébouillantés et laissez infuser. Activez la levure avec le sucre dans l'eau tiède. Faites tremper les raisins durant quelques minutes dans le sherry préalablement réchauffé; puis, coulez le sherry au-dessus du mélange de lait et de crème. Mélangez le beurre avec 3 tasses (750 mL) de farine à l'aide de vos mains ou en vous servant d'un *blender.* Ajoutez le mélange lacté et la levure activée de même que, le cas échéant, l'eau de rose. Incorporez de la farine au besoin pour que la pâte soit molle, mais tienne. Mélangez, puis battez très vigoureusement; couvrez et laissez lever jusqu'à obtention du double du volume. Ajoutez en mélangeant les raisins, le zeste et, si vous les utilisez, les graines de carvi. Versez dans de petits moules à pain et laissez lever jusqu'à obtention du double du volume. Faites cuire 10 minutes au four à 400°F (204°C), réduisez la température à 350°F (176°C) et faites cuire encore 20 minutes. Juste avant de retirer les gâteaux du four, badigeonnez-les d'un peu de "sirop doré" dilué dans l'eau. Laissez refroidir de 5 à 10 minutes avant de démouler. Servez tiède.

PÂTE DOUCE

"Sally Lunn"

Chacun connaît l'histoire de la belle Sally Lunn et de ses gâteaux dans l'Angleterre georgienne. Dans ses livres sur le pain anglais, Elizabeth David affirme qu'il s'agit là d'un mythe et que ce nom constitue tout simplement une corruption de l'appellation d'un gâteau alsacien, le "Soleil-Lune". Un gâteau de ce genre, riche de ses oeufs ensoleillés, existait d'ailleurs bel et bien au Québec d'avant la Conquête, bien qu'on l'appelât "Soleil même". La recette que voici nous est parvenue il y a 80 ans par l'entremise de la femme d'un pasteur, originaire d'Angleterre. Où aurais-je pu la découvrir sinon à... Victoria!

1 c. à soupe (15 mL) de levure sèche
1 c. à café (5 mL) de sucre
3 c. à soupe (50 mL) d'eau tiède
1 tasse (250 mL) de lait ébouillanté
1/2 tasse (125 mL) de beurre
1/3 de tasse (75 mL) de sucre
3 jaunes d'oeuf
3 blancs d'oeuf
3 tasses (750 mL) de farine tout usage

Activez la levure avec 1 c. à café (5 mL) de sucre dans l'eau tiède. Versez le lait ébouillanté dans un bol à mélanger et ajoutez-y le beurre et le reste du sucre. Mélangez de façon à faire fondre le beurre. Laissez reposer jusqu'à ce que le mélange soit tiède, puis ajoutez les jaunes d'oeuf battus et la levure activée. Incorporez peu à peu la farine en mélangeant, puis battez vigoureusement avec une cuiller en bois ou un mixeur équipé d'un crochet pétrisseur. Couvrez et laissez lever jusqu'à obtention du double du volume. Montez les blancs d'oeuf en neige et incorporez-les au mélange. Le plus simple est de le faire à la main. Versez la pâte dans un moule tubulaire bien graissé de 9" (22 cm). Couvrez et laissez lever jusqu'à obtention du double du volume en veillant à ce que la pâte ne lève pas trop, sinon elle risque de s'affaisser d'un coup. Glissez avec précaution dans le four et faites cuire à 325°F (162°C) de 50 à 60 minutes jusqu'à ce que le gâteau soit doré. Laissez reposer quelques minutes dans le moule. Démoulez et mettez à refroidir sur une grille. Servez chaud avec de la crème fouettée.

PÂTE DOUCE

Savarin

Le savarin n'est rien d'autre qu'un gros baba au rhum. Cuit dans un grand moule tubulaire et servi fourré de fruits macérés dans du brandy ou en conserves, il est particulièrement attrayant. Un trop gros gâteau sera cependant difficile à manipuler après le trempage et se rompra facilement. Si l'on doit servir beaucoup de monde, il est préférable de préparer des babas individuels.

Pâte

1 c. à soupe (15 mL) de levure sèche
1 c. à café (5 mL) de sucre
1/2 tasse (125 mL) d'eau tiède
3 c. à soupe (50 mL) de sucre
1/2 c. à café (2 mL) de sel
5 oeufs
1/3 de tasse (75 mL) de beurre
2 tasses (500 mL) de farine tout usage

Sirop

1/2 tasse (125 mL) de sucre
1 tasse (250 mL) d'eau
*1 tasse (250 mL) de sirop d'érable**
1/2 tasse (125 mL) de brandy ou de rhum

*On peut omettre le sirop d'érable et doubler la quantité de sucre et d'eau.

Activez la levure avec 1 c. à café (5 mL) de sucre dans l'eau tiède. Mettez la farine, le sucre et le sel dans un grand bol à mélanger. Ajoutez en mélangeant les oeufs battus et la levure activée. Battez vigoureusement 5 minutes avec une cuiller de bois ou un mixeur équipé d'un crochet pétrisseur. Couvrez et laissez lever jusqu'à obtention d'un peu plus du double du volume. Incorporez peu à peu le beurre avec les mains ou le mixeur. Versez dans un moule à savarin bien graissé d'une capacité de 6 tasses (1,5 L). Laissez lever presque jusqu'au bord. Faites cuire 10 minutes au four à 450°F (232°C), réduisez la température à 350°F (176°C) et remettez à cuire jusqu'à ce qu'un cure-dent planté au milieu du savarin en ressorte propre, soit environ 25 minutes. Laissez refroidir environ 10 minutes dans le moule, puis, très délicatement, détachez le long du pourtour avec un racloir. Renversez sur une grille et laissez refroidir. Déposez le gâteau, avec ou sans la grille, dans une grande rôtissoire ou dans un contenant de plastique. Arrosez de sirop en le récupérant au fond tant que le gâteau n'en sera pas complètement imprégné. Sortez du bain de sirop et laissez égoutter quelques minutes. Glacez avec de la confiture d'abricots fondue et tamisée, chauffée et éclaircie dans un peu de brandy. Déposez sur un plat de service et remplissez le centre de pêches, d'abricots ou de cerises au brandy. Servez avec de la crème fouettée.

PÂTE BÂTARDE

Pain d'épices

1 c. à soupe (15 mL) de levure sèche
1 c. à café (5 mL) de sucre
1/2 tasse (125 mL) d'eau tiède
1 1/4 tasse (300 mL) de lait ébouillanté
1/4 de tasse (60 mL) de sucre
1 c. à café (5 mL) de sel
3 c. à soupe (50 mL) de shortening
2 oeufs
4 à 5 tasses (1 à 1,25 L) de farine tout usage
1 c. à café (5 mL) de cannelle
1/4 de c. à café (1 mL) de clous de girofle
1/2 c. à café (2 mL) de muscade râpée
1/4 de c. à café (1 mL) de gingembre moulu
1/2 tasse (125 mL) de raisins dorés
3 c. à soupe (50 mL) de gingembre confit coupé en petits dés

Activez la levure avec 1 c. à soupe (5 mL) de sucre dans l'eau tiède. Ajoutez le reste du sucre, le sel et le *shortening* au lait ébouillanté. Mélangez pour faire fondre le shortening et laissez refroidir. Ajoutez les oeufs battus, vérifiez la température, puis ajoutez la levure activée. Mêlez les épices (la proportion des épices peut être modifiée au goût de chacun pour autant que la quantité totale soit d'environ 2 c. à café (10 mL); la cardamone et le cumin moulus peuvent aussi être employés). Incorporez les épices mêlées à 1 tasse (250 mL) de farine. Ajoutez le tout en mélangeant au liquide et additionnez de farine en battant vigoureusement jusqu'à ce que la pâte résiste et se détache de la paroi du bol. Renversez et pétrissez sur une planche enfarinée; ajoutez suffisamment de farine pour produire une pâte molle, mais qui n'adhère pas. Pétrissez jusqu'à ce que la pâte devienne lisse et élastique. Mettez dans un bol graissé; couvrez et laissez lever jusqu'à obtention du double du volume. Abaissez, renversez et incorporez les raisins et le gingembre. Formez deux petites miches et déposez-les dans deux petits moules à pain graissés. Couvrez d'un linge et laissez lever jusqu'à obtention d'un peu plus du double du volume. Faites cuire de 25 à 30 minutes au four à 375°F (180°C). Retirez du four et laissez refroidir sur une grille. Au sortir du four, on peut badigeonner les miches de sirop de maïs éclairci.

PÂTE BÂTARDE OU PÂTE DOUCE

Couronne pour l'heure du thé

1 c. à soupe (15 mL) de levure sèche
1 c. à café (5 mL) de sucre
1/4 tasse (60 mL) d'eau tiède
1 tasse (250 mL) de lait ébouillanté
1 c. à café (5 mL) de sel
1/2 tasse (125 mL) de sucre
1/2 tasse (125 mL) de beurre
1 oeuf
3 à 4 tasses (750 mL à 1 L) de farine tout usage

Activez la levure avec 1 c. à café (5 mL) de sucre dans l'eau tiède. Ajoutez le reste du sucre, le sel et le beurre au lait ébouillanté et mélangez pour faire fondre le beurre. Laissez refroidir et ajoutez les oeufs battus. Vérifiez la température et ajoutez la levure activée. Incorporez environ la moitié de la farine et battez très vigoureusement avec une cuiller en bois ou un *blender.* Ajoutez en mélangeant suffisamment de farine pour produire une pâte très rigide qui tienne toute seule. Couvrez le bol hermétiquement et réfrigérez au moins 2 heures ou toute la nuit. Dans cette recette, on peut ajouter, au goût, suffisamment de farine pour produire une pâte assez rigide qui se prête au pétrissage. Quand on le fait, il devient plus facile d'abaisser et de rouler la pâte, mais, au bout du compte, le pain aura perdu de sa légèreté. Le mieux serait sans doute de faire une pâte plus rigide dès le premier essai pour ensuite réduire graduellement l'addition de farine jusqu'au moment de manipuler la pâte plus légère. Dans un cas comme dans l'autre, la marche à suivre ne varie pas.

Le temps venu de préparer le gâteau, renversez la pâte et divisez-la en deux. On peut soit faire deux gâteaux ou remettre la moitié de la pâte dans un contenant hermétique au réfrigérateur, mais, dans ce cas, on doit s'en servir dans les trois jours. Avec le rouleau, abaissez la moitié de la pâte de manière à former un rectangle de 14" x 7" (35 x 18 cm). Étendez-y l'une des garnitures de Couronnes pour accompagner le thé décrites ci-dessous et roulez la pâte dans le sens de la largeur comme pour un gâteau roulé. Déposez sur une tôle à cuisson graissée et formez un anneau. En partant de l'extérieur de cet anneau, découpez avec des ciseaux, jusqu'à proximité du centre, des bandes d'une épaisseur de 3/4" (2 cm). Inclinez ces bandes sur un côté de façon à les faire chevaucher légèrement, la partie coupée en haut. Glissez la dernière bande sous la première pour fermer l'anneau. Couvrez d'un linge; laissez lever jusqu'à obtention du double du volume. Faites cuire 25 minutes au four à 375°F (180°C). Saupoudrez au goût de sucre glace. Laissez refroidir sur une grille.

Pour donner à ce roulé une autre forme, on peut le déposer en ligne droite sur la tôle, la bordure apparente en direction du bas. En commençant par le haut, coupez alors jusqu'à proximité de la base, avec des ciseaux, à intervalles de 3/4" (2 cm). Tournez la première bande vers la droite en la tordant de façon que le côté coupé soit en haut; tournez la deuxième bande vers la gauche en la tordant de la même manière. Continuez à tresser ainsi jusqu'à l'extrémité du roulé. Couvrez et laissez lever jusqu'à obtention du double du volume, mais faites cuire un peu moins longtemps que l'anneau. Laissez refroidir et saupoudrez de sucre glace.

GARNITURES POUR COURONNES SERVIES À L'HEURE DU THÉ

Garniture aux cerises

3/4 de tasse (200 mL) de cerises en boîtes égouttées et dénoyautées
1/2 tasse (125 mL) de farine pré-tamisée si disponible

1/2 tasse (125 mL) de cassonade bien tassée
1/2 tasse (125 mL) de pacanes *hachées*

Mêlez la farine, les *pacanes* et le sucre. Répartissez les cerises sur le rectangle de pâte. Saupoudrez avec le mélange. Roulez.

Garniture aux pommes et à la cannelle

1 1/2 tasse (375 mL) de pommes pelées et hachées menu
3/4 de tasse (200 mL) de pacanes *hachées*
1/3 de tasse (85 mL) de sucre
1/2 c. à soupe (7 mL) de cannelle

Mêlez tous les ingrédients et saupoudrez-en le rectangle de pâte. Roulez.

Garniture aux pruneaux et aux pacanes

1 tasse (250 mL) d'eau
1 tasse (250 mL) de pruneaux hachés
1 tasse (250 mL) de cassonade bien tassée
1/2 tasse (125 mL) de pacanes *hachées*
le jus d'un citron

Mêlez tous les ingrédients, à l'exception du jus de citron, dans une casserole et amenez à ébullition à feu moyen en mélangeant constamment. Faites cuire jusqu'à ce que le mélange soit d'une consistance très épaisse. Retirez du feu, ajoutez en mélangeant le jus de citron et laissez refroidir. Enduisez de garniture le rectangle de pâte. Roulez.

Garniture à l'érable et aux noix de Grenoble

3/4 de tasse (200 mL) de noix de Grenoble hachées
1/2 tasse (125 mL) de sucre d'érable râpé
sirop d'érable

Badigeonnez de sirop d'érable le rectangle de pâte. Saupoudrez de noix, puis de sucre. Roulez.

PÂTE DOUCE

Gâteau levé pour accompagner le café

Pâte

2 c. à soupe (30 mL) de levure sèche
1 c. à café (5 mL) de sucre
3 c. à soupe (50 mL) d'eau tiède
3/4 de tasse (200 mL) de lait ébouillanté
1/2 tasse (125 mL) de beurre
1/3 de tasse (75 mL) de sucre
2 oeufs entiers
1 jaune d'oeuf
zeste râpé d'une orange ou d'un citron
4 tasses (1 L) de farine tout usage

Garniture

1/4 de tasse (60 mL) de farine tout usage
1 c. à soupe (15 mL) de cannelle
3/4 de tasse (175 mL) de sucre
3 c. à soupe (50 mL) de beurre
1/3 de tasse (75 mL) de raisins
1/3 de tasse (75 mL) d'amandes hachées

Activez la levure avec 1 c. à café (5 mL) de sucre dans l'eau tiède. Mélangez le lait ébouillanté, le beurre et le reste du sucre de manière à faire fondre le beurre. Laissez refroidir, puis ajoutez les oeufs entiers et le jaune d'oeuf. Vérifiez la température; ajoutez la levure activée et le zeste d'orange ou de citron. Incorporez en mélangeant la moitié de la farine et battez très vigoureusement avec une cuiller en bois ou un mixeur. Ajoutez le reste de la farine et battez vigoureusement. Couvrez hermétiquement et réfrigérez jusqu'au lendemain. Retirez le bol du réfrigérateur tôt le lendemain matin et laissez reposer environ 30 minutes. Abaissez à la cuiller et versez dans un moule tubulaire graissé de 10" (25 cm) (employez de préférence un moule dont les côtés sont droits et le fond ou les côtés, amovibles, car il est difficile de démouler ce gâteau si l'on se sert d'un moule ordinaire). Couvrez et laissez lever jusqu'à obtention du double du volume; il se peut que vous ayez à attendre assez longtemps si la pâte est très froide. Mettez les ingrédients requis pour la garniture dans un *blender* ou traitez-les au robot culinaire jusqu'à ce que le mélange ait l'apparence de chapelure et saupoudrez-en également le dessus du gâteau. Faites cuire 10 minutes au four à 400°F (204°C), réduisez la température à 350°F (176°C) et remettez à cuire 35 minutes. Retirez du four, laissez refroidir 5 minutes, puis enlevez les côtés du moule. Laissez refroidir sur une grille. Servez chaud.

PÂTES AIGRES ET CULTURES DE LEVAIN

L'utilisation des cultures domestiques pour faire lever le pain s'est beaucoup répandue ces dernières années. La préparation d'une belle miche de pain levé grâce à une levure domestique apporte un vif sentiment d'indépendance. D'après bon nombre de gens, la levure domestique serait plus pure ou plus naturelle que la "levure commerciale", mais à proprement parler, ce n'est pas le cas. Produit d'une grande pureté, la levure commerciale, parce qu'elle est un organisme vivant, pourrait difficilement être plus naturelle. Comme chacun le reconnaîtra, toutefois, de même qu'il est plus gratifiant de faire pousser une plante à partir d'une semence ou d'une bouture que de l'acquérir chez un fleuriste, de même il y a plus de satisfaction à préparer sa propre levure qu'à se la procurer dans un magasin.

Ce chapitre indique plusieurs façons d'aborder la fabrication de levures. Certaines requièrent au départ l'utilisation de la levure commerciale, puisque celle-ci donne habituellement un meilleur rendement, tandis que d'autres font appel aux amidons fermentables ou au sucre seul. Dans ce dernier cas, le boulanger dépend entièrement de la présence de levure sauvage dans l'air. C'est pourquoi ce type de culture sera mieux amorcé par temps chaud et dans l'atmosphère non polluée de l'extérieur des villes. En remettant dans son contenant une quantité égale de culture à celle qui a été prélevée, on la rend pratiquement "immortelle", et sa saveur s'accentue avec le temps. On peut en congeler, mais elle ne survit pas toujours à un séjour au congélateur.

Dans les recettes qui suivent, il faut avoir recours à la pâte aigrie pour faire lever le pain. Cela implique que le pain ainsi produit lève beaucoup plus lentement et qu'il doit être beaucoup mieux protégé du froid et des courants d'air. Sa texture est aussi plus serrée. Si l'on désire raccourcir le temps de levée, on peut ajouter une petite quantité de levure fraîche à la pâte de base. Le pain lève alors davantage, est plus léger, et sa saveur aigre est atténuée.

La cuisson à base de pâte aigrie a acquis une si grande renommée que certains boulangers en ajoutent à l'oeil une tasse à presque tous leurs produits; ainsi entendons-nous parler de biscuits, de gâteaux, de pizzas, de *muffins* ou même d'une ambroisie à base de pâte aigrie. Comme ces produits lèvent grâce à la poudre à lever, la culture de pâte aigrie ne leur sert que d'assaisonnement et, à mon sens, n'a d'autre résultat que d'uniformiser leur saveur . Je crois qu'on ne devrait pas employer les cultures de pâte aigrie autrement que pour leur fonction propre, qui est de faire lever. Il est possible que l'attrait exercé par les gâteaux et les biscuits à saveur de pâte aigrie provienne de ce qu'elle contrebalance la douceur d'un excès de sucre, mais on en arriverait au même si l'on diminuait la quantité de sucre indiquée dans les recettes courantes.

On peut remplacer la levure commerciale par une culture de pâte aigrie dans toute recette de pain. Pour ce faire, il suffit d'apprêter la pâte de base suivant les indications ci-dessous en substituant 1 tasse (250 mL) du type de farine demandé par une recette donnée à la tasse (250 mL) de farine tout usage requise par la recette de pâte de base. Il faut ensuite ajouter les autres ingrédients prescrits par la recette à 3 tasses (750 mL) de cette pâte de base et suivre le mode de préparation indiqué en vous souvenant que les temps de levée seront allongés. Il est préférable de n'adapter ainsi que les recettes les plus simples puisque les pâtes très riches ne lèveront pas convenablement par la seule action de la pâte aigrie et que la saveur de celle-ci risque d'être incompatible avec celle de tel ou tel pain.

Pâte de base

La pâte de base sert de point de départ à tout pain levé à l'aide de pâte aigrie. Il s'agit en fait d'une matière spongieuse, et l'action de la culture dans cette pâte donne au pain à base de pâte aigrie son goût caractéristique. On peut produire la pâte de base avec chacune des cultures qui suivent comme avec toute autre culture de bonne qualité.

1 tasse (250 mL) de culture de pâte aigrie
2 1/2 tasses (625 mL) de farine tout usage
2 tasses (500 mL) d'eau tiède

Retirez la culture du réfrigérateur et extrayez-en 1 tasse (250 mL). Couvrez et remettez le contenant au froid. Déposez la tasse (250 mL) de culture dans un bol d'argile cuite préalablement chauffé et ajoutez l'eau tiède en mélangeant doucement. Délayez-y la farine en mélangeant; mélangez bien jusqu'à ce que la pâte devienne lisse. Couvrez le bol hermétiquement et laissez reposer 12 heures à une température de 90°F (32°C). La pâte est maintenant prête à servir, mais avant d'y ajouter d'autres ingrédients, REMETTEZ-EN 1 TASSE (250 mL) AU RÉFRIGÉRATEUR DANS LE CONTENANT DE CULTURE. Cette recette produit environ 4 tasses (1 L) de pâte de base et, une fois la tasse originelle rendue à la culture d'où elle provient, il en reste 3 tasses (750 mL). On obtient une plus grande quantité en augmentant les ingrédients de moitié ou du double.

Culture de houblon

Cette recette de madame John Fraser provient du *Home Cook Book of 1877.*

Le lundi, faites bouillir une demi-heure 2 onces (60 g) de houblon dans 4 pintes (4,5L) d'eau, égouttez et laissez refroidir; puis, délayez dans l'eau une petite poignée de sel et une demi-livre (225 g) de sucre, battez 1 livre (453 g) de farine dans un peu d'eau de cuisson et mélangez le tout. Le mercredi, faites bouillir et réduisez en purée 3 livres (1,35 kg) de pommes de terre pour les intégrer ensuite au mélange; laissez reposer jusqu'au lendemain, puis embouteillez: la culture peut maintenant servir; remuez bien avant chaque usage.

Que madame Fraser veuille bien m'excuser, j'ai quelque peu modernisé sa recette en omettant le sel qui, ai-je découvert, inhibe la culture et en réduisant les ingrédients à des proportions plus aisément maniables.

1 once (30 g) ou environ 1/4 de tasse (50 mL) de houblon
8 tasses (2 L) d'eau
*2 tasses (500 mL) de pommes de terre en purée**
1/2 tasse (125 mL) de sucre

* Faites cuire 3 grosses pommes de terre.

Faites bouillir l'eau, ajoutez le houblon, laissez mijoter doucement 1/2 heure. Laissez refroidir. Égouttez en récupérant l'eau dans un bol en verre ou en faïence, puis ajoutez le sucre, la farine et les pommes de terre et battez le mélange jusqu'à consistance lisse. Couvrez et laissez fermenter 2 jours à la chaleur. Transvidez dans des contenants en plastique; couvrez et mettez au réfrigérateur.

Culture de départ

2 1/2 tasses (25 mL) de farine blanche
2 1/2 tasses (625 mL) d'eau tiède
3 c. à soupe (50 mL) de sucre
*1 once (30 g) de levure comprimée**
1 c. à café (5 mL) de sel

* À défaut, remplacez par 1 c. à soupe (15 mL) de levure sèche, bien que la levure comprimée soit plus efficace.

Activez la levure dans 1/2 tasse (125 mL) d'eau. Mêlez la farine, le sucre et le sel. Ajoutez en mélangeant au reste d'eau et battez jusqu'à consistance lisse. Une fois la levure activée, ajoutez-la en mélangeant. Couvrez le mélange d'étamine et laissez fermenter 3 jours dans un endroit très chaud. Agitez plusieurs fois par jour. Transvidez dans un contenant à jus en plastique muni d'un couvercle non ajusté et mettez au froid. Laissez 2 jours au réfrigérateur pour permettre à la culture d'acquérir une plus grande puissance.

Culture simple

Il s'agit en fait d'une pâte ferme qui fermente si elle lève à une température supérieure à 90°F (32°C) et conséquemment donne au pain une saveur légèrement aigre.

1 c. à soupe (15 mL) de levure sèche
2 tasses (500 mL) d'eau tiède
2 tasses (500 mL) de farine

Activez la levure dans l'eau tiède. Une fois la levure activée, ajoutez-y en mélangeant la farine et veillez à ce que cette dernière soit complètement humidifiée. Couvrez hermétiquement et laissez reposer dans un endroit très chaud jusqu'au lendemain matin.

Culture de levure

Voici une autre recette ancienne de culture, tirée d'un livre de recettes de 1872.

1 vieille pomme de terre pelée et râpée
1 c. à soupe (15 mL) de sucre
1 tasse (250 mL) d'eau chaude
1 1/4 tasse (300 mL) de farine
1 c. à café (5 mL) de sel

Mêlez la farine, le sucre et le sel dans un bol en verre ou en argile. Versez l'eau en mélangeant et ajoutez, toujours en mélangeant, la pomme de terre râpée. Couvrez hermétiquement et exposez au soleil. À la tombée du jour, enveloppez dans une couverture et mettez au chaud. Exposez de nouveau au soleil le lendemain et mélangez plusieurs fois au cours de la journée. Après 2 ou 3 jours, le mélange aura fermenté. Mettez au réfrigérateur.

Levure qui ne surit pas

Cette recette de madame J.B. Adams provient aussi du *Home Cook Book of 1877.*

2 onces (60 g) de houblon
2 pintes (2,5 L) d'eau
1 tasse (250 mL) de farine
6 pommes de terre bouillies en purée
1/2 tasse (125 mL) de sel

Faites bouillir le houblon 1/2 heure dans l'eau. Égouttez; versez l'eau sur le sucre et mélangez pour le dissoudre. Ajoutez la farine en battant, couvrez et laissez reposer dans un endroit chaud jusqu'à fermentation, c'est-à-dire environ 2 jours. Ajoutez les pommes de terre en purée et le sel. Mettez au réfrigérateur.

Culture au yoghourt

2 tasses (500 mL) de farine
1 tasse (250 mL) de lait
1 tasse (250 mL) de yoghourt nature

Mêlez les ingrédients, battez jusqu'à consistance lisse et transvidez dans un bol en verre ou en argile. Couvrez et laissez fermenter deux jours à la chaleur. Mettez au réfrigérateur.

N.B.: Il est important d'employer ici du yoghourt non stérilisé. Plusieurs laiteries stérilisent leur yoghourt pour en accroître la durabilité; on obtiendra de meilleurs résultats avec du yoghourt maison.

Pain à l'ancienne à base de levure domestique

3 tasses (750 mL) de pâte de base
1 1/2 tasse (375 mL) de lait réchauffé
2 c. à soupe (30 mL) de sucre
2 c. à soupe (30 mL) de saindoux fondu et refroidi
2 c. à café (10 mL) de sel
6 à 7 tasses (1,5 à 1,75 L) de farine tout usage

Préparez la pâte de base en suivant les instructions qui se trouvent au début de ce chapitre et en vous servant de n'importe quelle culture de bonne qualité. N'oubliez pas de remettre 1 tasse (250 mL) de pâte dans le contenant de culture. Mettez les 3 tasses (750 mL) de pâte dans un bol à mélanger et ajoutez en mélangeant 1 tasse (250 mL) de farine. Mélangez bien, puis ajoutez le lait chaud, le sucre, le sel et le saindoux. Tout en continuant de mélanger, ajoutez suffisamment de farine pour produire une pâte qui se détache de la paroi du bol. Renversez sur une planche enfarinée et pétrissez jusqu'à ce que la pâte devienne lisse et élastique; rajoutez de la farine au besoin pour qu'elle n'adhère pas. Efforcez-vous cependant de limiter au maximum l'addition de farine. Mettez la pâte dans un bol graissé; couvrez et laissez lever dans un endroit chaud, à une température de 90°F (32°C), jusqu'à obtention du double du volume. Abaissez, renversez et laissez reposer 20 minutes sous le bol. Divisez la pâte en deux et formez des miches. Déposez-les dans des moules à pain graissés. Badigeonnez de graisse fondue le dessus des miches et laissez lever dans un endroit très chaud jusqu'à obtention du double du volume. Faites cuire 40 minutes au four à 375°F (190°C). Démoulez et laissez refroidir sur une grille.

N.B.: On peut réduire le temps de levée et obtenir une texture plus légère en activant 1 c. à café (5 mL) de levure sèche dans un peu de lait chaud et en l'incorporant à la pâte. Mais, dans ce cas, le pain n'est plus un authentique pain à pâte aigrie à l'ancienne.

Pain de levain

Voici une façon vraiment primitive de faire du pain. Le lecteur ne manquera pas d'y reconnaître quelque ressemblance avec les conseils dispensés par madame Moody dans le chapitre intitulé *Le pain de ménage: quelques données historiques.* Dans son livre sur le pain, James Beard n'oublie pas de souligner que ce pain est imprévisible et que sa recette ne donne de résultats qu'une fois sur quatre ou cinq. La recette dont il est question ici diffère légèrement de la sienne, mais n'est pas non plus très sûre. Elle provient d'un vieux livre de recettes familiales, magnifiquement calligraphié, intitulé *Never Fail Bread* ("Le pain qui ne rate jamais"); un usager a ultérieurement rayé le mot *Never* et l'a remplacé par l'euphémisme *Hardly Ever* (presque jamais). Quand par hasard cette recette réussit, elle produit un beau pain d'une saveur agréable et d'une texture humide et serrée. J'ai découvert que j'obtenais de bons résultats en gardant la culture à la chaleur dans une cocotte *mijoteuse* à moitié remplie d'eau, puisque ce genre de pain exige pour lever une température supérieure à celle que demandent les autres types de levures. Dans ce cas-ci, la température doit demeurer constante à 120°F (49°C); l'ampoule du four ne fournit pas assez de chaleur pour cela.

1 tasse (250 mL) de lait
2 c. à café (10 mL) de sucre
1/3 de tasse (75 mL) de farine de maïs
1 c. à café (5 mL) de sel
1 tasse (250 mL) d'eau
1/2 tasse (3 mL) de sel
4 à 5 tasses (1 à 1,25 L) de farine tout usage

Ébouillantez le lait et délayez-y en mélangeant le sucre, la farine de maïs et la première quantité de sel. Versez ce mélange dans un pot de 2 pintes (2 L) et couvrez de papier d'aluminium. Déposez dans une cocotte *mijoteuse* à demi remplie d'eau chaude à 120°F (49°C) ou dans un grand chaudron d'eau bouillante. Laissez reposer le mélange jusqu'à ce qu'une couche d'écume se forme à sa surface, soit de 6 à 24 heures. Quand la couche d'écume a atteint l'épaisseur d'environ 1/2" à 1" (1,2 à 2,5 cm), ajoutez en mélangeant l'eau, dont la température devrait être d'environ 100°F (37°C), et 2 tasses (500 mL) de farine. Mélangez pour humidifier toute la farine et replacez le pot couvert dans son bain d'eau chaude. Laissez lever jusqu'à consistance très légère et formation de bulles, puis transvidez dans un bol à mélanger préalablement réchauffé et ajoutez en mélangeant 2 autres tasses (500 mL) de farine et, finalement, suffisamment de farine pour produire une pâte molle. Renversez sur une planche enfarinée et pétrissez jusqu'à consistance lisse et élastique. Formez deux miches et déposez-les dans des moules à pain bien graissés. Badigeonnez les miches de saindoux ou de beurre fondu et couvrez d'un linge. Mettez les miches à la chaleur, de 85°F à 90°F (30 à 32°C) et laissez lever jusqu'à obtention d'environ 2 1/2 fois leur volume; il se peut que vous ayez à attendre 6 heures. Faites cuire 10 minutes au four à 375°F, puis réduisez la température à 350°F (176°C) et remettez à cuire de 25 à 30 minutes. Démoulez et laissez refroidir sur une grille.

Biscuits à base de pâte aigrie

Dans la recette que voici, l'action alcaline du bicarbonate sur l'acide produit par la fermentation aide la culture à jouer son rôle de levure. Il s'agit d'une recette ancienne de biscuits levés au bicarbonate de soude.

3 tasses (750 mL) de pâte de base
2 tasses (500 mL) de farine
1 c. à café (5 mL) de sel
2 c. à soupe (30 mL) de sucre
1/2 c. à café (3 mL) de bicarbonate de soude
1/2 tasse (125 mL) de beurre fondu

Préparez la pâte de base en suivant les instructions qui se trouvent au début de ce chapitre. Remettez 1 tasse (250 mL) de pâte dans le contenant de culture. Mettez les 3 tasses (750 mL) de pâte de base dans un bol préalablement chauffé. Tous les autres ingrédients doivent être chambrés ou légèrement chauffés. Ajoutez en mélangeant le beurre fondu. Mêlez la farine, le sel, le bicarbonate de soude et le sucre et tamisez au-dessus de la pâte. Incorporez à la pâte en mélangeant, Ne battez pas, mais mélangez juste assez pour que le mélange de farine soit complètement humidifié. Renversez sur une planche bien enfarinée et pétrissez délicatement environ 1 minute. Abaissez la pâte jusqu'à ce qu'elle atteigne une épaisseur d'envrion 1/2 pouce (1 cm). Enfarinez un moule à découper ordinaire de 2'' (5 cm) de diamètre et taillez la pâte en veillant à enfariner le moule entre chaque coupe. Plongez les biscuits dans le beurre fondu et placez-les côte à côte dans un moule à gâteau carré de 9" x 9" (22 x 22 cm). Mettez le moule à la chaleur et laissez lever de 30 à 45 minutes. Faites cuire 30 minutes au four à 400 °F (204 °C). Les biscuits doivent être servis chauds puisqu'ils durcissent beaucoup en refroidissant. Au besoin, ils peuvent être réchauffés.

Pain à pâte aigrie cuit dans une cocotte "mijoteuse"

1 1/2 tasse (375 mL) de pâte de base
2 c. à café (10 mL) de levure sèche
1 c. à café (5 mL) de sucre
1/4 de tasse (60 mL) d'eau tiède
1 c. à café (5 mL) de sel
1/4 de c. à café (1 mL) de bicarbonate de soude
2 à 2 1/2 tasses (500 à 625 mL) de farine tout usage

Apprêtez la pâte de base en divisant par deux les quantités indiquées. Mettez 1/2 tasse (125 mL) de pâte de base dans un bol à mélanger. Activez la levure avec le sucre dans l'eau tiède et, une fois qu'elle est activée, ajoutez-la à la pâte de base. Ajoutez en mélangeant le sel, le bicarbonate et suffisamment de farine pour produire une pâte ferme. Pétrissez 5 ou 6 minutes jusqu'à consistance lisse et élastique. Formez une miche et déposez-la dans un moule à gâteau susceptible d'entrer dans la cocotte *mijoteuse*. Veillez à ce que la pâte ne dépasse pas le tiers de la hauteur du moule. Couvrez le moule de papier d'aluminium graissé et ficelez celui-ci autour du moule. Placez le moule dans la cocotte mijoteuse et faites cuire de 2 à 3 heures ou jusqu'à ce que les extrémités brunissent, à haute température. Retirez le moule de la marmite à cuisson lente et laissez-le reposer 5 minutes; démoulez sur une grille et badigeonnez de beurre fondu. Servez chaud.

Pain de blé entier au miel à base de pâte aigrie

3 tasses (750 mL) de pâte de base
1 1/2 tasse (375 mL) d'eau chaude
3 c. à soupe (50 mL) de miel
2 c. à soupe (30 mL) de beurre fondu et refroidi
2 c. à café (10 mL) de sel
3 tasses (750 mL) de farine de blé entier

4 tasses (1 L) environ de farine tout usage
1/2 tasse (125 mL) de lait écrémé en poudre

Apprêtez la pâte de base en suivant les instructions qui se trouvent au début de ce chapitre; vous pouvez utiliser n'importe quelle culture de bonne qualité. N'oubliez pas de remettre 1 tasse (250 mL) de pâte dans le contenant de culture. Déposez les 3 tasses (750 mL) de pâte de base dans un grand bol à mélanger et incorporez-y en mélangeant 1 tasse (250 mL) de farine blanche. Ajoutez l'eau chaude, le lait en poudre, le miel, le sel et le beurre. Mélangez bien et ajoutez la farine de blé en battant vigoureusement. Incorporez suffisamment de farine blanche pour produire une pâte qui se détache de la paroi du bol. Renversez sur une planche enfarinée et pétrissez, en ajoutant suffisamment de farine pour empêcher la pâte d'adhérer. Cette dernière ne doit pas être trop rigide. Pétrissez jusqu'à consistance lisse et élastique. Mettez la pâte dans un bol graissé; couvrez et laissez reposer à une température de 90 °F (32 °C) jusqu'à obtention du double du volume. Abaissez, couvrez et laissez reposer 20 minutes. Formez deux miches et déposez-les dans des moules à pain graissés; badigeonnez de beurre fondu et laissez lever à la chaleur jusqu'à obtention du double du volume. Faites cuire de 35 à 40 minutes au four à 375 °F (190 °C).

N.B.: On peut réduire les temps de levée et obtenir une texture plus légère en activant 1 c. à café (5 mL) de levure sèche dans un peu d'eau tiède pour l'incorporer ensuite à la pâte.

Crêpes à base de pâte aigrie

1 1/2 tasse (375 mL) de pâte de base
1 oeuf
1 c. à soupe (15 mL) d'huile
1 c. à café (5 mL) de sucre
1 c. à café (5 mL) de sel
2 c. à soupe (30 mL) de lait

Apprêtez la pâte de base; n'utilisez que la moitié des quantités indiquées. Une fois cette opération terminée, remettez 1/2 tasse (125 mL) dans le contenant de culture. Ajoutez les autres ingrédients à 1 1/2 tasse (375 mL) de pâte de base en mélangeant bien. Tous les ingrédients doivent être chambrés ou légèrement chauffés. Couvrez le bol et laissez-le reposer 1/2 heure à la chaleur. Faites chauffer une plaque ou un moule à gaufre à 400 °F (204 °C). La surface devrait en être très légèrement graissée. Versez environ 1 1/2 c. à soupe (25 mL) de pâte sur la grille chaude de façon à obtenir de minuscules crêpes. Laissez cuire environ 3 minutes jusqu'à ce que le dessus se couvre de bulles et que le pourtour semble sec. Retournez et faites cuire l'autre côté environ 2 minutes. Le deuxième côté ne brunit pas aussi également que le premier. Servez avec du beurre fondu et du sirop d'érable.

N.B.: D'une consistance très ferme, ces crêpes ne doivent pas être très grandes. Bon nombre de gens préfèrent la texture pelucheuse et le moelleux des crêpes levées à la poudre à lever et ajoutent de celle-ci à la pâte. Cela a pour effet de produire ce qu'on pourrait appeler des "crêpes à saveur de pâte aigrie" qui lèvent grâce à l'action des produits chimiques contenus dans la poudre à lever, et non grâce à l'action de la levure.

Petits pains à base de pâte aigrie

1 1/2 tasse (375 mL) de pâte de base
2 c. à soupe (30 mL) de sucre
3 c. à soupe (50 mL) de beurre fondu
1/2 c. à café (2 mL) de sel
1 oeuf battu
1 3/4 à 2 tasses (375 à 500 mL) de farine

Apprêtez la pâte de base; n'utilisez que la moitié des quantités indiquées et employez n'importe quelle culture de bonne qualité. Une fois cette opération terminée, remettez 1/2 tasse (125 mL) de pâte dans le contenant de culture et déposez 1 1/2 tasse (375 mL) de pâte dans un bol à mélanger. Ajoutez en mélangeant le sucre, le beurre fondu, le sel et l'oeuf bien battu. Incorporez de la farine et battez jusqu'à consistance lisse. Ajoutez de la farine en continuant de battre jusqu'à ce que la pâte résiste et se détache de la paroi du bol. Renversez et pétrissez en rajoutant de la farine au besoin pour empêcher la pâte d'adhérer. Quand celle-ci est redevenue lisse et élastique, mettez-la dans un bol graissé; couvrez et laissez lever jusqu'à obtention du double du volume. Abaissez et laissez lever de nouveau. Renversez et formez des petits pains. Couvrez d'un linge et laissez lever jusqu'à obtention du double du volume. Faites cuire 20 minutes au four à 400°F (204°C). Cette recette donne environ 18 petits pains.

Pain de seigle à base de pâte aigrie

Cette recette mennonite permet d'obtenir une saveur de pâte aigrie sans avoir à subir les inconvénients de la préparation et de la conservation d'une culture.

1 c. à soupe (15 mL) de levure sèche
1 c. à café (5 mL) de sucre
1/2 tasse (125 mL) d'eau tiède
1 tasse (250 mL) de sauerteig
3 c. à soupe (50 mL) de shortening
3 c. à soupe (50 mL) de sel
10 tasses (2,5 L) de farine blanche
5 tasses (1,25 L) de farine de seigle
4 1/2 tasses (1,25 L) d'eau de cuisson de pommes de terre

Apprêtez d'abord le *sauerteig*. Préparez une fournée de pain de blé entier ordinaire (pain brun ordinaire, pain de blé entier ou pain *Graham*) et, avant de former les miches, enlevez l'équivalent en pâte d'une balle de tennis, soit environ 1 tasse (250 mL). Déposez cette pâte dans un contenant graissé muni d'un couvercle (un contenant de 1 pinte (1 L) de crème glacée fait très bien l'affaire). Laissez le contenant à la chaleur de la pièce 3 ou 4 jours ou 1 semaine au réfrigérateur.

Le moment venu de préparer le pain à pâte aigrie, activez la levure avec le sucre dans l'eau tiède et déposez le sauerteig dans l'eau de pommes de terre chauffée. Une fois la levure bien activée, ajoutez celle-ci au sauerteig; mélangez bien en ajoutant le sel et la graisse. Incorporez en mélangeant la farine de seigle et battez jusqu'à ce que le mélange devienne lisse et qu'il ne reste plus de grumeaux. Ajoutez suffisamment de farine blanche pour produire une pâte plutôt ferme. Pétrissez de 15 à 20 minutes en incorporant juste assez de farine pour empêcher la pâte d'adhérer. La farine de seigle rend la pâte collante: veillez par conséquent à ne pas ajouter trop de farine durant le pétrissage. Mettez dans un bol graissé; couvrez et laissez lever jusqu'à obtention du double du volume. Abaissez et laissez lever de nouveau. Renversez et formez six miches. Déposez-les dans des moules graissés et laissez-les lever jusqu'à obtention du double de leur volume. Faites cuire 10 minutes au four à 400°F (204°C); réduisez la température à 350°F (176°C) et remettez à cuire 40 minutes. Glacez au goût avec une glace de fécule de maïs ou de fécule de pommes de terre. Laissez refroidir sur une grille.

PAINS DE CIRCONSTANCE

Le pain est associé de près à la religion et, dans plusieurs pays, les grandes fêtes religieuses sont l'occasion de produire un pain spécial. La forme qu'on lui donne et les ingrédients qu'il renferme expriment souvent une symbolique d'une grande importance. Il arrive que celle-ci saute aux yeux; c'est le cas notamment de la croix des brioches pascales. D'autres sont beaucoup plus difficiles à déchiffrer et remontent au paganisme ou aux rites des débuts de l'Histoire.

Après avoir quitté leurs pays d'origine pour s'établir au Canada, les immigrants ont trouvé dans la confection de pains de circonstance l'occasion de conserver un lien très solide avec leur société traditionnelle. Leurs enfants et petits-enfants, maintenant complètement "canadianisés", achètent leur pain quotidien au magasin, mais n'en ont pas moins continué à faire leurs pains de circonstance maison.

PÂTE DOUCE

"Babka"

Ce gâteau d'origine polonaise doit son nom à la forme du moule où on le fait cuire, soit un tube évasé. Il ressemble en effet à une grand-mère entourée de ses jupes.

2 c. à soupe (30 mL) de levure sèche
1 c. à café (5 mL) de sucre
1/4 de tasse (60 mL) d'eau tiède
1 tasse (250 mL) de lait ébouillanté
1 tasse (250 mL) de beurre

3 oeufs entiers
6 jaunes d'oeuf
5 à 6 tasses (1,25 à 1,4 L) de farine tout usage
1 tasse (250 mL) de raisins dorés
1/2 tasse (125 mL) de sucre
1/3 de tasse (75 mL) de rhum brun
2 tasses (500 mL) de sucre glace
eau bouillante

Activez la levure avec 1 c. à café (5 mL) de sucre dans l'eau tiède. Délayez le beurre et le reste du sucre dans le lait ébouillanté de façon à faire fondre le beurre et laissez tiédir. Ajoutez les oeufs entiers battus aux jaunes d'oeuf. Vérifiez la température et ajoutez, en mélangeant, la levure. Incorporez la moitié de la farine et battez 5 minutes avec un *blender.* Ajoutez suffisamment de farine pour produire une pâte très lourde qui tienne, mais qui soit en même temps trop molle pour être pétrie. Battez jusqu'à consistance lisse et élastique. Couvrez et laissez lever jusqu'à obtention du double du volume. Cette pâte riche lève assez lentement, et il faut s'armer de patience. Pendant la levée, faites macérer les raisins dans le rhum. Abaissez la pâte à la cuiller, égouttez les raisins en conservant le rhum et ajoutez, en mélangeant, les raisins à la pâte. Disposez la pâte dans un grand moule tubulaire graissé d'une capacité de 9 tasses (2,25 L) ou dans un moule à *babka.* Laissez lever jusqu'à obtention du double du volume et faites cuire de 40 à 45 minutes au four à 350°F (176°C). Retirez du four et laissez refroidir sur une grille. Pendant que le gâteau refroidit, mélangez le rhum où ont macéré les raisins et le sucre glace. Ajoutez suffisamment d'eau bouillante pour obtenir une glace très diluée. Placez la grille sur laquelle se trouve le gâteau au-dessus d'un moule à tarte ou d'un bol peu profond et versez la glace. Répétez l'opération en vous servant de la glace qui a coulé dans le récipient sous le gâteau. Recommencez tant qu'il reste de la glace.

PÂTE DOUCE MODIFIÉE

Brioches en forme de cannes de sucre d'orge

La recette d'appétissantes pâtisseries levées que voici n'appartient pas à la tradition, au contraire: elle a été élaborée dans les cuisines de l'une des grandes compagnies canadiennes de produits alimentaires. Ces pâtisseries mériteraient cependant d'être intégrées aux traditions culinaires du temps des Fêtes de n'importe quelle famille et d'être servies le matin de Noël. Il faut en effet peu de temps pour les façonner et les cuire pourvu qu'on ait préparé la pâte et la garniture la veille.

Pâte

1 c. à soupe (15 mL) de levure sèche
1 c. à café (5 mL) de sucre
1/4 de tasse (60 mL) d'eau tiède
4 tasses (1 L) de farine tout usage
3 c. à soupe (50 mL) de sucre
l'écorce râpée d'un citron
1 tasse (250 mL) de beurre
1 tasse (250 mL) de lait ébouillanté
2 oeufs

Garniture

2 tasses (500 mL) de canneberges
1/2 tasse (125 mL) de sucre
1/2 tasse (125 mL) de raisins sans pépins
1/2 tasse (125 mL) de pacanes *non hachées*
1/3 de tasse (80 mL) de miel
l'écorce râpée d'une demi-orange

Mode de préparation pour:

1)La garniture:

Hachez menu les canneberges à l'aide d'un robot culinaire équipé d'une lame d'acier ou en les passant au hachoir. Hachez grossièrement les *pacanes.* Mettez dans une casserole avec les autres ingrédients et amenez au point d'ébullition. Faites cuire à feu moyen jusqu'à épaississement. La durée de cuisson est de 5 à 15 minutes selon la quantité de jus contenu dans les canneberges. Laissez refroidir, puis réfrigérez. La garniture doit avoir la consistance d'une confiture épaisse.

2) La pâte:

Activez la levure avec 1 c. à café (5 mL) de sucre dans l'eau tiède. Mêlez la farine, l'écorce de citron et le reste du sucre. Intégrez le beurre à la farine en le coupant avec une broche à pâtisserie ou deux couteaux ou encore à l'aide d'un robot culinaire équipé d'une lame d'acier jusqu'à ce qu'il prenne l'apparence de chapelure. Mélangez le lait ébouillanté refroidi, la levure et les oeufs légèrement battus et ajoutez au mélange de farine et de beurre. Mêlez le tout en battant légèrement avec une fourchette. Couvrez la pâte et réfrigérez plusieurs heures ou jusqu'au lendemain.

3) Les brioches:

Divisez la pâte froide en deux parts et apprêtez-les l'une après l'autre. Abaissez de manière à former un rectangle de 14" x 18 " (35 x 45 cm) sur une planche légèrement enfarinée. Tartinez le tiers central du rectangle de pâte avec la moitié de la garniture en conservant intacte une bande de 6" (15 cm) de chaque côté. Repliez les tiers non garnis l'un sur l'autre de façon à former un nouveau rectangle à trois étages de 6" x 14" (15 x 35 cm). Découpez quinze bandes dans le sens de la largeur avec un couteau aiguisé. Tordez ces bandes en tire-bouchons et arrondissez l'une des extrémités de chaque bande pour lui donner la forme d'une canne. Déposez sur une tôle à cuisson bien graissée et faites cuire immédiatement 15 minutes au four à 400°F (204°C). Retirez-les avec précaution: les brioches sont susceptibles d'adhérer là où la garniture coule. Laissez refroidir sur une grille. Glacez les brioches tandis qu'elles sont chaudes avec du sucre glace dilué dans un peu de lait ou dans du fondant liquéfié. Répétez l'opération avec la deuxième part de pâte et de garniture ou conservez cette part pour le lendemain. Ces brioches doivent être servies chaudes; elles s'éventent assez vite puisqu'elles n'ont pas levé avant la cuisson. Il est donc préférable de conserver la seconde part de pâte et de garniture plutôt que de tenter de conserver les brioches cuites. On peut les congeler, mais elles sont meilleures au sortir du four.

PÂTE BÂTARDE

"Hallah"

La *Hallah,* c'est ce magnifique pain que les Juifs consomment le jour du sabbat. La tradition complexe de torsades tressées a pris naissance dans les communautés juives ashkénazes d'Europe centrale et d'Europe de l'Est. D'autres formes particulières de pain soulignent les grandes fêtes religieuses du *Rosh Hashana* et du *Sukkoth.* La tradition veut que la Hallah soit servie, le jour du sabbat, recouverte d'un voile somptueusement brodé. Il est préférable de ne pas la trancher, mais de la rompre comme, d'ailleurs, s'y prête sa forme.

1 c. à soupe (15 mL) de levure sèche
1 c. à café (5 mL) de sucre
1/4 de tasse (60 mL) d'eau tiède
1/4 de tasse (60 mL) d'eau bouillante
1/3 de tasse (125 mL) d'huile
une pincée de safran
1/2 tasse (125 mL) de raisins sans pépins (au goût)
3 oeufs entiers
1/2 tasse (125 mL) d'eau froide
2 c. à soupe (30 mL) de sucre
1 1/2 c. à soupe (25 mL) de sel
4 à 5 tasses (1 à 1,25 L) de farine tout usage
graines de sésame ou de pavot
1 jaune d'oeuf

Activez la levure avec 1 c. à café (5 mL) de sucre dans l'eau tiède. Déposez l'huile, le sucre, le sel et le safran dans un bol à mélanger et versez l'eau bouillante. Mélangez, puis ajoutez l'eau froide et les oeufs battus. Mélangez de nouveau, puis ajoutez la levure. Incorporez en mélangeant le tiers environ de la farine et battez vigoureusement. Ajoutez suffisamment de farine pour produire une pâte assez ferme. Si la pâte de la *Hallah* est trop molle, les torsades s'affaissent; si l'on ajoute trop de farine, par contre, le pain séche et s'évente très rapidement. Pétrissez bien, mettez dans un bol graissé, couvrez et laissez lever jusqu'à obtention du double du volume. Renversez et, au goût, incorporez les raisins. Divisez la pâte en trois, quatre ou six et tressez en vous référant au chapitre intitulé *La pâte en forme.* Si les cordons tendent à s'agglutiner au cours du tressage, saupoudrez-les légèrement de farine de riz. Une fois la tresse terminée, brossez-la pour enlever tout excès de farine. Disposez la tresse sur une tôle à cuisson graissée; couvrez et laissez lever jusqu'à obtention du double du volume. Enlevez les raisins qui se trouvent en surface, car autrement, ils brûleront. Glacez de jaune d'oeuf et saupoudrez de graines de sésame ou de pavot. Faites cuire environ 30 minutes au four à 400°F (204°C) en réduisant la température après 20 minutes si le pain brunit trop. Retirez du four en faisant attention de ne pas endommager la tresse et laissez refroidir sur une grille.

PÂTE FERME

"Stollen" pour le réveillon de Noël

Voici un pain de Noël allemand. La tradition veut que le meilleur soit originaire de Dresde. J'ignore d'où provient cette recette, mais, à mon avis, son résultat soutient la comparaison avec tout autre. Ce type de pain se conserve et s'expédie bien: aussi constitue-t-il un judicieux cadeau de Noël.

2 c. à soupe (30 mL) de levure sèche
1 c. à café (5 mL) de sucre
1/4 de tasse (60 mL) d'eau tiède
1 tasse (250 mL) de lait ébouillanté
2 oeufs
3/4 de tasse (185 mL) de beurre
1/2 tasse (125 mL) de sucre
3 à 4 tasses (750 mL à 1 L) de farine tout usage
1 tasse (250 mL) de morceaux de fruits confits mêlés
1/2 tasse (125 mL) de raisins sans pépins
1/2 tasse (125 mL) de raisins de Corinthe séchés
1/2 tasse (125 mL) de cerises confites
1/4 de tasse (60 mL) d'angélique hachée
1/4 de tasse (60 mL) de rhum brun
1 tasse (250 mL) d'amandes en copeaux

Activez la levure avec 1 c. à café (5 mL) de sucre dans l'eau tiède. Mêlez tous les fruits et versez-y le rhum. Laissez reposer ce mélange au moins une heure. Ébouillantez le lait et laissez-le tiédir. Vérifiez la température et ajoutez la levure. Incorporez en mélangeant 2 tasses (500 mL) de farine et mélangez jusqu'à ce que toute la farine soit humidifiée. Couvrez le bol hermétiquement et laissez lever plusieurs heures. Abaissez à la cuiller et ajoutez petit à petit les oeufs battus, le reste du sucre, le rhum dans lequel ont macéré les fruits, et le beurre mou. Battez vigoureusement ce mélange (un mixeur équipé d'un crochet pétrisseur peut être ici d'un grand secours) en ajoutant suffisamment de farine pour produire une pâte plutôt ferme, mais non collante. Pétrissez jusqu'à ce que la pâte devienne lisse, satinée et élastique. Mettez dans un bol graissé; couvrez et laissez lever jusqu'à obtention du double du volume. Entre-temps, grillez légèrement les amandes au four et saupoudrez les fruits égouttés d'un peu de farine. Abaissez la pâte et incorporez-y très délicatement les fruits et les amandes. Veillez à ne pas veiner la pâte et à répartir les fruits également. Divisez la pâte en deux parts et formez deux longs ovales d'une épaisseur de 3/4" (2 cm). Repliez chaque miche au tiers de sa longueur en ramenant la partie la plus courte sur la plus longue. Appuyez légèrement de façon à sceller. Badigeonnez de beurre fondu. Disposez sur des tôles à cuisson graissées, couvrez d'un linge et laissez lever jusqu'à obtention du double du volume. Badigeonnez de nouveau de beurre fondu. Faites cuire 15 minutes au four à 425°F (218°C). Réduisez la température à 350°F (176°C) et remettez à cuire 40 minutes. Retirez du four, badigeonnez une troisième fois de beurre fondu, saupoudrez d'une couche épaisse de sucre glace et laissez refroidir sur une grille. Entreposez couvert d'une feuille de plastique étanche.

PÂTE BÂTARDE

"Dreikonigsbrot"

Voici un très ancien gâteau qu'on préparait à l'occasion de l'Épiphanie pour rappeler les rois mages. En France, on l'appelait Galette des Rois, en Espagne, *Rosca de Reyes,* mais peu importe où on le mangeait, celui qui découvrait la fève dans sa portion devenait roi d'un jour. Au Canada, cette coutume s'est déplacée vers le Mardi gras.

2 c. à soupe (30 mL) de levure sèche
1 c. à café (5 mL) de sucre
1/2 tasse (125 mL) d'eau tiède
3/4 de tasse (200 mL) de crème légère

1/2 tasse (125 mL) de sucre
2 c. à café (10 mL) de sel
2 oeufs entiers
4 jaunes d'oeuf
l'écorce râpée d'un citron
l'écorce râpée d'une orange
1/2 tasse (125 mL) de beurre
1 fève sèche
5 à 6 tasses (1,25 à 1,5 L) de farine tout usage
1 douzaine de morceaux de sucre
1 c. à café (5 mL) de cannelle
5 c. à soupe (75 mL) de noix de Grenoble hachées
beurre fondu

Activez la levure avec 1 c. à café (5 mL) de sucre dans l'eau tiède. Ébouillantez la crème et ajoutez-y le beurre, le sucre, le sel, l'écorce de citron et l'écorce d'orange. Laissez refroidir et ajoutez les oeufs et les jaunes d'oeuf légèrement battus. Vérifiez la température et ajoutez la levure. Incorporez en battant la moitié de la farine et battez très vigoureusement. Ajoutez de la farine en battant sans arrêt jusqu'à ce que la pâte résiste et se détache de la paroi du bol. Renversez et pétrissez bien en ajoutant suffisamment de farine pour empêcher la pâte d'adhérer et la rendre rigide. Mettez-la dans un bol graissé; couvrez et laissez lever jusqu'à obtention du double du volume. Abaissez et pétrissez légèrement. Glissez la fève dans la pâte et façonnez un long cylindre de 20" (50 cm). Joignez les extrémités de manière à former un anneau ou une couronne et disposez sur une tôle graissée. Couvrez d'un linge et laissez lever jusqu'à obtention du double du volume. Badigeonnez délicatement de beurre fondu. Broyez les morceaux de sucre, mêlez-les avec la cannelle et les noix et saupoudrez la pâte de ce mélange. Laissez tomber goutte à goutte du beurre fondu sur le tout. Faites cuire 30 minutes au four à 375°F (190°C). Retirez du four avec précaution et laissez refroidir sur une grille.

PÂTE BÂTARDE

"Fastnachtskrapfen"

Connu sur tout le continent, le carnaval de Québec n'a d'autre rival pour son animation et sa gaieté que le Mardi gras à la Nouvelle-

Orléans. Mais les Canadiens d'origine allemande fêtent aussi le Mardi gras suivant une tradition qui fait écho aux grands carnavals de Cologne, de Munich et de Vienne. Depuis des siècles, les beignets à la gelée que voici y sont en vedette.

1 c. à soupe (15 mL) de levure sèche
1 c. à café (5 mL) de sucre
1/4 de tasse (60 mL) d'eau tiède
1 tasse (250 mL) de lait ébouillanté
3 jaunes d'oeuf
1/2 c. à café (2 mL) de sel
3 c. à soupe (60 mL) de beurre
2 c. à soupe (30 mL) de sucre
1 c. à soupe (15 mL) de rhum
1 c. à café (5 mL) de vanille
1 c. à café (5 mL) de muscade râpée
3 à 4 tasses (750 mL à 1 L) de farine tout usage
gelée de framboise, de raisins ou de mûres ou confiture d'abricots

Activez la levure avec 1 c. à café (5 mL) de sucre dans l'eau tiède. Délayez le sel, le beurre, le sucre, la vanille, le rhum et la muscade dans le lait ébouillanté et mélangez jusqu'à ce que le beurre fonde. Laissez refroidir et ajoutez les jaunes d'oeuf légèrement battus. Vérifiez la température et ajoutez la levure. Incorporez en mélangeant suffisamment de farine pour produire une pâte molle, mais absolument pas collante. Pétrissez bien; rajoutez de la farine au besoin. Mettez dans un bol graissé; couvrez et laissez lever jusqu'à obtention du double du volume. Renversez cette pâte sur une planche enfarinée et abaissez-la jusqu'à ce qu'elle atteigne une épaisseur de 1/4" (50 mm). Couvrez d'un linge et laissez reposer 10 minutes pour empêcher la pâte de rétrécir. Découpez en rondelles en vous servant d'un moule à découper enfariné de 3" (7,5 cm) de diamètre. Rassemblez la pâte inutilisée, roulez-la en boule, abaissez-la de nouveau, puis coupez de nouvelles rondelles. Quand il ne reste plus de pâte, badigeonnez d'eau le tour de chaque rondelle. Divisez le nombre total de rondelles en deux parties égales. Mettez envrion 1 c. à café (5 mL) de confiture ou de gelée au centre des rondelles de la première moitié. Formez des sandwiches à l'aide de la seconde moitié de rondelles et pincez ensemble chaque sandwich pour sceller. Coupez de nouveau les rondelles avec un moule à découper plus petit pour les égaliser et les sceller. Disposez des bandes de papier ciré légèrement plus larges que les beignets et d'une longueur de 1" (30 cm) sur une tôle à biscuits. Déposez trois beignets côte à côte sur chaque bande. Couvrez-les d'un linge et laissez-les lever 1/2 heure ou jusqu'à ce qu'ils semblent légers et gonflés. Chauffez de l'huile ou de la graisse à 365°F (185°C) dans une cocotte ou un poêlon à frire. En tenant l'une des bandes de papier ciré par les extrémités, faites glisser trois beignets dans l'huile ou la graisse. Sils restent collés au papier, laissez tomber celui-ci dans la friture et retirez-le avec des pinces. Faites frire les beignets de 3 à 5 minutes en les retournant pour qu'ils brunissent des deux côtés. Répétez l'opération jusqu'à épuisement des beignets. Égouttez sur des serviettes de papier et saupoudrez au goût de sucre glace. Cette recette donne environ 2 douzaines de beignets.

N.B.: Bien que le saindoux ne serve plus tellement pour la friture de nos jours, il fait mieux ressortir la saveur des beignets que toute autre matière grasse. Il doit être, bien entendu, tout à fait frais.

PÂTE BÂTARDE

Pain de Pâques grec

2 c. à soupe (30 mL) de levure sèche
1 c. à café (5 mL) de sucre
1/2 tasse (125 mL) d'eau tiède
1/2 tasse (125 mL) de lait ébouillanté
1/4 de tasse (60 mL) de beurre
3 c. à soupe (50 mL) de miel
1 c. à café (5 mL) de sel
2 oeufs entiers
1 jaune d'oeuf
1/2 c. à café (3 mL) de graines d'anis
3 c. à soupe (50 mL) d'amandes émondées en copeaux
1/2 c. à café (3 mL) d'eau de rose (au goût)
4 oeufs teints en rouge
2 1/2 à 3 tasses (625 à 750 mL) de farine tout usage

Activez la levure avec le sucre dans l'eau tiède. Délayez le beurre, le miel, le sel, l'eau de rose et l'anisette dans le lait ébouillanté. Mélangez pour faire fondre le beurre et laissez tiédir. Ajoutez les oeufs entiers et le jaune d'oeuf battus. Vérifiez la température et ajoutez la levure activée. Mêlez les graines d'anis à la moitié de la farine, puis ajoutez en mélangeant et battez vigoureusement. Incorporez suffisamment de farine pour produire une pâte plutôt ferme. Pétrissez bien et mettez dans un bol graissé. Couvrez et laissez lever jusqu'à obtention du double du volume. Abaissez, renversez et incorporez les amandes. Formez les pains de l'une des façons suivantes: découpez un petit morceau de pâte et formez des cordons de l'épaisseur d'un crayon et d'une longueur d'environ 1' (30 cm); tordez-les ensemble deux par deux comme de la corde. Formez une miche ronde avec le reste de la pâte et déposez-la dans un moule rond graissé. Disposez les cordes en croix sur la miche et faites un nid aux quatre extrémités pour les oeufs teints. Vous pouvez aussi diviser la pâte en deux et façonner deux cordes que vous tordrez ensemble de manière à former une longue miche; coincez les oeufs entre les cordes tout au long de la miche. Déposez celle-ci sur une tôle graissée. Laissez-la lever jusqu'à obtention du double de son volume initial. Badigeonnez d'oeuf battu et faites cuire la torsade au four à 350°F (176°C), de 30 à 35 minutes; la miche ronde, de 45 à 50 minutes.

PÂTE BÂTARDE

Brioches du Vendredi saint

Les brioches du Vendredi saint font tout autant partie de la Semaine sainte que le lapin de Pâques et les oeufs. On les trouve aplaties et collantes au supermarché, mais les brioches maison, très différentes, sont parfumées, moelleuses et épicées.

Pâte

1 c. à soupe (15 mL) de levure sèche
1 c. à café (5 mL) de sucre
2 c. à soupe (50 mL) d'eau tiède
1 tasse (250 mL) de lait ébouillanté
3 c. à soupe (50 mL) de cassonade pâle bien tassée
1/4 de tasse (60 mL) de beurre
2 oeufs
1/2 c. à café (3 mL) de muscade moulue
1/2 c. à café (3 mL) de cannelle moulue
1/4 c. à café (2 mL) de piment de Jamaïque moulu

1/4 c. à café (2 mL) de clous de girofle moulus
1 tasse (250 mL) de raisins de Corinthe
4 tasses (1 L) de farine tout usage

Glace

2 c. à soupe (30 mL) de lait
2 c. à soupe (30 mL) de sucre

Activez la levure avec 1 c. à café (5 mL) de sucre dans l'eau tiède. Délayez le beurre et la cassonade dans le lait ébouillanté. Mélangez pour faire fondre le beurre; laissez refroidir. Ajoutez les oeufs légèrement battus. Vérifiez la température et ajoutez la levure activée. Mêlez les épices à 1 tasse (250 mL) de farine et ajoutez en mélangeant, puis battez vigoureusement. Incorporez suffisamment de farine pour produire une pâte molle qui ne colle pas. Renversez et pétrissez jusqu'à consistance lisse. Mettez dans un bol graissé; couvrez et laissez lever jusqu'à obtention du double du volume. Abaissez et incorporez les raisins de Corinthe (si ceux-ci sont trop secs et durs, on peut les faire gonfler en les mettant à tremper dans l'eau chaude pendant que la pâte lève; dans ce cas, il faut les égoutter et les assécher avant de les intégrer à la pâte). Divisez la pâte en douze et formez des boulettes aplaties. Disposez celles-ci côte à côte, mais assez loin pour qu'elles se touchent à peine, sur une tôle à cuisson graissée. Couvrez et laissez lever jusqu'à obtention du double du volume. Tracez une croix assez profonde avec un couteau aiguisé sur le dessus de chaque brioche. Laissez reposer quelques minutes pour que les entailles s'ouvrent. Faites cuire 20 minutes au four à 375°F (190°C). Pour glacer, mélangez le lait et le sucre et faites bouillir jusqu'à consistance sirupeuse. Badigeonnez de glace les brioches aussitôt retirées du four. Laissez-les refroidir sur une grille et badigeonnez-les deux autres fois pendant qu'elles sont encore chaudes. On peut si l'on veut dessiner une croix sur les brioches en faisant couler de la glace dans les entailles une fois celles-ci refroidies.

PÂTE BÂTARDE

Pain de Pâques italien

1 c. à soupe (15 mL) de levure sèche
1 c. à café (5 mL) de sucre

1/2 tasse (125 mL) d'eau tiède
1/2 tasse (125 mL) de lait ébouillanté
2 c. à soupe (30 mL) de beurre
3 c. à soupe (50 mL) de sucre
1 c. à café (5 mL) de sel
2 oeufs
1/2 tasse (125 mL) de fruits confits hachés
1/2 c. à café (3 mL) de graines d'anis
2 1/2 à 3 1/2 tasses (625 à 875 mL) de farine tout usage
5 oeufs peints

Activez la levure avec 1 c. à soupe (5 mL) de sucre dans l'eau tiède. Ébouillantez le lait et délayez-y le beurre, le sel et le reste du sucre. Laissez refroidir et ajoutez les oeufs. Vérifiez la température et ajoutez la levure. Mêlez les graines d'anis à 1 tasse (250 mL) de farine, puis ajoutez en mélangeant et battez vigoureusement. Incorporez suffisamment de farine pour produire une pâte ferme. Pétrissez bien. Mettez dans un bol graissé; couvrez et laissez lever jusqu'à obtention du double du volume. Abaissez, renversez et intégrez les fruits confits. Divisez la pâte en deux. Façonnez deux cordes de 2' (60 cm) de long. Entrecroisez-les sans les resserrer et joignez-en les extrémités de manière à former un anneau. Coïncez-y les oeufs. Disposez sur une tôle à cuisson graissée et laissez lever jusqu'à obtention du double du volume. Faites cuire de 30 à 35 minutes au four à 350°F (176°C). Retirez du four et laissez refroidir sur une grille. Avant qu'il ne soit complètement refroidi, glacez le pain avec du sucre glace ou du fondant et décorez-le de confettis multicolores.

PÂTE FERME

"Koulitch" (pain de Pâques russe)

À Pâques, on apporte ces hautes miches décorées à l'église en même temps que les autres plats de circontance et les *pysanky,* ou oeufs de Pâques, pour les faire bénir. La tradition veut qu'on serve avec le *koulitch* un riche dessert moulé au fromage, la *pachka.* Ce pain est si léger qu'on le démoulait souvent sur un oreiller de plumes pour l'empêcher de s'affaisser.

2 c. à soupe (30 mL) de levure sèche
1 c. à café (5 mL) de sucre
1/3 de tasse (75 mL) d'eau tiède
1 tasse (250 mL) de lait ébouillanté
2 oeufs entiers
2 jaunes d'oeuf
1/2 c. à café (3 mL) de sel
1 tasse (250 mL) de sucre
2/3 de tasse (165 mL) de beurre
1 c. à café (5 mL) de vanille
l'écorce râpée d'un demi-citron
l'écorce râpée d'une demi-orange
1 tasse (250 mL) de raisins dorés
5 à 5 1/2 tasses (1,25 à 1,5 L) de farine tout usage
glace de couleur
coquilles d'oeufs peintes et vidées de leur contenu

Activez la levure avec 1 c. à café (5 mL) de sucre dans l'eau tiède. Ébouillantez le lait et versez-le peu à peu sur 1/3 de tasse (100 mL) de farine. Battez vigoureusement ce mélange à la main ou dans un *blender* pour en éliminer tous les grumeaux. Laissez tiédir et ajoutez la levure activée. Couvrez et laissez lever 2 heures. Battez ensemble les oeufs entiers et les jaunes d'oeuf jusqu'à consistance légère de couleur citron. Ajoutez petit à petit le sel et le sucre sans cesser de battre à l'aide d'un mixeur ou d'un fouet, puis, petit à petit également, le beurre fondu, la vanille, l'écorce de citron et l'écorce d'orange. Incorporez le tout à la pâte et mélangez bien. Ajoutez de la farine en battant vigoureusement jusqu'au moment où le mélange commencera à tenir. Trop mou, celui-ci se prêtera mal au pétrissage: aussi faudra-t-il le plier à plusieurs reprises pour permettre au gluten d'agir. Si vous en avez un, battez de 8 à 10 minutes avec un mixeur équipé d'un crochet pétrisseur; sinon, servez-vous de vos mains de 15 à 20 minutes. Couvrez et laissez lever jusqu'à obtention du double du volume. Abaissez à la cuiller et ajoutez les raisins. Prenez de grandes boîtes de conserve cylindriques (des boîtes de jus de 48 onces (1,36 L), des seaux de *shortening* ou de saindoux de 3 livres (1,36 kg) ou encore de grands pots de miel). Graissez avec soin ces contenants. Emplissez-les de pâte jusqu'au tiers; graissez un solide papier d'emballage brun et taillez-y un col que vous attacherez au haut de chaque moule comme pour un soufflé. Laissez lever jusqu'à obtention du triple du volume. La pâte doit atteindre le bord des boîtes. Déposez avec précaution au four et faites cuire 10 minutes à 375°F (190°C). Réduisez la température à 350°F (176°C) et remettez à cuire 30 minutes, puis réduisez la température à 275°F (135°C) et remettez à cuire de 10 à 15 minutes. Le col de papier empêche la pâte de déborder du moule et de trop brunir. Retirez du four et laissez reposer 5 minutes. Démoulez en faisant glisser délicatement chaque miche sur un oreiller mou couvert d'un linge. Si la miche adhère à la boîte, découpez le dessous de celle-ci et tirez-le vers vous délicatement. Laissez refroidir sur les oreillers en retournant les miches de temps en temps pour les empêcher de s'affaisser. Une fois les miches refroidies, glacez-en le dessus bombé avec une glace de couleur; ne vous inquiétez pas si cette dernière coule sur les côtés. Disposez une coquille d'oeuf coloriée au sommet de chaque miche de manière à imiter une anse. Au moment de servir, enlevez le sommet bombé et tranchez le reste du cylindre. Replacez le sommet décoré sur le reste de la miche. Servez avec de la *pachka.*

PÂTE BÂTARDE

"Panetone"

Le pain italien que voici aurait été inventé par un certain Tonio, apprenti d'un boulanger milanais, d'où son nom de *Panetone* (le pain de Tonio). Au temps des Fêtes, la plupart des épiceries italiennes au Canada en offrent des miches importées dans un emballage plein de gaieté, mais le paneton maison est beaucoup plus apprécié. On le sert à Noël, à Pâques, aux mariages ou en toute occasion particulière et, chaque fois, décoré différemment.

2 c. à soupe (30 mL) de levure sèche
1 c. à café (5 mL) de sucre
1/4 de tasse (60 mL) d'eau tiède
6 jaunes d'oeuf
1/2 tasse (125 mL) de beurre
3 c. à soupe (50 mL) de sucre
1 c. à café (5 mL) de vanille
1 c. à café (5 mL) d'écorce de citron râpée
3 tasses (750 mL) de farine tout usage
1/2 tasse (125 mL) de farine tout usage
1/2 tasse (125 mL) de cédrat haché

1/2 tasse (125 mL) de raisins
1/4 de tasse (60 mL) de noix de qualité

Activez la levure avec 1 c. à café (5 mL) de sucre dans l'eau tiède. Battez les jaunes d'oeuf avec le reste du sucre, la vanille et l'écorce de citron. Ajoutez la levure activée et, en mélangeant, la moitié de la farine. Incorporez petit à petit en battant le reste de la farine; alternez avec le beurre ramolli. Cette pâte, trop molle, se prêtera mal au pétrissage; frappez-la entre les mains ou rabattez-la sur une surface unie jusqu'à ce qu'elle devienne lisse et huileuse, mais non collante. Cette opération dure assez longtemps. Continuez jusqu'à ce que la pâte commence à prendre une consistance élastique. Mettez-la alors dans un bol; couvrez et laissez lever jusqu'à obtention du double du volume. À cause de sa teneur élevée en huile, cette pâte lève très lentement. Une fois la levée terminée, abaissez la pâte et incorporez-y le cédrat, les raisins et les noix. Divisez-la en deux balles que vous déposerez sur une tôle à cuisson graissée. Tracez une croix d'une profondeur de 1/2" (1,25 cm) sur le dessus de chaque balle. Couvrez d'un linge; laissez lever jusqu'à obtention du double du volume. Glacez avec un oeuf battu et faites cuire de 35 à 40 minutes au four à 350°F (176°C). Retirez du four, badigeonnez de beurre fondu et laissez refroidir sur une grille. Décorez pour l'occasion.

PÂTE BÂTARDE

Brioche de la Sainte-Lucie

On apprête ces brioches dans les familles scandinaves à l'occasion de la fête de sainte Lucie, le 13 décembre. Traditionnellement, elles sont servies par une jeune fille qui porte sur la tête une couronne de bougies allumées.

2 c. à soupe (30 mL) de levure sèche
1 c. à café (5 mL) de sucre
1/2 tasse (125 mL) d'eau tiède
1 1/4 (300 mL) de crème légère
1/4 de c. à café (1 mL) de stigmates de safran
3/4 de tasse (200 mL) de sucre
6 1/2 tasse (1,75 L) de farine tout usage

1/2 tasse (125 mL) de beurre
1 c. à café (5 mL) de cardamome moulue
1/2 tasse (125 mL) d'amandes effilées moulues
2 oeufs entiers
1/2 tasse (125 mL) de raisins foncés sans pépins
1 jaune d'oeuf

Asséchez le safran de 15 à 20 minutes au four à 250°F (135°C) dans une soucoupe et broyez-le avec le dos d'une cuiller. Décortiquez les graines de cardamome et broyez-les dans un mortier; conservez les cosses.

Activez la levure avec 1 c. à café (5 mL) de sucre dans l'eau tiède. Amenez la crème presqu'au point d'ébullition après y avoir ajouté les cosses de cardamome. Égouttez et jetez les cosses. Ajoutez le safran, le reste du sucre et le beurre; laissez reposer. Quand le mélange est devenu tiède, incorporez-y les oeufs battus. Vérifiez la température et ajoutez la levure activée. Mêlez la cardamone broyée à la farine et ajoutez au mélange; battez jusqu'à ce que la pâte se détache de la paroi du bol. Renversez et laissez reposer 15 minutes sous le bol. Pétrissez sur une planche bien enfarinée jusqu'à consistance lisse et élastique. Mettez dans un bol graissé; couvrez et laissez lever jusqu'à obtention du double du volume. Abaissez, renversez et incorporez les raisins; conservez-en quelques-uns pour la décoration. Abaissez la pâte de manière à obtenir des bandes aussi minces qu'un crayon et façonnez suivant les instructions qui portent sur les brioches traditionnelles, ci-dessous. Disposez sur des tôles à cuisson graissées, couvrez d'un linge et laissez lever jusqu'à obtention du double du volume. Badigeonnez avec le jaune d'oeuf battu dans 1 c. à soupe (15 mL) d'eau. Faites cuire de 12 à 15 minutes au four à 400°F (204°C).

SUGGESTIONS DE FORMES POUR LES BRIOCHES DE LA SAINTE-LUCIE

Roue de charrette

Coupez deux bandes d'une longueur de 10" (25 cm). Déposez-les côte à côte, pincez-les ensemble au centre et recourbez-en les extrémités. Disposez un raisin dans le creux ainsi formé à chaque extrémité.

Barbe à Joseph 

Coupez trois bandes, l'une de 10" (25 cm) de long, la deuxième de 8" (20 cm), la troisième de 6" (15 cm). Recourbez en "U" la plus courte des bandes, puis disposez autour de celle-ci la bande de longueur moyenne et, enfin, autour des deux premières, la bande la plus longue. Retroussez les extrémités. Nichez un raisin dans le creux ainsi formé à chaque extrémité.

Torsade

Coupez une bande de 8" (20 cm) de long. Recourbez chaque extrémité en direction opposée. Disposez un raisin dans le creux ainsi formé à chaque extrémité.

Chèvre

Coupez une bande de 10" (25 cm) de long. Pincez-la au centre de façon à former un "V". Recourbez les extrémités vers le bas pour former des cornes. Disposez un raisin dans les creux ainsi formés.

Croix de la Sainte-Lucie

Coupez deux bandes de 6" (15 cm) de long. Croisez-les en "X" et recourbez-en les extrémités. Disposez un raisin dans les creux ainsi formés.

Étoile de Bethléem

Coupez deux bandes de 10" (25 cm) de long. Formez deux triangles. Disposez-les l'un sur l'autre en les faisant pointer dans des directions opposées.

PÂTE FERME

Tresse de Noël ukrainienne

Dans toute famille ukrainienne traditionnelle, la gerbe de blé, ou *didoutch* (sic), fait partie des décorations de Noël. Elle symbolise l'espoir d'une récolte abondante l'année suivante. La veille de Noël, on prépare un repas de douze plats. Puisqu'il s'agit d'un jour de jeûne, le menu ne comprend pas de viande, mais il est si délicieux et si abondant qu'il s'agit d'un véritable festin. En guise de pain, on y sert traditionnellement la tresse que voici:

2 c. à soupe (30 mL) de levure sèche
2 c. à café (10 mL) de sucre
2 tasses (500 mL) de lait ébouillanté
1 c. à café (5 mL) de sel
1/2 tasse (125 mL) de beurre
2 oeufs
8 tasses (2 L) de farine tout usage
l'écorce râpée d'un citron

Laissez tiédir le lait ébouillanté, puis délayez-y le sucre et activez-y la levure. Une fois la levure activée, ajoutez 4 tasses (1 L) de farine et mélangez jusqu'à ce que la farine soit entièrement humidifiée. Couvrez et laissez lever de 4 à 5 heures. Battez les oeufs avec le sel, le beurre préalablement fondu et refroidi et l'écorce de citron. Incorporez en battant à la pâte, puis ajoutez le reste de la farine. Renversez et pétrissez 20 minutes. Mettez dans un bol graissé; couvrez et laissez lever jusqu'à obtention du double du volume. Renversez et divisez en six. Abaissez de manière à former une corde et tressez trois par trois pour obtenir deux miches (reportez-vous aux instructions, page xx). Disposez sur des tôles à cuisson graissées; couvrez et laissez lever jusqu'à obtention du double du volume. Badigeonnez avec l'oeuf légèrement battu et saupoudrez de graines de pavot. Faites cuire 45 minutes au four à 350°F (176°C). Retirez en faisant attention de ne pas endommager la tresse et laissez refroidir sur une grille.

PETITS PAINS, BRIOCHES ET PETITS GÂTEAUX LEVÉS

Les recettes que voici couvrent toute la gamme depuis les petits pains du menu quotidien, blancs ou bruns, jusqu'aux brioches au miel aussi sucrées que collantes, depuis les préparations plus simples jusqu'aux complexes recettes de croissants. On y trouve tant la brioche du déjeuner que le pain à hot dog du lunch ou l'élégant baba au rhum du souper. Les usages multiples auxquels se prêtent les pâtes à la levure ne sauraient être mieux illustrés que dans les pages ci-après.

Il m'a été particulièrement difficile de choisir parmi plusieurs centaines de recettes toutes plus appétissantes les unes que les autres, mais j'ai le sentiment qu'elles forment un ensemble représentatif qui illustre la plupart des techniques de préparation des petits pains.

PÂTE BÂTARDE

Poufs

1 c. à soupe (15 mL) de levure sèche
1 c. à café (5 mL) de sucre
1/2 tasse (125 mL) d'eau tiède
9 tasses (2,25 L) de farine tout usage
4 tasses (1 L) d'eau tiède
1/2 tasse (125 mL) de saindoux fondu et refroidi

1/2 tasse (125 mL) de sucre
2 c. à café (10 mL) de sel
1 c. à soupe (15 mL) de vinaigre

Activez la levure avec 1 c. à café (5 mL) de sucre dans 1/2 tasse (125 mL) d'eau tiède. Mettez la farine dans un bol à mélanger; mêlez-y les autres ingrédients et déposez-les en même temps que la levure dans un puits creusé à même la farine. Mélangez avec une cuiller en bois jusqu'à ce que toute la farine soit humidifiée. Renversez et pétrissez jusqu'à consistance lisse et élastique en ajoutant de la farine au besoin, puisque cette pâte est plutôt rigide. Mettez dans un bol graissé; couvrez et laissez lever jusqu'à obtention du double du volume. Abaissez et laissez lever de nouveau, puis recommencez une troisième fois. Renversez et façonnez des petits pains. Déposez-les dans deux moules bien graissés de 9" x 13" (22,5 x 32,5 cm). Couvrez d'un linge et laissez lever jusqu'à ce que les brioches deviennent très légères. Faites cuire 35 minutes au four à 400°F (204°C). Laissez refroidir sur une grille et ne séparez pas les brioches avant qu'elles aient refroidi.

PÂTE DOUCE

Baba au rhum

Pâte

1/2 tasse (125 mL) de lait
1/2 c. à soupe (7 mL) de levure sèche
2 c. à soupe (30 mL) d'eau tiède
1/4 de tasse (60 mL) de sucre
1/4 de c. à café (1 mL) de sel
2 oeufs
1/3 de tasse (75 mL) de beurre fondu et refroidi
1 3/4 tasse (450 mL) de farine tout usage

Sirop

3/4 de tasse (200 mL) de sucre
1 tasse (250 mL) d'eau
1/3 de tasse (75 mL) de rhum ou de cognac
le jus de la moitié d'un petit citron

Activez la levure avec 1 c. à café (5 mL) de sucre dans l'eau tiède. Ébouillantez le lait et versez-le dans le bol; lorsqu'il est devenu tiède, délayez-y la levure et le sel. Battez les oeufs avec le reste du sel, puis ajoutez le beurre. Incorporez le tout au lait. Ajoutez suffisamment de farine pour produire une pâte lourde et épaisse. Battez 5 minutes. Couvrez et laissez lever environ 1 heure. Abaissez à la cuiller et remplissez à mi-hauteur les moules à babas ou à *muffins* graissés. Laissez lever jusqu'à ce que la pâte atteigne presque le bord des moules. Faites cuire de 15 à 20 minutes au four à 350°F (176°C). Trempez dans le sirop. Servez chaud ou froid. Dans le premier cas, flambez au rhum.

N.B.: On peut glacer les babas avec une glace aux abricots comme pour les savarins. La marche à suivre est décrite dans la recette de savarin à la page 252.

PÂTE BÂTARDE

Bagels

Il y a quelques années, sous une très belle publicité qui montrait un Inuk en train de manger un *bagel,* on pouvait lire: "Il n'est pas nécessaire d'être juif pour aimer les bagels." Ce qui est tout à fait vrai; et il n'est pas nécessaire non plus, d'être juif pour les apprêter.

1 c. à soupe (15 mL) de levure sèche
1 c. à café (5 mL) de sucre
2 tasses (500 mL) d'eau tiède
3 c. à soupe (50 mL) d'huile
3 c. à soupe (50 mL) de sucre
1 c. à soupe (15 mL) de sel
4 à 5 tasses (1 à 1,25 L) de farine
4 pintes (4 L) d'eau bouillante
2 c. à soupe (30 mL) de miel

Activez la levure avec 1 c. à café (5 mL) de sucre dans l'eau tiède. Une fois la levure activée, ajoutez-y le reste du sucre, l'huile, le sel et suffisamment de farine pour produire une pâte plutôt ferme. Renversez et pétrissez très bien jusqu'à consistance lisse et élastique. Mettez dans un bol graissé; couvrez et laissez lever jusqu'à obtention du double du volume. Abaissez et laissez lever de nouveau. Renversez sur une planche enfarinée et pétrissez 5 minutes. Couvrez et laissez reposer 15 minutes. Abaissez la pâte de manière à former un rectangle d'environ 12" x 10" x 1" (30 x 25 x 2,5 cm). Découpez douze bandes de 10" (25 cm) de long. Façonnez un anneau autour de votre main et joignez-en les extrémités dans votre paume. Roulez ces extrémités jointes entre vos paumes pour les sceller. Déposez les anneaux sur des tôles à cuisson non graissées et couvrez-les d'un linge. Laisez reposer 20 minutes à une température de 90°F (32°C). Entre-temps, amenez à ébullition les 4 pintes (4 L) d'eau et de miel dans une marmite à large ouverture. Faites mijoter et glissez-y avec précaution deux ou trois bagels. Mettez à cuire 7 minutes en retournant les bagels une fois. Retirez-les du feu, placez-les sur deux ou trois linges superposés et laissez-les refroidir 5 minutes. Disposez-les sur une tôle à cuisson non graissée et glacez-les d'oeuf battu dans un peu d'eau. Saupoudrez de graines de pavot, de graines de sésame ou de gros sel. Faites cuire de 20 à 25 minutes au four à 375°F (190°C) ou jusqu'à ce qu'ils soient à point.

PÂTE FERME MODIFIÉE

"Baps" (Petits pains au lait)

En Écosse, on sert ces petits pains moelleux et caoutchouteux au petit déjeuner.

1 c. à café (5 mL) de levure sèche
1 pincée de sucre
1/2 tasse (125 mL) d'eau et de lait à part égale
4 c. à soupe (65 mL) de saindoux
1 c. à café (5 mL) de sel
2 tasses (500 mL) de farine tout usage

Ébouillantez le lait et ajoutez-y une quantité égale d'eau froide pour qu'il y ait au total 1/2 tasse (125 mL) de liquide. Délayez-y le sucre et activez la levure dans ce mélange. Chauffez la farine et mettez-la dans une terrine chaude; ajoutez le sel et intégrez le saindoux en le frottant entre les doigts comme pour les biscuits (ce travail s'effectue très bien à l'aide d'un robot culinaire). Versez le liquide sur la farine et battez jusqu'à consistance lisse. Couvrez et laissez lever jusqu'à obtention du double du volume. Renversez sur une planche enfarinée et pétrissez légèrement, mais complètement. Divisez la pâte en six et formez des ovales plats. Couvrez d'un linge et laissez reposer 15 minutes à la chaleur. Badigeonnez de lait et saupoudrez légèrement de farine. Enfoncez le centre de chaque petit pain avec un doigt enfariné de façon à laisser une marque assez profonde. Faites cuire 15 minutes au four à 425°F (218°C). Servez immédiatement.

N.B.: On peut préparer la pâte la veille; dans ce cas, utilisez la moitié de la quantité de levure indiquée et laissez lever les petits pains 25 minutes avant de les cuire.

PÂTE DOUCE

Petits pains à base de pâte douce

1 c. à soupe (15 mL) de levure sèche
1 c. à café (5 mL) de sucre
1/3 de tasse (85 mL) d'eau tiède
1 tasse (250 mL) de lait ébouillanté
2 c. à soupe (30 mL) de beurre
2 c. à café (10 mL) de sucre
1/2 c. à café (3 mL) de sel
1 oeuf
2 tasses (500 mL) de farine tout usage

Activez la levure avec 1 c. à café (5 mL) de sucre dans l'eau tiède. Délayez le beurre, le sel et le reste du sucre dans le lait ébouillanté et laissez refroidir. Ajoutez en battant l'oeuf, vérifiez la température et ajoutez la levure activée. Incorporez la farine et battez très vigoureusement à l'aide d'un mixeur équipé d'un crochet pétrisseur. Battez au moins 10 minutes avec le mixeur et plus longtemps à la main jusqu'à consistance élastique. Couvrez et laissez lever jusqu'à obtention du double du volume; abaissez à la cuiller et laissez lever de nouveau. Ne laissez pas lever la pâte à trop grande chaleur puisque ces petits pains sont meilleurs s'ils lèvent plutôt lentement. Abaissez la pâte à la cuiller et remplissez aux deux tiers des moules à *muffins* graissés. Laissez lever 20 minutes. Faites cuire 20 minutes au four à 400°F (204°C) ou jusqu'à ce que les petits pains soient dorés. Retirez du four et badigeonnez de beurre fondu. Laissez refroidir sur une grille.

PÂTE BÂTARDE

Beignets du Carnaval

Le carnaval d'hiver de Québec est probablement la manifestation la plus animée au Canada. Depuis la nuit des temps, les beignets accompagnent traditionnellement les célébrations qui précèdent le Carême, mais, au Canada, le climat aiguise l'appétit des fêtards et leur permet de se gaver d'un nombre impressionnant de ces friandises.

1/2 c. à soupe (7 mL) de levure sèche
une pincée de sucre
3 c. à soupe (50 mL) de lait tiède
4 tasses (1 L) de farine tout usage
1/3 de tasse (80 mL) de sucre
1/2 tasse (125 mL) de beurre mou
4 oeufs
2 c. à soupe (30 mL) de rhum
l'écorce râpée d'un citron
sucre

Activez la levure avec la pincée de sucre dans l'eau tiède. Mettez la farine dans un bol et ajoutez-y 1/3 de tasse (80 mL) de sucre ainsi que l'écorce de citron. Mêlez. Creusez un puits au milieu et déposez-y le beurre mou, les oeufs battus, le rhum et la levure activée. Mélangez avec une cuiller en bois pour obtenir une pâte collante. Pétrissez comme pour la brioche en écrasant entre vos mains jusqu'à consistance lisse, mais non collante. Mettez dans un bol graissé et couvrez. Réfrigérez jusqu'au lendemain. La pâte deviendra rigide, et il sera facile de la travailler. Le lendemain, renversez sur une planche enfarinée, abaissez de manière à former un rectangle, puis de minces bandes d'environ 3/4" x 8" (2 x 20 cm). Nouez lâchement chaque bande et disposez trois par trois sur des bandes de papier ciré. Couvrez d'un linge et laissez reposer 20 minutes à la chaleur. Amenez la graisse à une température de 375°F (190°C) dans une friteuse ou une casserole sur pied. En tenant les bandes de papier ciré par les extrémités, laissez glisser les beignets dans la graisse chaude. Faites frire 7 ou 8 minutes. Égouttez sur des serviettes en papier et roulez dans le sucre.

PÂTE DOUCE

"Bliny"

Ces crêpes de sarrazin à la levure sont d'origine russe. Au Canada, on croit souvent qu'elles appartiennent à la tradition juive puisque les ancêtres de bon nombre de Juifs canadiens étaient russes.

1 c. à soupe (15 mL) de levure sèche
1/4 de tasse (60 mL) d'eau tiède
1 c. à café (5 mL) de sucre
2 tasses (500 mL) de lait ébouillanté
1 tasse (250 mL) de farine de sarrazin
1 tasse (250 mL) de farine tout usage
1 c. à café (5 mL) de sel
4 blancs d'oeuf
4 jaunes d'oeuf
1/2 livre (250 g) de beurre clarifié

Activez la levure avec le sucre dans l'eau tiède. Laissez tiédir le lait ébouillanté et ajoutez-en 1 tasse (250 mL) à la levure activée. Mêlez les farines et le sel et délayez 1 tasse (250 mL) de ce mélange dans le liquide. Mélangez pour humidifier la farine et faire disparaître les grumeaux. Couvrez et laissez lever 30 minutes. Incorporez en battant le reste de la farine et les jaunes d'oeufs battus. Couvrez et laissez lever jusqu'à obtention du double du volume. Ajoutez en mélangeant 3 c. à soupe (50 mL) de beurre clarifié. Montez les oeufs en neige et incorporez-les à la pâte à l'aide d'une cuiller. Couvrez et laissez lever 30 minutes. Faites chauffer un petit poêlon sur pied de 6" (15 cm) de diamètre, mettez-y 1 c. à café (5 mL) de beurre clarifié auquel vous ajouterez 1 c. à soupe (15 mL) de pâte. Faites cuire jusqu'à ce que des bulles apparaissent à la surface, versez un peu de beurre sur la crêpe, retournez et remettez à cuire une minute. Mettez au four pour que les crêpes restent chaudes pendant que la cuisson se poursuit. Utilisez deux poêlons si possible. Servez avec de la crème aigre, du caviar, du saumon fumé, du hareng ou du maquereau.

Brioche

1/2 c. à soupe (7 mL) de levure sèche
1 c. à café (5 mL) de sucre

2 c. à soupe (30 mL) d'eau tiède
6 c. à soupe (100 mL) de lait ébouillanté
2 1/2 tasses (625 mL) de farine tout usage
1/2 c. à café (2 mL) de sel
1/2 tasse (125 mL) de beurre
3 oeufs

Activez la levure avec le sucre dans 2 c. à soupe (30 mL) d'eau tiède. Ajoutez-y le lait ébouillanté et refroidi ainsi que 1 tasse (250 mL) de farine. Battez vigoureusement. Laissez lever 1 heure. Incorporez le beurre, les oeufs, le sel et le reste de la farine. Battez vigoureusement, renversez et écrasez entre vos mains jusqu'à ce que la pâte cesse d'être collante. Remettez dans le bol beurré et réfrigérez jusqu'au lendemain.

Le lendemain matin, divisez la pâte en douze balles de 2 1/2" (6,25 cm) de diamètre et déposez celles-ci dans une douzaine de moules à brioches graissés. Tracez avec des ciseaux un grand "X" sur le dessus de chaque balle et déposez au centre de l'entaille une boulette de pâte. Badigeonnez d'oeuf battu. Laissez lever 20 minutes et faites cuire 30 minutes au four à 400°F (204°C).

N.B.: On peut, au goût, séparer plutôt la pâte en deux parts et les déposer dans deux moules d'une capacité de 4 tasses (1 L). Dans ce cas, attendez que la pâte, en levant, remplisse le moule — cela risque d'être assez long — et faites cuire 50 minutes au four à 400°F (204°C). Laissez refroidir sur une grille.

PÂTE BÂTARDE

Petits pains bruns

N'importe quelle bonne pâte à pain de blé entier peut servir à former et à cuire des petits pains. Il faut simplement se souvenir d'augmenter de 25°F (14°C) la température de cuisson indiquée.

1 c. à soupe (15 mL) de levure sèche
1 c. à café (5 mL) de sucre
1/2 tasse (125 mL) d'eau tiède
1 tasse (250 mL) de lait ébouillanté
1 1/2 c. à soupe (35 mL) de miel
2 c. à café (10 mL) de sel

3 c. à soupe (50 mL) d'huile
1/2 tasse (125 mL) de germes de blé
2 tasses (500 mL) de farine de blé entier
2 tasses (500 mL) de farine tout usage
1 tasse (125 mL) de raisins

Activez la levure avec le sucre dans l'eau tiède. Ébouillantez le lait; délayez-y le miel, le sel, l'huile et les germes de blé. Laissez tiédir, vérifiez la température et ajoutez la levure activée, puis, en mélangeant, la farine de blé entier. Battez vigoureusement. Sans cesser de battre, incorporez suffisamment de farine tout usage pour produire une pâte molle, mais non collante. Renversez et pétrissez jusqu'à consistance lisse et élastique. Mettez dans un bol graissé; couvrez et laissez lever jusqu'à obtention du double du volume. Renversez et intégrez les raisins. Divisez la pâte en vingt-quatre parts et donnez-lui la forme de votre choix. Quand on y mêle des raisins ou des fruits, les petits pains ont avantage à être de faible hauteur avec des côtés mous plutôt que croustillants, car, ainsi, les fruits risquent moins de brûler. Déposez les petits pains côte à côte dans deux moules tubulaires aux côtés verticaux de façon à former une couronne ou dans deux moules carrés de 8" x 8" (20 x 20 cm). Couvrez d'un linge et laissez lever jusqu'à obtention du double du volume. Badigeonnez de beurre fondu et faites cuire 20 minutes au four à 400°F (204°C). Démoulez et laissez refroidir sur une grille.

PÂTE BÂTARDE

Petits pains partiellement cuits

On trouve souvent au supermarché ces petits pains partiellement cuits, mais on peut facilement les préparer chez soi et les conserver 2 semaines au réfrigérateur ou 2 mois au congélateur.

2 c. à soupe (30 mL) de levure sèche
1 c. à café (5 mL) de sucre
1/2 tasse (125 mL) d'eau tiède
3/4 de tasse (185 mL) de lait ébouillanté
6 c. à soupe (100 mL) de sucre
1 c. à café (5 mL) de sel

1/2 tasse (125 mL) de shortening
2 oeufs
4 à 5 tasses (1 à 1,25 L) de farine tout usage

Activez la levure avec 1 c. à café (5 mL) de sucre dans l'eau tiède. Ébouillantez le lait; délayez-y le sel, le reste du sucre et la graisse végétale. Mélangez pour dissoudre le *shortening.* Laissez refroidir et ajoutez les oeufs battus. Vérifiez la température et ajoutez la levure activée. Incorporez en mélangeant la moitié de la farine et battez vigoureusement. Sans cesser de battre, ajoutez de la farine jusqu'à ce que la pâte se détache de la paroi du bol. Renversez et pétrissez jusqu'à consistance lisse et élastique en ajoutant de la farine au besoin pour empêcher la pâte d'adhérer. Mettez dans un bol graissé; couvrez et laissez lever jusqu'à obtention du double du volume. Abaissez. Renversez et divisez en trente-deux parts. Façonnez des balles et déposez-les dans deux moules carrés et graissés de 8" (20 cm) de côté. Couvrez d'un linge et laissez lever jusqu'à obtention du double du volume. Faites cuire 35 minutes au four à 250°F (121°C). Retirez du four et laissez reposer 5 minutes. Démoulez et laissez refroidir complètement sur des grilles. Scellez dans une feuille de plastique et entreposez au réfrigérateur ou au congélateur. Avant de servir, mettez les petits pains dégelés au four et faites cuire de 6 à 8 minutes à 400°F (204°C). Servez chaud.

PÂTE BÂTARDE

Petits pains au caramel au beurre (butterscotch)

2 c. à soupe (30 mL) de levure sèche
1 c. à café (5 mL) de sucre
1/2 tasse (125 mL) d'eau tiède
1/2 tasse (125 mL) de lait ébouillanté
1/2 tasse (125 mL) de sucre
2/3 de tasse (150 mL) de shortening
1 c. à café (5 mL) de sel
4 oeufs
4 à 5 tasses (1 à 1,25 L) de farine tout usage
1 tasse (250 mL) de cassonade bien tassée
2/3 de tasse (150 mL) de sirop de maïs doré

1/3 de tasse (85 mL) de beurre
2/3 de tasse (150 mL) de pacanes
1 c. à soupe (15 mL) de beurre mou

Activez la levure avec 1 c. à café (5 mL) de sucre dans l'eau tiède. Délayez le reste du sucre, le sel et la graisse végétale dans le lait ébouillanté. Mélangez pour faire fondre le *shortening*. Laissez refroidir et ajoutez les oeufs battus, puis, après avoir vérifié la température, la levure activée. Incorporez en mélangeant la moitié de la farine et battez très vigoureusement. Sans cesser de battre, ajoutez suffisamment de farine pour produire une pâte molle, mais non collante. Pétrissez jusqu'à consistance lisse et élastique en ajoutant de la farine au besoin pour que la pâte n'adhère pas. Mettez dans un bol graissé. Couvrez et laissez lever jusqu'à obtention du double du volume. Abaissez de manière à former un rectangle de 9" x 24" (22,5 x 60 cm). Badigeonnez de beurre fondu et saupoudrez d'une mince couche de cassonade. Roulez comme pour un gâteau roulé dans le sens de la largeur et tranchez en 24 morceaux. Mettez le reste de la cassonade, le sirop et le beurre dans un poêlon et chauffez à feu doux 2 minutes ou jusqu'à ce que le beurre et le sucre aient fondu. Répartissez ce mélange dans 24 moules à *muffins* bien graissés. Disposez deux ou trois demi-*pacanes* dans chaque moule. Déposez les petits pains à plat dans les moules. Laissez lever jusqu'à obtention du double du volume. Faites cuire 20 minutes au four à 375°F (190°C). Renversez sur du papier ciré et laissez reposer 2 ou 3 minutes sous les moules. Démoulez et servez.

PÂTE BÂTARDE

Choux au fromage

1 c. à soupe (15 mL) de levure sèche
1 c. à café (5 mL) de sucre
1/2 tasse (125 mL) d'eau tiède
1 c. à soupe (15 mL) de sel
3 c. à soupe (50 mL) de beurre
1 tasse (250 mL) de vieux cheddar déchiqueté
6 à 7 tasses (1,5 à 1,75 L) de farine tout usage
1 1/2 tasse (375 mL) de lait ébouillanté

beurre fondu
graines de carvi (au goût)

Activez la levure avec le sucre dans l'eau tiède. Mettez 6 tasses (1,5 L) de farine dans un bol à mélanger et mêlez-y le fromage et le sel. Ébouillantez le lait et délayez-y le beurre. Laissez tiédir. Ajoutez la levure à la farine en mélangeant et continuez de mélanger jusqu'à ce que la pâte résiste. Renversez et pétrissez en rajoutant de la farine au besoin pour que la pâte n'adhère pas. Mettez la pâte dans un bol graissé; couvrez et laissez lever jusqu'à obtention du double du volume. Abaissez et divisez en 32 parts. Façonnez des boulettes. Trempez celles-ci dans le beurre fondu et disposez-les en deux couches dans un moule à gâteau des anges bien graissé. Saupoudrez de graines de carvi. Couvrez et laissez lever jusqu'à ce que les choux soient au niveau du moule. Faites cuire 45 minutes au four à 375°F (190°C). Renversez sur une grille et laissez reposer 5 minutes. Démoulez. Servez chaud.

PÂTE BÂTARDE

Petits pains au fromage

2 c. à soupe (30 mL) de levure sèche
1 c. à café (5 mL) de sucre
1/2 tasse (125 mL) d'eau tiède
1 1/2 tasse (375 mL) de lait ébouillanté
1 oeuf
1 c. à soupe (15 mL) de sel
1 c. à soupe (15 mL) de shortening
1 1/2 tasse (375 mL) de cheddar fort râpé
6 tasses (1,5 L) environ de farine
*pâté de jambon à la diable**

* Voir recette ci-après

Activez la levure avec le sucre dans l'eau tiède. Délayez le *shortening* et le sel dans le lait ébouillanté. Mélangez pour faire fondre le shortening. Laissez refroidir. Ajoutez l'oeuf, puis, après avoir vérifié la température, la levure activée. Incorporez en mélangeant le cheddar ou une autre variété de fromage au goût prononcé. Ajoutez en battant la moitié de la farine et battez jusqu'à consistance lisse. Incorporez suffisamment de farine pour produire une pâte molle; renversez et pétrissez avec soin; rajoutez de la farine pour empêcher la pâte d'adhérer. Pétrissez au moins 10 minutes. Couvrez et laissez reposer 30 minutes. Divisez la pâte en deux; abaissez de manière à former deux rectangles de 12" x 9" (30 x 22 cm). Tartinez chaque rectangle d'1/2 tasse (125 mL) de jambon à la diable. Roulez comme pour un gâteau roulé, dans le sens de la longueur. Découpez en neuf tranches que vous disposerez à plat dans un moule à gâteau bien graissé de 10" de côté. Couvrez, laissez lever jusqu'à obtention du double du volume, badigeonnez de beurre fondu et faites cuire 20 minutes au four à 375°F (190°C). Démoulez sur une grille; servez chaud ou froid.

Pâté de jambon à la diable

1 tasse (250 mL) de jambon cuit
1 petit oignon
1/2 c. à café (2 mL) de moutarde de Dijon
mayonnaise
6 rondelles de cornichons sucrés
1/2 c. à café (2 mL)
2 gouttes de sauce au poivre

Mettez les ingrédients dans un *blender* et ajoutez de la mayonnaise pour obtenir la consistance désirée.

PÂTE BÂTARDE

Brioches "Chelsea"

La *Chelsea Bun House* où l'on fabriquait et vendait ces brioches a ouvert ses portes à Londres, il y a près de trois siècles, sous le patronage de la reine Caroline, femme de George II. Bien que la *Bun House* ait été démolie depuis un siècle et demi, ces brioches sont aussi appréciées que jadis et toujours dignes d'une reine.

1 c. à soupe (15 mL) de levure sèche
une pincée de sucre
2 c. à soupe (30 mL) d'eau tiède

3/4 de tasse (185 mL) de lait ébouillanté
1 c. à café (5 mL) de sel
3 c. à soupe (50 mL) de beurre
2 oeufs
4 tasses (1 L) de farine
1 c. à café (5 mL) d'épices pour tarte à la citrouille
l'écorce râpée d'un citron
1/2 tasse (125 mL) de raisins de Corinthe
1/2 tasse (125 mL) de raisins dorés
6 c. à soupe (90 mL) de beurre mou
1/4 de tasse (60 mL) de cassonade
2 c. à soupe (30 mL) de sucre
1 c. à soupe (15 mL) de lait
sucre en cristaux (sucre à café)

Activez la levure avec la pincée de sucre dans l'eau tiède. Une fois la levure activée, ajoutez le lait ébouillanté attiédi ainsi que les oeufs battus. Mêlez la farine, le sel et les épices dans un bol et versez-y le liquide. Incorporez le beurre mou en battant avec une cuiller en bois et continuez de battre avec la cuiller ou à l'aide d'un appareil équipé d'un crochet pétrisseur jusqu'à ce que la pâte forme une masse compacte. Renversez sur une planche enfarinée et pétrissez légèrement en ajoutant suffisamment de farine pour que la pâte n'adhère pas. La pâte doit être très molle. Mettez-la dans un bol graissé; couvrez et laissez lever jusqu'à obtention du double du volume. Renversez, pétrissez légèrement et abaissez de manière à former un rectangle de 12" x 6" (30 x 15 cm). Badigeonnez la surface du rectangle de la seconde quantité de beurre fondu et saupoudrez de cassonade. Répartissez les raisins dorés et les raisins de Corinthe sur la pâte et roulez comme pour un gâteau roulé, dans le sens de la longueur. Tranchez en neuf avec un couteau aiguisé. Disposez les tranches à plat dans un moule très bien graissé de 9" (22 cm) de côté. Les brioches doivent à peine se toucher, et non être entassées. Laissez lever jusqu'à obtention du double du volume et faites cuire 20 minutes au four à 450°F (232°C). Pendant la cuisson, réchauffez le sucre et le lait dans un petit poêlon jusqu'à ce que le sucre fondu ait une consistance sirupeuse. Aussitôt les brioches retirées du four, badigeonnez-les plusieurs fois de ce mélange et saupoudrez de cristaux de sucre. À défaut de cristaux, broyez du sucre candi ordinaire.

Petits pains à la cannelle

Voici les petits pains sucrés les plus vendus qui soient. Ils ne sont habituellement rien d'autre qu'une variante des brioches *Chelsea*. Cette recette-ci intègre les aromates de façon un peu différente, mais néanmoins très appétissante.

1 portion de pâte à brioches Chelsea
1/2 tasse (125 mL) de beurre
2/3 de tasse (175 mL) de cassonade bien tassée
2 c. à café (10 mL) de sirop de maïs
3/4 de tasse (200 mL) de noix de Grenoble ou de pacanes *hachées*
1 tasse (250 mL) de cassonade bien tassée
4 c. à café (25 mL) de cannelle
beurre fondu

Faites fondre le beurre dans un poêlon lourd. Délayez-y la première quantité de cassonade et le sirop de maïs, puis amenez au point d'ébullition. Versez dans deux moules à gâteau roulé et inclinez ceux-ci dans un sens, puis dans l'autre pour les enduire également. Saupoudrez de noix.

Divisez la pâte et abaissez-la de manière à obtenir deux carrés de 12" (30 cm) de côté. Mêlez la seconde quantité de cassonade et la cannelle. Saupoudrez chaque carré à tour de rôle, sur sa partie centrale, de 1/4 de tasse (65 mL) de ce mélange. Repliez un tiers du carré sur le tiers déjà saupoudré et saupoudrez-le à son tour de la même quantité de sucre et de cannelle. Repliez le dernier tiers de façon à former un rectangle de trois étages de 12" x 4" (30 x 10 cm). Tranchez en douze bandes avec un couteau aiguisé. Tordez chaque bande en tire-bouchon en pinçant les extrémités pour qu'elles ne se déboîtent pas. Disposez ces bandes à 1 1/2" (4 cm) environ l'une de l'autre dans un moule à gâteau roulé. Recommencez avec l'autre carré de pâte. Couvrez de papier ciré et laissez lever à la chaleur jusqu'à obtention du double du volume. Faites cuire de 15 à 20 minutes au four à 400°F (204°C). Démoulez sur du papier ciré et servez chaud.

Croissants

On apprête les croissants de la même façon que les pâtisseries danoises à la différence près qu'aucune épice n'y est incorporée et qu'ils se présentent sous une forme unique et traditionnelle. Certains croient que leur préparation en est facilitée, mais les garnitures et les glaces des pâtisseries danoises contribuent beaucoup à dissimuler leurs imperfections, particulièrement leur forme quand elle n'est pas tout à fait ce qu'elle devrait être. Les croissants, eux, ne peuvent être camouflés, et les erreurs sautent aux yeux! La technique n'est cependant pas difficile à maîtriser: cette maîtrise sera d'autant plus gratifiante que les boulangeries où l'on vend d'authentiques croissants faits de beurre véritable sont de plus en plus rares et de plus en plus éloignées les unes des autres.

2 c. à soupe (30 mL) de levure sèche
1 c. à café (5 mL) de sucre
1/4 de tasse (60 mL) d'eau tiède
1 c. à café (5 mL) de sel
1 1/2 tasse (375 mL) de lait ébouillanté
4 tasses (1 L) de farine tout usage
1/2 livre (250 g) de beurre

Activez la levure avec le sucre dans l'eau tiède. Ébouillantez le lait et délayez-y le sel. Laissez tiédir, puis ajoutez la levure activée et, en battant, la farine. Battez vigoureusement jusqu'à ce que la pâte résiste et se détache de la paroi du bol. Renversez et pétrissez; rajoutez de la farine au besoin pour obtenir une pâte plutôt ferme. Pétrissez jusqu'à consistance lisse et satinée. Mettez dans un bol graissé; couvrez hermétiquement et réfrigérez jusqu'au lendemain. Frigorifiez le beurre. Renversez la pâte et divisez-la en deux ainsi que le beurre. Travaillez d'abord avec la moitié de la pâte et la moitié du beurre. Ramollissez le beurre en l'écrasant et abaissez la pâte de façon à former un rectangle deux fois plus long que large. Pliez en trois et retournez (pour de plus amples explications, reportez-vous à la recette de pâtisseries danoises, page 309). Abaissez, pliez et retournez une deuxième fois. Enveloppez la pâte et mettez-la au congélateur. Répétez l'opération avec la moitié non utilisée de la pâte. Quand vous avez terminé, mettez la pâte au froid et reprenez la moitié qui s'y trouve. Abaissez, pliez et retournez deux fois encore. Recommencez avec la seconde moitié. Enveloppez toute la pâte et congelez-la 30 minutes.

La pâte peut maintenant être mise en forme. Abaissez-la de façon à obtenir des carrés de 6" (15 cm) de côté, épais d'1/8" (30 mm). Découpez les carrés en deux triangles. En commençant par le côté le plus long, roulez pour former des cylindres. Recourbez les extrémités afin de façonner des croissants et glissez les pointes des extrémités sous le cylindre de pâte. Déposez sur une tôle à cuisson mouillée et, si possible, couvrez d'un grand moule profond renversé. Si aucun moule ne fait l'affaire, disposez des verres remplis d'eau aux quatre coins de la tôle à cuisson et recouvrez le tout d'un linge. Laissez lever à la température de la pièce jusqu'à obtention du double du volume. Badigeonnez très légèrement et avec d'infinies précautions de blanc d'oeuf battu dans un peu d'eau et faites cuire de 15 à 20 minutes au four à 425°F (218°C). Retirez du four et laissez refroidir jusqu'à ce qu'il soit possible de les toucher; mettez dans un panier et servez.

PÂTE DOUCE

Crêpes sans sucre ("crumpets")

Les *crumpets* accompagnant le thé dans la tradition britannique, il va de soi que cette recette a été recueillie à Victoria. Pour les apprêter convenablement, il faut se servir d'anneaux à crumpets difficiles à trouver au Canada. Il est toujours possible d'attendre qu'une connaissance en rapporte d'Angleterre, mais on peut calmer son impatience en se servant de boîtes de thon ou de crevettes ouvertes des deux côtés. Elles sont d'un diamètre inférieur à celui de l'anneau à crumpets, qui est de 4" (10 cm), mais les crumpets qu'on y fait sont tout aussi délicieux.

1/2 c. à soupe (8 mL) de levure sèche
1 c. à café (5 mL) de sucre
1/2 tasse (125 mL) d'eau tiède
1 tasse (250 mL) de lait chaud
1 tasse (250 mL) d'eau chaude
1 c. à soupe (15 mL) de sel
2 c. à soupe (30 mL) d'huile
1/2 c. à café (3 mL) de bicarbonate de soude

1 tasse (250 mL) de farine à pâtisserie
3 tasses (750 mL) de farine tout usage

Activez la levure avec le sucre dans l'eau tiède. Mélangez l'eau chaude et le lait chaud (ne l'ébouillantez pas), délayez-y l'huile et la levure activée. Mêlez le sel et la farine dans un bol chaud et versez-y le liquide en mélangeant. Battez vigoureusement à la main ou, mieux encore, avec un mixeur. Il s'agit d'une pâte mince; le crochet pétrisseur n'est pas nécessaire. Couvrez et laissez reposer à la chaleur jusqu'à ce que le mélange ait levé et soit plein de bulles. Délayez le bicarbonate de soude dans environ 1/4 de tasse (60 mL) d'eau chaude et abaissez la pâte à la cuiller. Couvrez le bol et laissez reposer 30 minutes à une température de 90°F (32°C). Entre-temps, faites chauffer une tôle à galettes lourde en fonte ou en aluminium. Graissez celle-ci légèrement ainsi que l'intérieur des anneaux. La tôle doit être juste assez chaude pour qu'une goutte d'eau y danse. Versez la pâte de façon à remplir à moitié les anneaux — au tiers si vous utilisez les boîtes de thon qui sont un peu plus profondes — et faites cuire les crumpets jusqu'à ce qu'ils soient couverts de trous et aient commencé à sécher, soit environ 10 minutes. Enlevez les anneaux et retournez les crumpets. Ne laissez cuire ce côté que 2 ou 3 minutes, juste assez pour assécher: il devrait être pâle, et non brun. Gardez au réchaud ou, enveloppés dans un linge, au four à 200°F (93°C) jusqu'à ce que tous soient cuits. On croit souvent que les crumpets doivent être grillées, mais Elizabeth David soutient que cela les durcit et qu'on doit les manger abondamment beurrés et tout juste sortis du four. Je dois dire que je suis d'accord avec elle.

N.B.: Les crumpets ne sont pas toujours réussis. Il n'est pas facile de produire une pâte de consistance idéale. Aussi conseille-t-on de n'en cuire d'abord qu'un seul. Si la pâte ne se laisse pas verser ou si des trous ne se forment pas à la surface des crumpets, c'est que la pâte est trop épaisse: il faut alors ajouter en mélangeant un peu d'eau tiède. Si, au contraire, la pâte coule sous les anneaux, c'est qu'elle est trop fluide: il faut alors ajouter en mélangeant un peu de farine. Dans ce cas, veillez à mélanger suffisamment pour bien intégrer et répartir également la farine dans la pâte. Une garniture de beurre fondu et de sirop d'érable, à part égale, donne aux crumpets une délicieuse touche nord-américaine.

Pâtisseries danoises

Ces magnifiques pâtisseries feuilletées sont, avec les croissants, les aristocrates du royaume des brioches. On les fait d'après le même principe que la pâte feuilletée: des couches de pâte minces comme une feuille de papier, que l'on obtient en abaissant et en pliant la pâte alternativement. Comme il est un peu plus facile de manipuler la pâte levée que la pâte ordinaire, la pâtisserie danoise constitue un excellent exercice pour tout aspirant pâtissier. Le secret, c'est que tous les ingrédients doivent être froids: la pâte feuilletée, le beurre, le rouleau à pâte et, si possible, la cuisine elle-même. Le beurre doit être à la fois froid et mou; on arrive à ce résultat en le retirant du réfrigérateur et en l'écrasant au rouleau à pâte sur une planche légèrement enfarinée jusqu'à ce qu'il soit aplati et malléable, mais non graisseux. Il faut le manipuler le moins possible et se servir d'un racloir.

2 c. à soupe (30 mL) de levure sèche
1 c. à café (5 mL) de sucre
1/2 tasse (125 mL) d'eau tiède
1/3 de tasse (75 mL) de sucre
1 oeuf
4 tasses (1 L) de farine
1/4 de c. à café (1 mL) de sel
*1 tasse (250 mL) de beurre**
10 à 12 gousses de cardamome fraîche ou
1 c. à café (5 mL) de cardamome moulue

* Doux de préférence

Garniture: voir ci-dessous

Glaces: voir ci-dessous

Si vous employez de la cardamome entière, ce qui est nettement préférable, videz les gousses et broyez les graines dans un mortier ou enveloppez-les dans du papier ciré et écrasez-les au rouleau à pâte. Jetez les gousses vides dans le lait avant de l'ébouillanter. Délayez le sucre et le sel dans le lait préalablement ébouillanté, mélangez pour dissoudre et laissez les gousses tremper dans le liquide pendant qu'il refroidit. Dans un bol à mélanger, activez la levure avec 1 c. à café (5 mL) de sucre dans l'eau tiède. Quand le lait est devenu tiède, retirez les gousses de cardamome, mettez-les au rebut et ajoutez le lait à la levure. Incorporez l'oeuf battu et la farine en mélangeant jusqu'à ce que cette dernière soit complètement humidifiée. Renversez et pétrissez un peu jusqu'à consistance lisse. Il n'est pas nécessaire de pétrir longtemps puisque la pâte sera amplement travaillée à la prochaine étape. Mettez la pâte dans un bol graissé; couvrez hermétiquement et réfrigérez au moins 5 heures ou, mieux encore, jusqu'au lendemain.

Le lendemain matin, tandis que la cuisine est encore froide, retirez la pâte du réfrigérateur et divisez-la en deux. Faites de même avec le beurre. Remettez la pâte et la moitié du beurre au réfrigérateur et déposez l'autre moitié de beurre sur la planche à pain légèrement enfarinée. Saupoudrez le rouleau à pâte de farine et, en le tenant par une extrémité, frappez le beurre à grands coups pour l'aplatir. S'il adhère au rouleau ou à la planche, détachez-le avec un racloir; ne le déplacez pas avec vos mains. Quand le beurre est assoupli, pliez-le et frappez-le de façon à obtenir un carré de 6" (15 cm) de côté. Retirez une moitié de la pâte du réfrigérateur et abaissez-la de manière à former un rectangle de 12" x 6" (30 x 15 cm). Déposez le beurre sur la moitié de ce rectangle et repliez l'autre moitié de façon à recouvrir complètement le beurre. Scellez la pâte en pinçant la bordure et en l'étirant un peu au besoin. Vous avez alors un carré fait de deux couches de pâte séparées par une couche de beurre. Abaissez de manière à former un rectangle trois fois plus long que large de 18" x 6" (45 x 15 cm). Repliez un tiers de la pâte de façon à couvrir le tiers du centre du rectangle et repliez le dernier tiers par-dessus. Voici un nouveau carré, mais composé cette fois de six couches de pâte. Faites effectuer au carré un quart de tour de manière à ce que l'extrémité découverte se trouve sur le côté. La PREMIÈRE étape est terminée. Abaissez de nouveau le carré de manière à obtenir un rectangle trois fois plus long que large et pliez encore une fois. Le carré a maintenant dix-huit couches de pâte. Comme il est difficile d'abaisser une telle pâte, enveloppez-la de papier ciré, déposez-la dans une assiette plate et mettez-la au congélateur.

Répétez l'opération avec l'autre moitié de la pâte et l'autre moitié du beurre. Une fois la seconde moitié de pâte enveloppée et mise au congélateur, retirez-en la première moitié. Celle-ci se sera détendue, ce qui la rendra plus facile à abaisser, et elle sera très froide. Déposez-la sur la planche en veillant à ce que le pli soit dirigé vers le côté.

Abaissez, repliez et tournez d'un quart de tour (54 couches), puis répétez de nouveau l'opération (162 couches). Enveloppez, remettez la pâte au congélateur et répétez l'opération avec la seconde moitié de la pâte.

La pâte est maintenant prête pour la mise en forme. Ne garnissez pas trop les pâtisseries. Façonnez la pâte (voir ci-dessous) et déposez-la sur des tôles à cuisson graissées. Couvrez d'un linge et laissez lever à la température de la pièce. Si les pâtisseries sont exposées à une trop grande chaleur, le beurre fondra et s'écoulera, et tout ce travail aura été inutile. Laissez-les lever jusqu'à obtention du double du volume ou d'un peu plus; badigeonnez de blanc d'oeuf battu. Faites cuire 10 minutes au four à 400°F (204°C), réduisez la température à 350°F (176°C), et remettez à cuire 5 minutes ou jusqu'à ce que les pâtisseries soient à point. Certaines formes requièrent un temps de cuisson plus long que d'autres. Retirez du four, laissez refroidir sur une grille et glacez au goût.

SUGGESTIONS DE FORMES POUR DE PETITES PÂTISSERIES DANOISES

Crêtes de coqs

Abaissez la pâte pour qu'elle ait une épaisseur de 1/4" (60 mm); coupez-la en morceaux de 5" (12,5 cm) de large. Tartinez d'une bande de garniture le centre des morceaux dans le sens de la longueur. Repliez les côtés en les faisant chevaucher par-dessus la garniture. L'apparence est celle d'un tube long et étroit, fourré de garniture. Tranchez avec des ciseaux par intervalles de 4" (10 cm). Pratiquez cinq entailles sur l'un des deux côtés; arrêtez-vous à 1/2" (12 cm) de l'autre côté. Recourbez pour ouvrir les entailles. Laissez lever, badigeonnez de blanc d'oeuf battu dans l'eau et mettez à cuire.

Enveloppes

Abaissez la pâte pour qu'elle ait une épaisseur de 1/4" (60 mm). Coupez-la en carrés de 4" (10 cm) de côté. Joignez deux coins opposés en les scellant avec les doigts. Tartinez de garniture, laissez lever, badigeonnez de blanc d'oeuf battu dans l'eau et mettez à cuire.

Spandauer

Abaissez la pâte pour qu'elle ait une épaisseur de 1/4" (60 mm). Coupez-la en carrés de 4" (10 cm) de côté. Mettez 1 c. à café (5 mL) de garniture au centre de chaque carré. Pliez de façon à ce que les quatre coins se joignent au centre. Scellez en pinçant. Laissez lever, badigeonnez de blanc d'oeuf battu dans l'eau et mettez à cuire.

Escargots

Abaissez la pâte pour qu'elle ait une épaisseur de 1/4" (60 mm) et la forme d'un rectangle de 16" x 8" (40 x 20 cm). Tartinez de garniture en laissant une lisière de 1" (2,5 cm) le long de l'un des longs côtés. Roulez comme pour un gâteau roulé en commençant par l'autre long côté. Tranchez en seize. Déposez à plat sur une tôle à cuisson graissée. Laissez lever, badigeonnez de blanc d'oeuf battu dans l'eau et mettez à cuire.

Croissants

Abaissez la pâte pour qu'elle ait une épaisseur de 1/4" (60 mm). Utilisez un moule à croissant ou coupez en carrés de 3" (8 cm) de côté. Avec chaque carré, formez deux triangles. Mettez un peu de garniture au centre de chaque triangle et roulez depuis le long côté jusqu'à la pointe en enveloppant la garniture. Recourbez les extrémités et déposez sur une tôle à cuisson graissée. Laissez lever et mettez à cuire.

Hérissons

Abaissez la pâte pour qu'elle ait une épaisseur de 1/4" (60 mm). Coupez-la en carrés de 4" (10 cm) de côté. À partir de chaque coin, entaillez jusqu'à environ 1/2" (1,2 cm) du centre. Mettez un peu de garniture au centre et joignez les coins en les croisant au centre. Scellez en pinçant. Déposez sur une tôle à cuisson graissée et laissez lever.

Noeuds de cravates (Slife)

Abaissez la pâte pour qu'elle ait une épaisseur de 1/4" (60 mm). Coupez-la en carrés de 5" (12 cm) de côté. Mettez une cuillerée comble de confiture le long d'un côté de chaque carré, à 1/2" (1,2 cm) du bord. Repliez sur l'autre côté et scellez en pinçant. Pratiquez une entaille de part en part des deux couches de pâte en commençant et en arrêtant à 1" (2,5 cm) de chaque extrémité. Repliez une extrémité et tirez-la à travers l'entaille.

SUGGESTIONS DE FORMES POUR DE GRANDES PÂTISSERIES DANOISES

Lorsqu'on apprête de grandes pâtisseries danoises, on ne doit absolument pas séparer la pâte et le beurre en deux, mais au contraire les abaisser et les plier ensemble du premier coup.

Gâteau Boston

Suivez en entier les indications d'une recette de pâtisseries danoises, puis abaissez toute la pâte de manière à former un rectangle de 20" x 36" (50 x 90 cm). Tartinez-la d'une garniture de beurre crémeux et saupoudrez de cannelle. Roulez comme pour un gâteau roulé en commençant par un des longs côtés. Coupez en tranches de 3" (7,5 cm) et disposez celles-ci en couronne, à la verticale, dans un moule à gâteau des anges graissé. Laissez lever jusqu'à proximité du bord du moule — cette opération peut durer plusieurs heures — et mettez à cuire 50 minutes au four à 350°F (176°C). Attendez 5 minutes et démoulez sur une grille. Laissez refroidir et glacez.

Borgmestor Krans *(Tresse du maire)*

Abaissez la pâte d'une recette de pâtisserie danoise de manière à obtenir un rectangle de 9" x 30" (22,5 x 75 cm) d'une épaisseur de 1/4" (60 mm). Découpez-y trois longues lanières. Tartinez chacune d'une garniture différente et ramenez les côtés comme s'il s'agissait de *Crêtes de coqs,* de façon à produire trois longs tubes fourrés. Tressez lâchement ces tubes sur une tôle à cuisson graissée. Badigeonnez de blancs d'oeuf battus dans un peu d'eau et saupoudrez d'amandes. Laissez lever jusqu'à obtention du double du volume. Mettez à cuire environ 20 minutes au four à 400°F (204°C) ou jusqu'à ce que la tresse soit à point. Laissez refroidir sur une grille. Glacez.

Bretzel danois

Abaissez la pâte d'une recette de pâtisserie danoise de manière à obtenir une bande d'environ 36" x 6" (90 x 15 cm). Tartinez de garniture une lisière tout au long du centre de la bande. Repliez un côté par-dessus la garniture et l'autre côté par-dessus le premier, puis scellez en badigeonnant de blanc d'oeuf battu dans un peu d'eau. Déposez le roulé, le côté apparent vers le bas, sur une tôle à cuisson graissée; recourbez les extrémités vers le centre et croisez-les de façon à former un bretzel géant. Laissez lever, badigeonnez de blanc d'oeuf battu dans un peu d'eau et mettez à cuire 15 minutes au four à 400°F (204°C). Réduisez la température et faites cuire jusqu'à ce que le bretzel soit doré et croustillant. Laissez refroidir sur une grille. Glacez et saupoudrez d'amandes grillées.

GARNITURES DE PÂTISSERIES DANOISES

Garniture aux amandes

4 onces (120 g) de pâte d'amandes
4 c. à soupe (60 mL) de beurre mou
4 c. à soupe (60 mL) de sucre

Battez les ingrédients dans un petit bol jusqu'à consistance homogène. Parfumez au goût d'un peu de rhum.

Garniture au fromage

1 tasse (250 mL) de fromage Farmers
1 jaune d'oeuf
1/4 de tasse (65 mL) de sucre
1 c. à café (5 mL) d'écorce de citron râpée

Mélangez à l'aide d'un *blender* ou d'un robot culinaire jusqu'à consistance homogène.

Crème vanillée

1 tasse (250 mL) de crème à fouetter
2 c. à soupe (30 mL) de farine tout usage
3 c. à soupe (45 mL) de sucre
1 c. à café (5 mL) d'essence de vanille
2 jaunes d'oeuf

Mélangez la crème, la farine, le sucre et les jaunes d'oeuf dans un poêlon épais. Mettez à cuire à feu moyen en remuant constamment jusqu'à consistance épaisse. Ajoutez la vanille et laissez refroidir. Réfrigérez.

Garniture de zestes confits

1/4 de tasse (60 mL) de citrons confits hachés
1/4 de tasse (60 mL) de mélange de zestes confits hachés
1/4 de tasse (60 mL) de raisins sans pépins
1/4 de tasse (60 mL) d'amandes hachées

Mêlez les ingrédients et répartissez-les sur la pâte si vous préparez des escargots; ajoutez à une garniture en crème si vous préparez des tresses ou des Crêtes de coqs.

Confitures

Les confitures qui conviennent le mieux comme garnitures sont aigrelettes et épaisses: les confitures d'abricot, de cerises et de prunes, par exemple.

Beurre en crème

1/2 tasse (125 mL) de beurre
1 tasse (250 mL) de sucre glace
1 c. à café (5 mL) d'essence de vanille

Réduisez en crème dans un mixeur ou avec un robot culinaire. Vous pouvez ajouter au goût du brandy ou du rhum.

Garniture au citron

Faites cuire les mêmes ingrédients que pour la crème vanillée. Une fois le mélange épaissi, ajoutez le jus et l'écorce râpée d'un citron.

GLACES POUR LES PÂTISSERIES DANOISES

Glace aux amandes

1 tasse (250 mL) de sucre glace
2 c. à soupe (30 mL) d'eau
1 c. à café (5 mL) d'huile d'amandes douces
1/2 c. à café (2 mL) d'essence d'amandes

Mélangez les ingrédients. La glace doit être claire.

Glace au café

1 tasse (250 mL) de sucre glace
2 c. à soupe (30 mL) de café fort
2 c. à soupe (30 mL) de beurre

On peut remplacer le café par du rhum, du brandy ou de la liqueur d'orange. Mélangez les ingrédients. La glace doit être claire.

PÂTE DOUCE

"Muffins" anglais

Les *muffins* sont très à la mode depuis quelque temps et plus particulièrement depuis qu'une grande chaîne de restauration rapide les offre à sa clientèle avec les oeufs du petit déjeuner. Les comptoirs de pains et de pâtisseries des supermarchés les mettent bien en évidence, mais ils sont si faciles à préparer soi-même qu'il est dommage de toujours les acheter.

1/4 de tasse (60 mL) d'eau tiède
1/2 c. à soupe (8 mL) de levure sèche
1/2 c. à café (3 mL) de sucre
2 c. à soupe (30 mL) de beurre
1/2 tasse (125 mL) de lait ébouillanté
1/4 de tasse (60 mL) d'eau froide
1 c. à soupe (15 mL) de sel
4 tasses (1 L) de farine tout usage
farine de riz ou fécule de maïs
farine de maïs

Activez la levure avec le sucre dans l'eau tiède. Délayez dans le lait ébouillanté le beurre et le sel jusqu'à ce que le beurre fonde, puis ajoutez l'eau froide et, après avoir vérifié la température, la levure activée. Chauffez la farine et creusez-y un puits. Versez-y les liquides en mélangeant et battez très vigoureusement avec une cuiller en bois ou à l'aide d'un mixeur équipé d'un crochet pétrisseur. Cette pâte doit être très épaisse, mais trop collante pour qu'il soit possible de la pétrir. Couvrez et laissez lever à la chaleur jusqu'à obtention du double du volume. Abaissez à la cuiller ou avec le poing et divisez en huit. Saupoudrez vos mains de farine de riz ou de fécule de maïs pour prévenir l'adhérence et donnez à chaque portion la forme d'une brioche plate et à peu près carrée. Disposez sur une tôle à cuisson saupoudrée de farine de maïs, à la canadienne — les Anglais ne procèdent pas ainsi, mais il s'agit à mon sens d'une amélioration qui rend la croûte plus croustillante. Couvrez d'un linge et laissez lever 3/4 d'heure à la chaleur, mais pas trop. Chauffez à feu moyen une tôle à galettes épaisse en fonte ou en aluminium (un poêlon à frire lourd fait tout aussi bien l'affaire). Graissez très légèrement et, à l'aide d'une spatule large ou d'une spatule à oeufs, glissez les muffins sur la tôle. Faites-les cuire de 10 à 12 minutes d'un côté et 10 minutes de l'autre ou jusqu'à ce qu'ils soient à point. Servez chaud avec beaucoup de beurre, de confiture et de crème caillée, si vous pouvez vous en procurer. Les muffins ne devraient jamais être tranchés, mais rompus. Ceux qui ont complètement refroidi devraient être servis grillés.

PÂTE BÂTARDE

"Grissini" — Pain en bâtonnets

1 c. à soupe (15 mL) de levure sèche
1 c. à café (5 mL) de sucre
1/2 tasse (125 mL) d'eau tiède
2 c. à café (10 mL) de sel
1/2 tasse (125 mL) de lait ébouillanté
2 c. à soupe (30 mL) d'huile d'olive ou de beurre clarifié
4 à 5 tasses (1 à 1,25 L) de farine tout usage
blanc d'oeuf battu dans un peu d'eau

Activez la levure avec le sucre dans l'eau tiède. Délayez le sel et l'huile ou le beurre dans le lait ébouillanté et laissez tiédir. Vérifiez la température et ajoutez ce mélange à la farine en même temps que la levure. Mélangez pour humidifier la farine et renversez sur une planche. Pétrissez jusqu'à consistance lisse et élastique. Mettez dans un bol graissé; couvrez et laissez lever jusqu'à obtention du double du volume. Abaissez et façonnez de petits morceaux de pâte en bâtonnets d'environ

12" (30 cm) de long et d'une épaisseur à peu près comparable à celle d'un crayon. Épointez les extrémités en les coupant. Disposez sur une tôle à cuisson graissée et couvrez d'un linge. Laissez lever environ 20 minutes. Badigeonnez de blanc d'oeuf battu dans un peu d'eau ou de lait et faites cuire au four à 425°F (218°C) jusqu'à ce que les bâtonnets soient dorés.

PÂTE BÂTARDE

Petits pains à hamburger et à hot dog

Des uns aux autres, seule la forme varie. Les *Baps* font aussi d'excellents petits pains à hamburger.

1 c. à soupe (15 mL) de levure sèche
1 tasse (250 mL) de lait ébouillanté
1 1/2 c. à soupe (25 mL) de sucre
1 c. à café (5 mL) de sel
1/2 tasse (125 mL) de saindoux
4 tasses (1 L) de farine tout usage

Ébouillantez le lait. Versez-en une quantité égale dans deux contenants. Dans le premier, mettez le saindoux, le sel et tout le sucre à l'exception de 1 c. à café (5 mL); dans le second, délayez la c. à café de sucre et laissez tiédir. Quand le mélange est devenu tiède, activez-y la levure. Mélangez le premier contenu pour dissoudre le saindoux (on peut se servir de beurre ou de *shortening,* mais le saindoux est préférable). Creusez un puits dans la farine et versez-y les deux quantités de lait. Mélangez, puis renversez et pétrissez avec soin. Cette pâte doit être assez molle, mais non collante. Mettez-la dans un bol graissé; couvrez et laissez lever jusqu'à obtention du double du volume. Abaissez et, si le temps le permet, laissez lever de nouveau. Renversez et laissez reposer 10 minutes sous le bol.

Petits pains à hamburger

Abaissez la pâte sur une planche bien enfarinée, en la retournant durant l'opération, de façon qu'elle ait une épaisseur de 1/2" (1,2 cm). Formez avec un moule à découper bien enfariné des rondelles de 4" (10 cm) de diamètre. Ces rondelles rétréciront alors jusqu'au diamètre requis de 3" (7,5 cm). Déposez-les à distance les unes des autres sur une tôle à cuisson graissée. Couvrez d'une feuille de papier d'aluminium graissé ou d'un grand moule renversé et laissez lever jusqu'à obtention d'un peu plus du double du volume. À mi-temps de la levée, vous pouvez les abaisser légèrement et très délicatement. Faites cuire 15 minutes au four à 425°F (218°C). Retirez du four et laissez refroidir sur une grille sous un linge. Pour obtenir des petits pains aux graines de sésame, enlevez, en brossant la pâte, l'excès de farine qui demeure après la coupe, badigeonnez de blanc d'oeuf battu dans un peu d'eau et saupoudrez de graines de sésame avant de cuire.

Petits pains à hot dog

Renversez la pâte et façonnez de longues saucisses d'environ 1 1/2" (4 cm) de diamètre. Coupez celles-ci à intervalles de 6" (15 cm) et amincissez légèrement les extrémités. Disposez les petits pains de manière qu'ils se touchent à peine, dans un moule à gâteau carré graissé; couvrez d'un linge et laissez lever jusqu'à obtention du double du volume ou d'un peu plus. Faites cuire 25 minutes au four à 425°F (218°C). Démoulez et laissez refroidir les petits pains couverts d'un linge, sur une grille.

PÂTE BÂTARDE

Brioches au miel

1 c. à soupe (15 mL) de levure sèche
1/2 c. à café (3 mL) de sucre
1/4 de tasse (60 mL) d'eau tiède
3 c. à soupe (50 mL) de sucre
2 c. à soupe (30 mL) de beurre
1 oeuf
1/4 de tasse (60 mL) de lait ébouillanté
1/2 c. à café (2 mL) de sel
2 tasses (500 mL) de farine tout usage
1/2 tasse (125 mL) de beurre
2/3 de tasse (165 mL) de miel
1/3 de tasse (75 mL) de cassonade bien tassée
1/2 tasse (125 mL) de raisins de Corinthe ou de raisins secs
1/4 de tasse (60 mL) de noix de Grenoble hachées

Activez la levure avec 1/2 c. à café (3 mL) de sucre dans l'eau tiède. Ébouillantez le lait et délayez-y le reste du sucre, le sel et 2 c. à soupe (30 mL) de beurre. Mélangez pour faire fondre le beurre et laissez tiédir. Vérifiez la température et ajoutez la levure activée, puis, en mélangeant, la moitié de la farine; battez vigoureusement. Incorporez de la farine jusqu'à ce que la pâte épaississe et se détache de la paroi du bol. Renversez et pétrissez. Il est très difficile de pétrir une si petite quantité de pâte. Servez-vous d'un robot culinaire ou d'un mixeur équipé d'un crochet pétrisseur, mais, à défaut, examinez la possibilité de doubler les quantités d'ingrédients pour produire deux douzaines de brioches plutôt qu'une. Il ne sera pas difficile de trouver preneur. Quand la pâte est devenue lisse et satinée, mettez-la dans un bol graissé; couvrez et laissez lever jusqu'à obtention du double du volume. Préparez entre-temps du beurre de miel en battant en crème 1/2 tasse (125 mL) de beurre avec la cassonade et le miel. Réfrigérez jusqu'à ce que le mélange, bien que raffermi, puisse s'étendre encore. Abaissez la pâte, puis façonnez un rectangle de 16" x 8" (40 x 20 cm). Tartinez avec environ 1/4 de tasse (60 mL) de beurre de miel et pliez en trois comme pour une lettre. Ramenez aux dimensions précédentes et tartinez de nouveau 1/4 de tasse (60 mL) de beurre de miel. Saupoudrez de raisins et de noix de Grenoble et roulez comme pour un gâteau roulé en commençant par un des longs côtés. Mettez le reste du beurre de miel dans une casserole et portez à ébullition. Versez-en la moitié dans un moule carré de 8" (20 cm) de côté. Tranchez le roulé en douze et déposez-le à plat dans le moule. Laissez lever jusqu'à obtention du double du volume, arrosez avec le reste du beurre de miel et faites cuire de 25 à 30 minutes au four à 375°F (190°C). Renversez sur une assiette chaude et attendez quelques minutes avant d'enlever le moule. Démoulez et servez.

PÂTE BÂTARDE

"Kolacky"

Une immigrante de fraîche date a emporté de Tchécoslovaquie cette recette.

Pâte

1 c. à soupe (15 mL) de levure sèche
1 c. à café (5 mL) de sucre
1/2 tasse (125 mL) d'eau tiède
1/2 tasse (125 mL) de lait ébouillanté

1/2 tasse (125 mL) de beurre
1 c. à café (5 mL) de sel
1/4 de tasse (60 mL) de sucre
2 oeufs
3 à 3 1/2 tasses (750 à 875 mL) de farine tout usage

Garniture

1/4 de livre (375 g) de pruneaux dénoyautés
2 tasses (500 mL) d'eau
2 c. à café (10 mL) d'écorce d'orange râpée
2 c. à soupe (30 mL) de sucre

Activez la levure avec 1 c. à café (5 mL) de sucre dans l'eau tiède. Ébouillantez le lait et laissez-le reposer jusqu'à ce qu'il soit tiède. Battez le beurre en crème avec le sucre et ajoutez en battant les oeufs. Continuez de battre jusqu'à consistance ultra-légère. Versez le lait tiède et la levure activée. Incorporez en mélangeant la moitié de la farine et le sel, puis battez très vigoureusement à l'aide d'un mixeur équipé d'un crochet à pétrir ou d'une cuiller en bois. Ajoutez en mélangeant suffisamment de farine pour produire une pâte très molle qui puisse être légèrement pétrie. Mettez dans un bol graissé; couvrez et laissez lever jusqu'à obtention du double du volume. Abaissez de façon que la pâte ait une épaisseur de 1/4" (60 mm).Coupez-la en rondelles au moyen d'un moule à découper enfariné de 3" (7,5 cm) de diamètre. Déposez ces rondelles à distance les unes des autres sur une tôle à cuisson graissée. Mêlez les pruneaux, l'eau et le sucre dans une casserole. Faites cuire lentement en remuant sans arrêt jusqu'à consistance très épaisse. Laissez refroidir et ajoutez en mélangeant l'écorce d'orange. Abaissez le centre de chaque brioche en ne laissant qu'un mince rebord tout autour. Emplissez de 1 c. à soupe (15 mL) de garniture. Badigeonnez de blanc d'oeuf battu dans un peu d'eau et faites cuire 15 minutes au four à 350°F (176°C). Laissez refroidir sur une grille.

Brioches à l'érable

Voici une recette de pâte à brioches au miel.

1/2 tasse (125 mL) de beurre
1/2 tasse (125 mL) de sirop d'érable

7 c. à soupe (100 mL) ou environ 3 onces (85 g) de sucre d'érable
1/2 tasse (125 mL) de noix de Grenoble hachées

Râpez le sucre d'érable dans le beurre ou mélangez à l'aide d'un robot culinaire. Ajoutez en battant le sucre d'érable; veillez à ce que le mélange ne soit pas trop coulant. Si tel est le cas, ajoutez-y un peu de sucre glace pour l'épaissir. Abaissez la pâte comme pour les brioches au miel, mais tartinez plutôt de ce beurre d'érable. Saupoudrez de noix de Grenoble. Déposez dans un moule tapissé de beurre d'érable et faites cuire de la même façon que les brioches au miel.

PÂTE BÂTARDE

" Pampouchki "

Voici des beignets à la levure d'origine ukrainienne.

1/2 c. à soupe (7 mL) de levure sèche
1 c. à café (5 mL) de sucre
1/4 de tasse (60 mL) d'eau tiède
1/2 tasse (125 mL) de shortening
3/4 de tasse (185 mL) de sucre
4 oeufs
1 tasse (250 mL) d'eau chaude
4 tasses (1 L) de farine
1 c. à café (5 mL) de sel
1 c. à café (5 mL) de vanille

Activez la levure avec 1 c. à café (5 mL) de sucre dans l'eau tiède. Battez en crème le *shortening* avec le reste du sucre jusqu'à consistance légère et même ultra-légère. Ajoutez les oeufs un par un, en battant vigoureusement après chaque addition, puis l'eau, la levure activée, le sel et la vanille. Battez vigoureusement. Incorporez lentement la farine sans cesser de battre jusqu'à ce que la pâte se détache de la paroi du bol. Renversez sur une planche enfarinée et pétrissez avec soin en veillant à ne pas ajouter trop de farine, puisque cette pâte doit être molle. Même si elle est d'abord collante, elle le deviendra de moins en moins pendant le pétrissage. Mettez dans un bol graissé; couvrez et laissez lever jusqu'à obtention du double du volume. Abaissez, renversez sur la planche légèrement enfarinée et abaissez de nouveau en douceur jusqu'à ce que la pâte mesure environ 1/4" (7,5 cm) de diamètre; couvrez-en le centre d'une petite cuillerée de garniture aux graines de pavot. Repliez et scellez en pinçant. Déposez sur un linge sec et couvrez d'un autre linge. Laissez lever jusqu'à obtention du double du volume. Avec une spatule, glissez dans une casserole profonde remplie de graisse chaude à 375°F (190°C). Égouttez sur des serviettes en papier.

Garniture aux graines de pavot

1/2 tasse (125 mL) de graines de pavot moulues
2 c. à soupe (30 mL) de lait
1 c. à soupe (15 mL) de miel
1/2 c. à café (3 mL) de beurre
une pincée de cannelle
1/2 c. à soupe (7 mL) de sucre

Faites cuire les graines de pavot dans le lait, le miel et le sucre environ 5 minutes. Ajoutez en mélangeant le beurre et la cannelle.

PÂTE BÂTARDE

Petits pains au chocolat

1 c. à soupe (15 mL) de levure sèche
1 c. à café (5 mL) de sucre
3 c. à soupe (50 mL) d'eau tiède
4 à 5 tasses (1 à 1,25 L) de farine tout usage
3/4 de tasse (175 mL) de lait
1/2 tasse (125 mL) de sucre
1/2 c. à café (3 mL) de sel
1/2 tasse (125 mL) de beurre mou
3 oeufs légèrement battus
1 c. à café (5 mL) d'écorce d'orange râpée
1/2 c. à café (2 mL) de vanille
1 tasse (250 mL) de grains de chocolat au lait
2 c. à café (10 mL) de beurre fondu

Activez la levure avec 1 c. à café (5 mL) de sucre dans l'eau tiède. Mesurez la farine et mettez-la de côté. Ébouillantez le lait et délayez-y le sucre, le sel, le beurre, les oeufs et l'écorce d'orange. Mélangez jusqu'à consistance homogène. Laissez tiédir. Ajoutez la levure et la vanille. Incorporez 2 tasses (500 mL) de farine et battez vigoureusement avec une cuiller en bois jusqu'à consistance lisse et légèrement élastique. Ajoutez peu à peu, en mélangeant, les 2 autres tasses (500 mL) de farine. Remettez au besoin de la farine pour produire une pâte molle qui se détache de la paroi du bol. Renversez sur une planche enfarinée. Façonnez une balle. Pétrissez de 5 à 10 minutes ou jusqu'à consistance lisse, élastique et non collante. Mettez dans un bol légèrement graissé. Couvrez et laissez lever à la chaleur jusqu'à obtention du double du volume (1 à 1 1/2 heure). Abaissez la pâte de façon qu'elle ait une épaisseur de 1/4" (60 mm). Coupez avec un moule à découper de 2" (5 cm) de diamètre. Abaissez chaque rondelle de manière à obtenir un ovale de 4 1/2" (11 cm) de long. Saupoudrez le centre d'environ 1 c. à soupe (15 mL) de grains de chocolat. Ramenez les longs côtés par-dessus la garniture et scellez en pinçant. Déposez à l'envers sur des tôles à cuisson graissées. Badigeonnez de beurre fondu. Couvrez de papier ciré et laissez lever à la chaleur jusqu'à obtention du double du volume (environ 30 minutes). Faites cuire 15 minutes au four à 400°F (204°C) ou jusqu'à ce que les petits pains soient à point. Laissez refroidir sur une grille. Servez tiède. Cette recette donne environ 24 petits pains.

PÂTE BÂTARDE

Bretzels

Il existe deux variétés de bretzels: les minces, durs et salés; les plus épais, qui ressemblent à des *bagels*. Les plus minces, qu'on sert dans les bars pour activer la soif ne contiennent pas de levure. Les bretzels maison sont plus appétissants.

1 c. à soupe (15 mL) de levure sèche
une pincée de sucre
1 1/4 de tasse (300 mL) d'eau tiède
2 c. à café (10 mL) de sel
4 tasses (1 L) environ de farine tout usage

4 tasses (1 L) d'eau bouillante
4 c. à café (20 mL) de bicarbonate de soude
un oeuf entier ou un jaune d'oeuf pour la glace
gros sel
graines de carvi

Activez la levure avec le sucre dans un peu d'eau tiède. Une fois la levure activée, ajoutez-y le reste de l'eau tiède, la farine et le sel. Battez jusqu'à ce que la pâte se détache de la paroi du bol, puis renversez et pétrissez avec soin sur une planche enfarinée. La pâte doit être assez ferme. Mettez-la dans un bol graissé; couvrez et laissez lever jusqu'à obtention du double du volume. Abaissez et, par petits morceaux, façonnez des cordons d'environ deux fois le diamètre d'un crayon. Pour former les bretzels, bouclez les cordons en entrecroisant les extrémités; tordez les extrémités une fois et repliez sur la boucle. Déposez sur une tôle à cuisson. Une fois tous les bretzels formés, faites bouillir l'eau. Ajoutez-y le bicarbonate de soude et, en commençant par les premiers bretzels formés, jetez-les 2 ou 3 à la fois dans l'eau. Laissez bouillir 1 minute après qu'ils aient fait surface. Retirez de l'eau bouillante avec une écumoire et laissez égoutter sur un linge. Disposez sur une tôle à cuisson graissée, badigeonnez d'oeuf battu dans un peu d'eau, saupoudrez de sel et de graines de carvi. Faites cuire de 10 à 12 minutes au four à 475°F (246°C). Laissez refroidir sur une grille. Entreposez dans un contenant hermétique.

Bretzels croustillants

Préparez la pâte de la même façon, mais façonnez des cordons très minces. Badigeonnez de jaune d'oeuf battu dans un peu d'eau et saupoudrez de sel. Ne faites pas bouillir, mais déposez immédiatement sur une tôle à cuisson graissée. Laissez lever 1/2 heure et mettez à cuire 10 minutes au four à 475°F (246°C). Ces bretzels-ci se conservent plusieurs semaines.

PÂTE BÂTARDE

Petits pains de frigo

Voici des en-cas très anciens. Avant qu'existent les réfrigérateurs, on les appelait petits pains de glacière.

1 c. à soupe (15 mL) de levure sèche
1 c. à café (5 mL) de sucre
1/2 tasse (125 mL) d'eau tiède
1 tasse (250 mL) de lait ébouillanté
6 c. à soupe (100 mL) de shortening
6 c. à soupe (100 mL) ou moins, au goût, de sucre
2 c. à café (10 mL) de sel
1 oeuf
3 à 4 tasses (750 mL à 1 L) de farine tout usage

Activez la levure avec 1 c. à café (5 mL) de sucre dans l'eau tiède. Ébouillantez le lait; délayez-y le *shortening,* le reste du sucre et le sel. Mélangez pour faire fondre le shortening. Laissez refroidir. Ajoutez l'oeuf battu et, après avoir vérifié la température, la levure activée. Incorporez en battant 2 tasses (500 mL) de farine. Battez très vigoureusement en ajoutant de la farine pour produire une pâte très molle. Renversez sur une planche enfarinée et pétrissez bien. Mettez dans un bol graissé, couvrez hermétiquement et réfrigérez de 24 heures à 1 semaine. Le moment venu, coupez la quantité de pâte désirée. Remettez le reste sous couvert au réfrigérateur. Façonnez au goût. Laissez lever jusqu'à obtention du double du volume. Faites cuire 20 minutes au four à 375°F (190°C) ou jusqu'à ce que les petits pains soient à point. Laissez refroidir sur une grille.

PÂTE BÂTARDE

Petits pains

1 c. à soupe (15 mL) de levure sèche
2 tasses (500 mL) d'eau
2 c. à soupe (30 mL) de sucre
2 c. à café (10 mL) de sel
2 c. à soupe (50 mL) de shortening
6 à 7 tasses (1,5 à 1,7 L) de farine tout usage
2 blancs d'oeuf

Activez la levure avec le sucre dans l'eau tiède. Une fois la levure bien activée, ajoutez le sel, le *shortening* et 1 tasse (250 mL) de farine. Battez jusqu'à consistance très lisse et intégrez à la cuiller les blancs d'oeuf montés en neige. Incorporez suffisamment de farine pour produire une pâte molle. Renversez et pétrissez jusqu'à consistance lisse et élastique. Mettez dans un bol graissé, couvrez et laissez lever jusqu'à obtention du double du volume. Abaissez, divisez en 30 et façonnez des brioches rondes. Déposez-les à distance les unes des autres sur une tôle à cuisson saupoudrée de farine de maïs. Laissez lever jusqu'à obtention du double du volume. Faites cuire au four à 450°F (232°C). Si possible, servez-vous d'une bouilloire électrique pour imprégner le four de vapeur pendant la cuisson; ouvrez la porte juste assez pour laisser passer le bec de la bouilloire. Sinon, placez sur la grille du bas du four un moule rempli d'eau bouillante, mais cette solution n'est pas aussi efficace. Les petits pains devraient cuire en 15 minutes. Glacez-les, au goût, de blanc d'oeuf légèrement battu.

PÂTE BÂTARDE

" Scuffles "

1 c. à soupe (15 mL) de levure sèche
1/2 c. à café (2 mL) de sucre
1/4 de tasse (60 mL) d'eau tiède
3 tasses (750 mL) de farine tout usage
2 c. à soupe (30 mL) de sucre
1/2 c. à café (3 mL) de sel
1 tasse (250 mL) de beurre
1/2 tasse (125 mL) de lait ébouillanté et refroidi
2 oeufs
2 c. à soupe (30 mL) de cannelle
1 tasse (250 mL) de sucre

Activez la levure avec 1/2 c. à café (3 mL) de sucre dans l'eau tiède. Mettez la farine dans un bol à mélanger avec 2 c. à soupe (30 mL) de sucre et le sel. Intégrez le beurre en vous servant d'une broche à pâtisserie, de deux couteaux ou à l'aide d'un robot culinaire. Dans ce dernier cas, séparez les ingrédients secs et le corps gras en deux et procédez en deux fois. Quand le mélange a pris l'apparence de chapelure, ajoutez le lait refroidi, les oeufs battus et la levure activée. Remuez avec une cuiller en bois jusqu'à ce que toute la farine soit humidifiée, renversez sur une planche légèrement enfarinée et pétrissez bien. Mettez dans un bol graissé; couvrez et réfrigérez jusqu'au lendemain. Mêlez la cannelle et le sucre et saupoudrez-en la planche. Abaissez la pâte de façon à obtenir un cercle d'une épaisseur d'environ 1/4" (60 mm). Parsemez de sucre à la cannelle et découpez en douze pointes à la façon d'une tarte. Façonnez en croissant. Disposez, pointe en bas, sur une tôle à cuisson graissée. Laissez reposer 10 minutes et faites cuire 15 minutes au four à 350°F (176°C). Au sortir du four, déposez sur du papier ciré: il est difficile de détacher les croissants de la tôle quand le sucre caramélisé a durci. Servez aussitôt: ces petits pains s'éventent rapidement.

PÂTE BÂTARDE

Torsades

Voici encore d'appétissants petits pains à la cannelle: une recette mennonite traditionnelle.

1 c. à soupe (15 mL) de levure sèche
une pincée de sucre
2 c. à soupe (30 mL) d'eau tiède
3/4 de tasse (200 mL) de crème
3 gros oeufs
3/4 de tasse (200 mL) de shortening
4 tasses (1 L) de farine
1/2 c. à café (3 mL) de sel
1 1/2 c. à café (7 mL) de cannelle
3/4 de tasse (200 mL) de sucre

Activez la levure avec une pincée de sucre dans l'eau tiède. Une fois la levure bien activée, délayez-y la crème, les oeufs battus, le *shortening* préalablement fondu et refroidi et le sel. Ajoutez en mélangeant la farine et battez vigoureusement. Renversez sur une planche enfarinée et pétrissez jusqu'à consistance lisse et élastique. Mettez dans un bol graissé; couvrez et réfrigérez jusqu'au lendemain. Mêlez la cannelle et la moitié du sucre et mettez de côté. Épandez l'autre moitié du sucre sur la planche enfarinée et abaissez-y la pâte. Pliez et abaissez de nouveau. Pliez et abaissez jusqu'à ce que la pâte ait absorbé tout le sucre. Façonnez la pâte en rectangle de 24" x 4" (60 x 10 cm). Découpez-y 2 douzaines de lanières de 4" (10 cm) de long. Roulez ces lanières dans le mélange de sucre et de cannelle et formez des huit. Disposez à bonne distance sur des tôles à cuisson graissées et laissez lever jusqu'à obtention du double du volume. Faites cuire 20 minutes au four à 375°F (190°C). Retirez du four et renversez aussitôt sur du papier ciré: il est très difficile de détacher ces torsades de la tôle à cuisson si le sucre caramélisé a durci. Servez chaud.

PÂTE DOUCE

" Muffins " anglais de blé entier

Bien qu'ils s'écartent de la tradition, voici à peu près les meilleurs *muffins* anglais que j'aie goûtés. La pâte doit en être très molle, presque assez ferme pour qu'il soit possible de la pétrir.

1 c. à soupe (15 mL) de levure sèche
1 c. à café (5 mL) de sucre
7 c. à soupe (100 mL) d'eau tiède
1 2/3 tasse (400 mL) de lait ébouillanté
1 1/2 c. à soupe (25 mL) de sucre
1/4 de tasse (60 mL) de shortening
1/2 tasse (125 mL) de blé décortiqué
1 1/2 tasse (375 mL) de farine de blé entier
1/4 de tasse (60 mL) de germes de blé
2 c. à café (10 mL) de sel
2 1/2 tasses (625 mL) environ de farine tout usage

Activez la levure avec 1 c. à café (5 mL) de sucre dans l'eau tiède. Mêlez la farine de blé entier, le blé, les germes de blé et 3/4 de tasse (200 mL) de farine tout usage dans un bol à mélanger. Ébouillantez le lait après y avoir mis le *shortening,* le sel et le reste du sucre. Laissez tiédir et ajoutez au mélange de farine en même temps que la levure activée. Battez 5 minutes à l'aide d'un mixeur ou plus longtemps à la main. Incorporez en mélangeant suffisamment de farine pour produire une pâte très molle. Travaillez à la main sur la planche enfarinée jusqu'à consistance lisse. Mettez dans un bol graissé; couvrez et laissez lever jusqu'à obtention du double du volume. Abaissez jusqu'à ce que la pâte ait une épaisseur de 1/2" (1,2 cm) sur une planche bien enfarinée. Coupez avec un moule à découper de 4" (10 cm) de diamètre et saupoudrez les deux côtés de farine de maïs (au goût, saupoudrez la planche de farine de maïs plutôt que de farine tout usage, mais il sera alors plus difficile d'abaisser la pâte). Couvrez d'un linge et laissez lever jusqu'à consistance légère. Chauffez une tôle à galettes en fonte ou en aluminium, mais sans la graisser. Glissez-y les muffins. Faites cuire le premier côté 15 minutes; retournez et faites cuire l'autre côté de 10 à 12 minutes. Ouvrez en deux et servez avec beaucoup de beurre.

PÂTE BÂTARDE

Beignets levés à la levure

2 c. à soupe (30 mL) de levure sèche
1 c. à café (5 mL) de sucre
1/4 de tasse (60 mL) d'eau de pommes de terre tiède
1 tasse (250 mL) d'eau de cuisson de pommes de terre
1/4 de tasse (60 mL) de beurre
1 c. à café (5 mL) de sel
1 oeuf
1/2 tasse (125 mL) de pommes de terre en purée
1/2 tasse (125 mL) de sucre
4 tasses (1 L) environ de farine

Activez la levure avec 1 c. à café (5 mL) de sucre dans l'eau de pommes de terre tiède. Chauffez le reste de l'eau de pommes de terre avec le beurre, le sel et le reste du sucre jusqu'à ce que le beurre fonde. Laissez tiédir. Ajoutez l'oeuf et, après avoir vérifié la température, la levure. Incorporez en battant la moitié de la farine et battez vigoureusement. Ajoutez suffisamment de farine pour produire une pâte très molle qu'il soit néanmoins possible de pétrir. Pétrissez jusqu'à consistance lisse et élastique. Mettez dans un bol graissé; couvrez et laissez lever jusqu'à obtention du double du volume. Abaissez. Renversez sur une planche légèrement enfarinée et abaissez de manière que la pâte ait une épaisseur de 1/4" (60 mm). Coupez avec un moule à beignets enfariné. Déposez les beignets sur des linges et laissez-les lever sous un autre linge jusqu'à obtention du double du volume. Faites frire dans l'huile à 375°F (190°C) en les retournant une fois. Égouttez sur des serviettes en papier. Glacez soit avec du fondant au chocolat, à l'érable ou au café, soit avec du miel chaud.

PÂTE BÂTARDE

" Zwieback "

1/2 c. à soupe (7 mL) de levure sèche
1/2 c. à soupe (7 mL) de sucre
1/2 tasse (125 mL) d'eau tiède
1 tasse (250 mL) d'eau de cuisson de pommes de terre
1 tasse (250 mL) de lait ébouillanté
1/4 de tasse (60 mL) de margarine
1/4 de tasse (60 mL) de saindoux
1 1/2 c. à soupe (25 mL) de sel
6 tasses (1,5 L) de farine tout usage

Activez la levure avec le sucre dans l'eau tiède. Ébouillantez le lait, ajoutez-y l'eau de pommes de terre et laissez tiédir. Ajoutez la levure activée. Incorporez 2 1/2 tasses (675 mL) de farine en mélangeant jusqu'à ce que celle-ci soit entièrement humidifiée. Couvrez et laissez lever très haut jusqu'à ce que le mélange soit plein de bulles. Ajoutez le sel et les matières grasses préalablement fondues et refroidies. Incorporez suffisamment de farine pour produire une pâte qui se détache de la paroi du bol. Renversez et pétrissez bien en ajoutant suffisamment de farine pour empêcher la pâte d'adhérer. Celle-ci devrait être molle et souple. Mettez-la dans un bol graissé; couvrez et laissez lever jusqu'à obtention du double du volume. Divisez en parts de la grosseur d'un petit oeuf et formez des boulettes. Disposez à 1" (2,5 cm) de distance les unes des autres sur une tôle à cuisson graissée. Laissez lever jusqu'à obtention du double du volume. Badigeonnez légèrement de lait et faites cuire 20 minutes au four à 375°F (190°C).

PAINS DÉCORATIFS ET PÂTÉS EN CROÛTE

Les recettes qui suivent sont assez particulières. Je les ai rassemblées parce que je n'arrivais pas à décider de leur place dans ce livre. Souvent associées à des viandes, certaines accompagnent un plat de résistance fort nourrissant quand elles ne constituent pas le repas lui-même. D'autres sont simplement décoratives et non comestibles. D'une façon ou d'une autre, elles ont toutes en commun d'être difficilement manipulables; les novices devraient s'abstenir de se risquer à les essayer tant qu'ils n'auront pas maîtrisé des recettes de pâtes plus simples. Mais, par ailleurs, quel plaisir à apprêter de telles sculptures, même si leur texture interne n'est pas parfaite — peu importe, seules les apparences comptent ici! L'inverse est tout aussi vrai quand il s'agit de combinaisons de viande et de pain: même si l'apparence n'a pas la perfection des produits de la boulangerie professionnelle, le résultat est tout aussi délicieux. Un jour où vous aurez quelque loisir, essayez-les, et vous verrez!

Alligator

Cet animal délicieusement féroce ajoute du piquant à n'importe quelle fête d'enfants. Une fois la technique maîtrisée, il est possible d'en tirer tout un zoo. On peut se servir de n'importe quelle pâte de base, mais celle-ci, riche en oeufs, se travaille bien.

1 c. à soupe (15 mL) de levure sèche
3 c. à soupe (50 mL) d'eau tiède
1 c. à café (5 mL) de sucre
1/4 de tasse (60 mL) d'huile
2 c. à café (10 mL) de sucre

2 oeufs
2 c. à café (10 mL) de sel
1/2 tasse (125 mL) d'eau bouillante
1/4 de tasse (60 mL) d'eau froide
4 tasses (1 L) environ de farine tout usage
1 oeuf pour la glace
paprika

Activez la levure avec 1 c. à café (5 mL) de sucre dans l'eau tiède. Mettez l'huile, le sel et le reste du sucre dans un bol à mélanger. Versez l'eau bouillante et mélangez. Ajoutez l'eau tiède et les oeufs battus, puis, après avoir vérifié la température, la levure activée. Incorporez la farine en mélangeant jusqu'à ce que la farine se détache de la paroi du bol; renversez et pétrissez jusqu'à consistance lisse et élastique. Mettez dans un bol graissé; couvrez et laissez lever jusqu'à obtention du double du volume. Abaissez, renversez et pétrissez légèrement. Laissez reposer 10 minutes sous le bol.

Pour former l'alligator, abaissez deux morceaux de pâte de la grosseur d'un gros oeuf de manière à obtenir des lanières de 6" (15 cm) de long. Disposez-les parallèlement à intervalles de 8" (20 cm) l'une de l'autre sur une tôle à cuisson bien graissée. Abaissez le reste de la farine de façon à former une longue saucisse, carrée à une extrémité et légèrement aplatie à l'autre. Déposez perpendiculairement sur les lanières et placez celles-ci à l'emplacement des pattes de l'alligator. Aplatissez l'extrémité des pattes et entaillez-les pour former les orteils. Piquez les pattes, puis le corps entier, avec une fourchette pour donner l'apparence d'écailles. Formez la gueule en entaillant l'extrémité de la tête, les dents, en introduisant dans l'entaille des pignes ou des amandes en copeaux et les yeux, en enfonçant des raisins de Corinthe dans la "peau". Badigeonnez d'oeuf battu et saupoudrez de paprika. Laissez lever 30 minutes. Faites cuire de 35 à 40 minutes au four à 375°F (190°C).

PÂTE FERME

Panier de pain

Cet attrayant panier peut décorer le centre de n'importe quelle table. Il se présente bien, qu'il soit empli de petits pains ou de pâtisseries, d'un assortiment de fromages ou de sandwiches pour le thé ou même de salade. Il ne dure pas indéfiniment, mais peut se conserver quelques semaines au sec, après quoi il s'effrite.

1 c. à café (5 mL) de levure sèche
1 c. à café (5 mL) de sucre
2 tasses (500 mL) d'eau tiède
1 c. à soupe (15 mL) de sel
6 tasses (1,5 L) de farine tout usage
1 oeuf pour la glace

Activez la levure avec le sucre dans l'eau tiède. Une fois la levure bien activée, ajoutez-y en mélangeant 2 tasses (500 mL) de farine et battez jusqu'à consistance lisse. Couvrez et laissez lever au moins 2 heures à la chaleur jusqu'à consistance légère et spongieuse. Incorporez en mélangeant le reste de la farine ainsi que le sel; renversez sur une planche enfarinée et pétrissez jusqu'à consistance lisse et satinée en ajoutant de la farine au besoin si la pâte, qui devrait être plutôt ferme, semble trop molle. Mettez dans un bol graissé; couvrez et laissez lever jusqu'à obtention du double du volume. Abaissez et séparez en trois parts.

Couvrez deux d'entre elles et abaissez la troisième de manière à former un cercle d'une épaisseur d'environ 3/4" (2 cm). Graissez l'extérieur d'un bol à mélanger en acier ou en verre d'une capacité de 4 pintes (1 L). Renversez le bol et recouvrez-le également de pâte. Déposez-le, couvert de pâte, sur une tôle à cuisson graissée. Abaissez la deuxième part de pâte de façon à obtenir une bande à peine plus longue que la circonférence du bol et découpez-y trois lanières longues et minces. Tressez lâchement ces trois lanières. Badigeonnez d'eau chaude la lisière inférieure de la pâte qui recouvre le bol et ceinturez-la avec la tresse. Nattez ensemble les extrémités de façon à ce que la tresse semble continue. La dernière part de pâte servira à fabriquer l'anse. Pour ce faire, il faut se servir d'un autre bol de même dimension que le premier ou, à défaut, réfrigérer la pâte jusqu'à ce que le panier lui-même soit cuit et se servir du premier bol.

Pour former l'anse, renversez le bol et mesurez le diamètre du fond. Divisez en trois la troisième part de pâte et abaissez chacune de manière à obtenir une lanière à peine plus longue que ce diamètre. Tressez lâchement les lanières et disposez-les sur le bol renversé et graissé déposé sur une tôle à cuisson. Assurez-vous que la natte a la longueur requise. Badigeonnez le panier et l'anse avec un oeuf battu dans 1 c. à soupe (15 mL) d'eau ou de lait. Veillez à badigeonner complètement et à ne pas laisser de traînées. Faites cuire aussitôt de 30 à 35 minutes au four à 425°F (218°C). Couvrez de papier d'aluminium si la pâte semble trop brunir. Badigeonnez de beurre fondu et laissez les bols refroidir sur une grille. Une fois les bols refroidis, détachez délicatement le panier et l'anse. Attachez l'anse au panier avec un peu de glace royale, faite de blanc d'oeuf et de sucre glace, teintée à l'essence de caramel. N'essayez pas de soulever le panier par l'anse. Il se peut que l'intérieur du panier soit plutôt terne: pour le rendre plus attrayant, recouvrez-le d'un napperon de couleur ou d'une serviette de papier.

N.B.: Si vous voulez un plus petit panier, divisez par deux les ingrédients. En pareil cas, le travail de la pâte se fait bien au robot culinaire.

Brioche pour rôti d'agneau en croûte

Les viandes rôties sont très souvent servies dans une croûte de pâtisserie: on obtient alors des plats vraiment très agréables à l'oeil. La croûte est habituellement faite de pâte brisée ou de pâte feuilletée (pâte à choux), mais la pâte à brioche à la levure, bien que riche, est légère et plus facile à travailler que la pâtisserie ordinaire.

3 c. à soupe (45 mL) de levure sèche
1 c. à café (5 mL) de sucre
3/4 de tasse (200 mL) de lait tiède
2 c. à café (10 mL) de sel
10 jaunes d'oeuf
1/2 tasse (125 mL) de beurre
4 tasses (1 L) de farine tout usage
1 jaune d'oeuf
1 1/2 c. à soupe (25 mL) de crème

Ébouillantez le lait et laissez-le tiédir. Délayez-y le sucre et activez la levure. Mettez la farine et le sel dans un bol. Une fois la levure activée, ajoutez-la à la farine avec le jaune d'oeuf et le beurre fondu. Mélangez avec une cuiller en bois jusqu'à ce que la farine soit complètement humidifiée, puis poursuivez l'opération avec vos mains. Il se peut que la pâte, trop molle, se prête mal au pétrissage; dans ce cas, elle devra être écrasée entre vos mains jusqu'à consistance lisse et souple, mais non collante. Mettez dans un bol graissé; couvrez et laissez lever jusqu'à obtention du double du volume. Cette opération peut durer assez longtemps. Abaissez, renversez et pétrissez légèrement. Ayez à portée de la main un rôti d'agneau refroidi, cinq ou six tranches minces de jambon cuit et environ 1 tasse (250 mL) de duxelles de champignons.

Abaissez la pâte de manière à obtenir un rectangle qui ait une épaisseur d'environ 1/4" (5 mm). Recouvrez le centre de la pâte de quatre tranches de jambon et mettez par-dessus une couche de duxelles. Déposez le rôti d'agneau sur les champignons et recouvrez le dessus du rôti d'une autre couche de duxelles. Disposez les autres tranches de jambon et ramenez l'un des longs côtés de la pâte sur le tout. Badigeonnez de jaune d'oeuf battu dans la crème et ramenez l'autre côté de la pâte sur le premier de façon à ce qu'ils se chevauchent d'environ 3/4" (2 cm). Enlevez l'excès de la pâte et badigeonnez la lisière d'oeuf battu. Rabattez les côtés courts de façon à ce qu'ils se chevauchent et scellez en exerçant une pression. Déposez une tôle à cuisson graissée à côté du rôti et roulez celui-ci délicatement sur la tôle de façon à ce que les lisières de la pâte se retrouvent en dessous. N'essayez pas de soulever le rôti, sinon la pâte se déchirera. Décorez le dessus de formes diverses faites avec le reste de pâte et badigeonnez de jaune d'oeuf. Mettez à cuire 20 minutes au four à 400°F (204°C), puis réduisez la température à 350°F (176°C) et remettez à cuire 40 minutes. Disposez sur un plat de service et servez sur-le-champ.

Cette méthode s'applique aussi bien au jambon cuit entier. Dans ce cas, il n'est pas nécessaire de garnir de tranches de jambon.

N.B.: On trouvera une recette de duxelles de champignons dans n'importe quel bon livre de cuisine français.

Pâte à pain sculpté

Il arrive que l'on aperçoive dans les boutiques spécialisées de petites plaques ou des figurines faites de pâte à pain séchée et peinte. Le pain sculpté que voici n'appartient pas à cette catégorie. Il est cuit correctement et très comestible. On le fait pour servir d'aliment, même s'il arrive que sa texture n'ait pas la légèreté de celle d'une bonne miche de pain de ménage. En réalité, ce qui se passe habituellement, c'est qu'on décide plutôt de l'admirer jusqu'à ce qu'il soit si rassis qu'on doive le jeter. Qu'on le mange ou qu'on l'admire, cependant, on éprouve grand plaisir à le préparer, et il rehausse beaucoup un buffet ou une table.

1 c. à café (5 mL) de levure sèche
1 tasse (250 mL) d'eau chaude

2 c. à soupe (30 mL) de sucre
1 c. à soupe (15 mL) de mélasse
1 c. à soupe (15 mL) d'huile
2 c. à café (10 mL) de vinaigre
2 c. à café (10 mL) de sel
1/2 tasse (125 mL) de lait
3 tasses (750 mL) de farine de seigle
1 tasse (250 mL) environ de farine tout usage

Activez la levure avec la mélasse dans l'eau chaude. Une fois la levure activée, délayez-y le sucre, l'huile, le vinaigre, le sel, le miel et la farine de seigle. Mélangez bien, couvrez et laissez lever jusqu'à obtention du double du volume, soit assez longtemps. Ajoutez en mélangeant suffisamment de farine blanche pour produire une pâte plutôt ferme et pétrissez avec soin. Couvrez et laissez reposer de 10 à 15 minutes, puis façonnez des animaux, des fruits ou des objets symboliques. Disposez ces sculptures sur une tôle à cuisson graissée et laissez lever jusqu'à ce que la pâte, de plate qu'elle était, devienne gonflée; quand les formes sembleront le mieux correspondre à la réalité, vous le verrez. N'oubliez pas qu'au four, le gonflement s'accentuera. Badigeonnez d'oeuf entier ou de jaune d'oeuf ou encore alternez si vous voulez obtenir un contraste entre zones d'ombres et zones claires. Faites cuire au four à 400°F (204°C) jusqu'à ce que le pain soit à point. Le temps de cuisson varie beaucoup selon l'épaisseur des formes. Il est préférable de cuire trop plutôt que pas assez, et la température de cuisson peut être réduite si jamais le pain brunit trop vite. Laissez refroidir sur une grille à l'abri des courants d'air.

Sirène

Voici une façon d'utiliser la pâte à sculpter. La corne d'abondance en est une autre dont la munificence convient au repas de l'Action de grâces. Mentionnons également les chats, les lapins, les Pères Noël, les anges et les avions.

une préparation de pâte à sculpter
1 oeuf entier
1 jaune d'oeuf
aneth frais haché menu

Abaissez la pâte de manière à obtenir une saucisse de 12" (30 cm) de long. Coupez en deux. Divisez la première part en cinq parties égales et la deuxième part, en deux parties, l'une deux fois plus grosse que l'autre, ce qui donne une grosse part, une part moyenne et cinq petites parts.

Formez le torse de la sirène avec la part moyenne en aplatissant sous les hanches. Façonnez la tête à l'aide d'une petite part. Formez la queue en aplatissant la grosse part; drapez les hanches comme s'il s'agissait d'une jupe et tordez pour donner à la sirène une posture élégante. Avec une des petites parts, façonnez deux nageoires pour le bout de sa queue. Formez les deux bras avec une autre petite part. Repliés et joints derrière sa tête, ils la rendront plus vivante. Pressez une autre petite part de pâte dans un pressoir à ail pour la chevelure ou faites des tresses en roulant de toutes petites quantités de pâte entre vos doigts. Il reste une petite part de pâte qui peut servir à former les seins ou à dessiner des traits.

Marquez la queue avec le bout d'une cuiller comme s'il s'agissait d'écailles. Tracez des lignes sur les nageoires et utilisez une brochette pour dessiner les autres traits. Badigeonnez la "peau" nue d'oeuf entier battu dans un peu d'eau et le "corps", de jaune d'oeuf: la peau tranchera ainsi sur le reste. Saupoudrez la chevelure, au goût, d'aneth frais haché menu. Laissez reposer 10 minutes; faites cuire 40 minutes au four à 350°F (176°C).

Pâte à pizza

Cette pâte peut tout aussi bien servir pour la pissaladière, l'équivalent français de la pizza.

1/2 c. à soupe (3 mL) de levure sèche
1 pincée de sucre
2 c. à soupe (30 mL) d'eau tiède
1 oeuf
2 c. à soupe (30 mL) d'huile d'olive
1 c. à café (5 mL) de sel
2 gousses d'ail broyées
2 tasses (500 mL) de farine tout usage

Activez la levure avec le sucre dans l'eau tiède. Pendant l'activation, chauffez l'huile d'olive et faites-y sauter l'ail broyé. Jetez l'ail et prélevez 2 c. à soupe (30 mL) d'huile. Mêlez la farine et le sel dans un bol à mélanger. Incorporez en mélangeant la levure activée, l'huile d'olive refroidie et l'oeuf battu. Mélangez bien, renversez et pétrissez. Ajoutez un peu de farine si la pâte adhère. Pétrissez jusqu'à consistance lisse et élastique. Mettez dans un bol graissé; couvrez et laissez lever jusqu'à obtention du double du volume. Abaissez, renversez et laissez reposer pour détendre le gluten. Enduisez d'huile d'olive la tôle à pizza ainsi que vos mains. Déposez la pâte sur la tôle huilée et étirez-la de façon à former une couche de 1/2" (12 cm) qui couvre la surface de la tôle. Il ne devrait pas être nécessaire d'en épaissir le pourtour, car ce phénomène se produit naturellement lors de la cuisson puisque la pâte garnie lève moins que la pâte nue. Garnissez au goût et mettez au four à 500°F (260°C). Réduisez aussitôt la température à 400°F (204°C) et faites cuire environ 25 minutes. Pour savoir si la pizza est à point, coupez de part en part au milieu avec un couteau aiguisé. Si le fond semble pâteux ou collant, faites cuire un peu plus longtemps.

Pain à fourrer

Le pain à fourrer ou pain *Pita* n'existe au Canada que depuis peu. Originaire du Proche-Orient, il est parfois désigné sous le nom de Pain syrien. Il se compose de deux couches qui, faciles à écarter, permettent de le fourrer de n'importe quoi, depuis les morceaux d'agneau rôti embroché sur un sabre flamboyant jusqu'à la modeste viande hachée.

1 c. à soupe (15 mL) de levure sèche
1/2 c. à café (3 mL) de sucre
2 c. à café (10 mL) de sel
1 1/3 tasse (330 mL) d'eau tiède
2 c. à soupe (30 mL) d'huile d'olive
4 tasses (1 L) de farine tout usage

Activez la levure avec le sucre dans l'eau tiède. Une fois la levure activée, délayez-y l'huile, le sel et la farine. Mélangez bien, renversez et pétrissez jusqu'à consistance lisse et très élastique. Mettez dans un bol graissé; couvrez et laissez lever jusqu'à obtention du double du volume. Abaissez, pétrissez légèrement, divisez la pâte en six et façonnez des boules. Couvrez avec le bol renversé et laissez reposer 30 minutes. Travaillez deux boules à la fois de façon qu'elles ne sèchent pas. Abaissez chacune de manière à former un cercle qui ait une épaisseur d'environ 1/8" (30 mm). La planche et le rouleau doivent être très bien enfarinés de façon à empêcher la pâte mince d'adhérer et de se déchirer. Déposez les deux couches superposés sur une tôle à cuisson saupoudrée de farine de maïs. Faites cuire 5 minutes dans la partie basse du four à 500°F (260°C). N'ouvrez pas la porte pendant ce temps. Remettez ensuite à cuire de 3 à 5 minutes dans la partie haute du four. Retirez de la grille et enveloppez de papier d'aluminium pour empêcher le pain de durcir. Répétez l'opération avec les autres boules jusqu'à ce que toutes soient cuites. Le pain s'affaissera, mais ainsi, les deux moitiés s'écarteront facilement. Ouvrez et fourrez de morceaux d'agneau ou de boeuf grillé, de têtes de champignons, de poivrons verts et de morceaux de tomates.

Saucisson en croûte

1 livre (500 g) de saucisson à l'ail italien ou polonais
1 c. à soupe (15 mL) de levure sèche
1/4 de tasse (60 mL) d'eau tiède
1 c. à café (5 mL) de sucre
1/2 tasse (125 mL) de lait ébouillanté
3 c. à soupe (50 mL) de sucre
1/2 c. à café (3 mL) de sel
1/2 tasse (125 mL) de beurre
3 oeufs entiers
1 jaune d'oeuf
3 1/4 tasse (785 mL) de farine tout usage

Pochez le saucisson environ 1 heure dans l'eau. Retournez-le plusieurs fois pendant la cuisson, mais sans en percer la peau. Retirez-le de l'eau et lorsqu'il est suffisamment refroidi, enlevez-en délicatement la peau. Laissez-le refroidir jusqu'à ce que la pâte soit prête.

Mode de préparation de la pâte

Activez la levure avec 1 c. à café (5 mL) de sucre dans l'eau tiède. Battez le beurre en crème avec le reste du sucre et le sel dans le bol d'un mixeur. Ajoutez les oeufs entiers, le jaune d'oeuf, le lait ébouillanté et refroidi, la levure activée, puis incorporez la farine en battant constamment. Si la pâte devient trop épaisse pour être traitée au mixeur, poursuivez à la main, mais en veillant à ce que la pâte soit battue 10 minutes au mixeur ou 20 minutes à la main. Couvrez et laissez lever jusqu'à obtention du double du volume, puis réfrigérez. N'oubliez pas cette étape: en effet si la pâte n'est pas gelée de part en part, elle ne se laissera pas abaisser. Renversez-la ensuite sur une planche soigneusement enfarinée et abaissez-la délicatement de manière à former un rectangle plus large de 3/4" (2 cm) que la circonférence du saucisson et plus long de 4" (10 cm) que le saucisson. Arrondissez les coins du rectangle. Ramenez la pâte sur le saucisson et scellez en badigeonnant d'oeuf battu dans un peu d'eau et en pressant là où les côtés se joignent. Ramenez les pans sur les extrémités du saucisson et scellez en badigeonnant. Roulez sur une tôle à cuisson graissée; dissimulez la lisière scellée sous le saucisson. Décorez le dessus avec les retailles de pâte. Badigeonnez en entier d'oeuf battu dans l'eau. Faites cuire de 30 à 40 minutes au four à 375°F (190°C) ou jusqu'à ce que la croûte soit dorée. Tranchez pour servir.

Roue du soleil

Cette tresse de pain complexe rehausse par sa munificence un repas comme celui de l'Action de grâces, qu'elle soit seule au centre de la table ou accompagnée d'autres variétés de pain. Une de mes amies en a accroché une au mur de sa cuisine. Elle se conserve indéfiniment dans une atmosphère sèche.

1 c. à soupe (15 mL) de levure sèche
1 c. à café (5 mL) de sucre
2 1/2 tasses (625 mL) d'eau tiède
1 c. à soupe (15 mL) de sel
1/4 de tasse (60 mL) d'huile
farine

Activez la levure avec le sucre dans l'eau tiède. Une fois la levure bien activée, ajoutez l'huile, le sel et, en mélangeant, suffisamment de farine pour produire une pâte plutôt rigide. Pétrissez sur une planche légèrement enfarinée jusqu'à consistance lisse et élastique. Mettez dans un bol graissé; couvrez et laissez lever jusqu'à obtention du double du volume. Abaissez et laissez lever de nouveau. Renversez, pétrissez une minute ou deux et divisez en trois parts égales. Recouvrez deux de ces parts avec le bol renversé.

Servez-vous comme étalon de mesure d'un grand plat rond ou d'un bol à mélanger d'environ 14" (35 cm) de diamètre. Graissez et enfarinez une grande tôle à cuisson. Déposez le plat sur la tôle et tracez tout autour un cercle dans la farine avec le manche d'une cuiller. Mesurez la circonférence du cercle. Abaissez la première part de pâte de manière à obtenir une bande à peine plus longue que la circonférence du cercle. Coupez cette bande dans le sens de la longueur pour former trois longues lanières. Tressez étroitement. Disposez la tresse sur la trace du cercle de la tôle à cuisson et joignez-en les extrémités en les pressant fortement ensemble. À partir du point de jonction des extrémités, marquez quatre autres points à égale distance les uns des autres sur le cercle tressé.

Roulez entre vos mains la deuxième part de pâte pour former une corde de la même longueur à peu près que la tresse. À partir du point de jonction des extrémités de la tresse, enroulez la corde autour de la tresse de façon à cacher ce point. Tordez la corde deux fois sur elle-même et amenez chacune de ses extrémités à l'un et à l'autre des points les plus éloignés indiqués sur la tresse. Enroulez autour de celle-ci à l'emplacement de ces points, tordez deux fois la corde sur elle-même et ramenez-en les extrémités libres jusqu'aux deux derniers points indiqués. Répétez l'opération, puis joignez les deux bouts. La tresse renferme maintenant une étoile à cinq branches.

Roulez entre vos mains la troisième part de pâte pour former une corde à peine plus courte que la précédente. À partir du point de jonction des extrémités de la corde, enroulez la seconde corde autour de la première de manière à cacher ce point et tordez la corde trois fois sur elle-même. Amenez chacune des extrémités aux deux points correspondants les plus éloignés sur le centre de la première corde, enroulez-les autour de celle-ci et tordez la corde sur elle-même trois fois. Répétez l'opération une seconde fois et joignez les extrémités en les pinçant fermement ensemble. Une deuxième étoile à cinq branches se trouve maintenant au centre de la première.

Corrigez de façon à ce que la roue soit symétrique et cachez les bouts qui dépassent. Badigeonnez soigneusement le tout avec un oeuf battu dans un peu d'eau. Mettez immédiatement au four et faites cuire environ 20 minutes à 425°F (218°C) ou jusqu'à ce que la pâte soit brun doré. Retirez soigneusement de la tôle et laissez refroidir sur une grille.

N.B.: Il sera plus facile de manipuler les cordes si elles sont saupoudrées d'un peu de farine de riz pour les empêcher d'adhérer les unes aux autres.

" Scuffle à la levure "

J'ai découvert la recette que voici dans un carnet de recettes transcrites à la main il y a une cinquantaine d'années. Je suis certaine que le premier mot devrait être soufflé, mais comme il ne s'agit pas d'un véritable soufflé, j'ai décidé de conserver le titre tel que je l'ai trouvé.

Croûte

1 c. à soupe (15 mL) de levure sèche
1 c. à café (5 mL) de sucre
3/4 de tasse (175 mL) d'eau tiède
1/4 de tasse (60 mL) de beurre fondu
1 c. à café (5 mL) de sel
2 jaunes d'oeuf
2 blancs d'oeuf
3/4 de tasse (175 mL) de farine

Garniture

2 tasses (500 mL) de poisson cuit en morceaux
2 c. à soupe (30 mL) de beurre
1 1/2 tasse (375 mL) de bouillon de cuisson
2 c. à soupe (30 mL) de crème épaisse
1/4 de c. à café (1 mL) de poivre blanc

Activez la levure avec le sucre dans l'eau tiède. Une fois la levure bien activée, ajoutez le beurre fondu, le sel, les jaunes d'oeuf battus et la farine. Battez vigoureusement; couvrez et laissez lever jusqu'à obtention du double du volume. Entre-temps, apprêtez le fond. Comme poisson, on peut choisir de la morue, de l'aiglefin, du saumon ou de l'omble arctique. On peut aussi se servir de pétoncles ou de crevettes. À défaut de bouillon de cuisson, un mélange de jus de palourdes et de vin blanc en quantité suffisante pour remplir 1 1/2 tasse (375 mL) donne une excellente sauce. Faites fondre le beurre dans un poêlon épais et, quand il devient écumeux, incorporez-y la farine en mélangeant. Mettez à cuire sans rouir jusqu'à ce que les granules de farine soient dissoutes et que le mélange ait une consistance très légère. En mélangeant constamment, versez lentement le liquide. Faites cuire à feu doux sans cesser de remuer. Servez-vous d'une tige métallique si des grumeaux se forment. Une fois le mélange épaissi, ajoutez-y le poivre; retirez du feu et ajoutez la crème, puis le poisson cuit et transvidez dans une casserole graissée de 2 1/2 pintes (2,5 L).

Une fois la pâte levée, abaissez-la à la cuiller. Montez les oeufs en neige et intégrez-les à la pâte à l'aide d'une cuiller. Versez sur le mélange de poisson et mettez immédiatement au four à 400°F (204°C). Après 10 minutes, réduisez la température à 250°F (219°C) et remettez à cuire 30 minutes. Servez aussitôt cuit.

BIBLIOGRAPHIE

Livres

Bailey, Adrian, *The Blessings of Bread,* Paddington Press, 1975

Beard, James, *Beard on Bread,* Knopf, 1974

Bumgarner, Marlene Anne, *The Book of Whole Grains,* St. Martin's Press, 1976

David, Elizabeth, *English Bread and Yeast Cookery,* Penguin, 1977

Fremes, Ruth et Sabry, Zak, *Nutriscore,* Agincourt, 1976

Gougeon, Helen, *Original Canadian Cookbook,* Tundra

Institut de Tourisme et d'Hôtellerie du Québec, *Vers une nouvelle cuisine québécoise,* La documentation québécoise, 1977

Kaufman, Jean et Kaufman, Ted, *The Complete Bread Cookbook,* Coronet Communications, 1969

Kent-Jones, D.W. et Price, John, *The Practice and Science of Bread Making,* Northern Press, 1951

Kraus, Barbara, *Guide to Fibre in Foods,* Signet, 1975

Margolius, Sidney, *Health Foods: Facts and Fakes,* Walker & Co., 1973

Stevens, G.R., *Ogilvie in Canada: Pioneer Millers* (édition privée)

Stewart, Walter, *Hard to Swallow,* Macmillan of Canada, 1974

Wiseman, Ann, *Bread Sculpture: The Edible Art,* 101 Publications, 1975

Brochures

Bakery Council of Canada, *Flour Power*

Five Roses Flour:

— *Brown Is Beautiful*
— *From Wheat to Flour*

Kellog Salada Canada Ltd., *Fibre Fact Sheet*

Lake of the Woods Milling Co. Ltd., *A Guide to Good Baking*

Maple Leaf Mills Ltd.:
— *Homemade Bread*
— *The Land of Wheat and Flour*

Robin Hood Multifoods Ltd.:
— *Bread and Roll Mix Receipes*
— *Good Baking*
— *Instant Baking*

Standard Brands, *Creative World of Baking*

Journaux et mémoires

Bates, Caroline, "San Francisco Sourdough," *Gourmet,* novembre 1978

Goldenberg, Miriam: "A Nutritional Report on Bread" (exposé présenté pour un cours, NURS L213), juillet 1978

Ojakangas, Beatrice: "Danish Pastry — Classic and Rapid Modern Methods", *Cooking,* janvier-février 1979

Index des recettes

Table des matières

Achevé d'imprimer sur les presses de

L'IMPRIMERIE ELECTRA*
*Division de l'A.D.P. Inc.

pour

LES ÉDITIONS DE L'HOMME*
*Division de Sogides Ltée

Imprimé au Canada/Printed in Canada

ART CULINAIRE

101 omelettes, Marycette Claude
L'art d'apprêter les restes, Suzanne Lapointe
L'art de la cuisine chinoise, Stella Chan
La bonne table, Juliette Huot
La brasserie la mère Clavet vous présente ses recettes, Léo Godon
Canapés et amuse-gueule
Les cocktails de Jacques Normand, Jacques Normand
Les confitures, Misette Godard
Les conserves, Soeur Berthe
La cuisine aux herbes
La cusine chinoise, Lizette Gervais
La cuisine de maman Lapointe, Suzanne Lapointe
La cuisine de Pol Martin, Pol Martin
La cuisine des 4 saisons, Hélène Durand-LaRoche
La cuisine en plein air, Hélène Doucet Leduc
La cuisine micro-ondes, Jehane Benoit
Cuisiner avec le robot gourmand, Pol Martin
Du potager à la table, Paul Pouliot et Pol Martin
En cuisinant de 5 à 6, Juliette Huot
Fondue et barbecue
Fondues et flambées de maman Lapointe, S. et L. Lapointe
Les fruits, John Goode
La gastronomie au Québec, Abel Benquet
La grande cuisine au Pernod, Suzanne Lapointe
Les grillades
Hors-d'oeuvre, salades et buffets froids, Louis Dubois
Les légumes, John Goode
Liqueurs et philtres d'amour, Hélène Morasse
Ma cuisine maison, Jehane Benoit
Madame reçoit, Hélène Durand-LaRoche
La pâtisserie, Maurice-Marie Bellot
Poissons et crustacés
Poissons et fruits de mer, Soeur Berthe
Le poulet à toutes les sauces, Monique Thyraud de Vosjoli
Les recettes à la bière des grandes cuisines Molson, Marcel L. Beaulieu
Recettes au blender, Juliette Huot
Recettes de gibier, Suzanne Lapointe
Les recettes de Juliette, Juliette Huot
Les recettes de maman, Suzanne Lapointe
Les techniques culinaires, Soeur Berthe Sansregret
Vos vedettes et leurs recettes, Gisèle Dufour et Gérard Poirier
Y'a du soleil dans votre assiette, Francine Georget

DOCUMENTS — BIOGRAPHIES

Action Montréal, Serge Joyal
L'architecture traditionnelle au Québec, Yves Laframboise
L'art traditionnel au Québec, M. Lessard et H. Marquis
Artisanat québécois 1, Cyril Simard
Artisanat Québécois 2, Cyril Simard
Artisanat Québécois 3, Cyril Simard
Les bien-pensants, Pierre Berton
La chanson québécoise, Benoît L'Herbier
Charlebois, qui es-tu? Benoit L'Herbier
Le comité, M. et P. Thyraud de Vosjoli
Deux innocents en Chine rouge, Jacques Hébert et Pierre E. Trudeau
Duplessis, tome 1: L'ascension, Conrad Black
Les mammifères de mon pays, St-Denys, Duchesnay et Dumais
Margaret Trudeau, Felicity Cochrane
Masques et visages du spiritualisme contemporain, Julius Evola
Mon calvaire roumain, Michel Solomon
Les moulins à eau de la vallée du Saint-Laurent, F. Adam-Villeneuve et C. Felteau
Mozart raconté en 50 chefs-d'oeuvre, Paul Roussel
La musique au Québec, Willy Amtmann
Les objets familiers de nos ancêtres, Vermette, Genêt, Décarie-Audet
L'option, J.-P. Charbonneau et G. Paquette
Option Québec, René Lévesque

Duplessis, tome 2: Le pouvoir Conrad Black
La dynastie des Bronfman, Peter C. Newman
Les écoles de rasb au Québec, Jacques Dorion
Égalité ou indépendance, Daniel Johnson
Envol — Départ pour le début du monde, Daniel Kemp
Les épaves du Saint-Laurent, Jean Lafrance
L'ermite, T. Lobsang Rampa
Le fabuleux Onassis, Christian Cafarakis
La filière canadienne, Jean-Pierre Charbonneau
Le grand livre des antiquités, K. Bell et J. et E. Smith
Un homme et sa mission, Le Cardinal Léger en Afrique
Information voyage, Robert Viau et Jean Daunais
Les insolences du Frère Untel, Frère Untel
Lamia, P.L. Thyraud de Vosjoli
Magadan, Michel Solomon
La maison traditionnelle au Québec, Michel Lessard et Gilles Vilandré
La maîtresse, W. James, S. Jane Kedgley
Les papillons du Québec, B. Prévost et C. Veilleux
La petite barbe. J'ai vécu 40 ans dans le Grand Nord, André Steinmann
Pour entretenir la flamme, T. Lobsang Rampa
Prague l'été des tanks, Desgraupes, Dumayet, Stanké
Premiers sur la lune, Armstrong, Collins, Aldrin Jr
Phovencher, le dernier des coureurs de bois, Paul Provencher
Le Québec des libertés, Parti Libéral du Québec
Révolte contre le monde moderne, Julius Evola
Le struma, Michel Solomon
Le temps des fêtes, Raymond Montpetit
Le terrorisme québécois, Dr Gustave Morf
La treizième chandelle, T. Lobsang Rampa
La troisième voie, Emile Colas
Les trois vies de Pearson, J.-M. Poliquin, J.R. Beal
Trudeau, le paradoxe, Anthony Westell
Vizzini, Sal Vizzini
Le vrai visage de Duplessis, Pierre Laporte

ENCYCLOPÉDIES

L'encyclopédie de la chasse, Bernard Leiffet
Encyclopédie de la maison québécoise, M. Lessard, H. Marquis
Encyclopédie des antiquités du Québec, M. Lessard, H. Marquis
Encyclopédie des oiseaux du Québec, W. Earl Godfrey
Encyclopédie du jardinier horticulteur, W.H. Perron
Encyclopédie du Québec, vol. I, Louis Landry
Encyclopédie du Québec, vol. II, Louis Landry

LANGUE

Améliorez votre français, Professeur Jacques Laurin
L'anglais par la méthode choc, Jean-Louis Morgan
Corrigeons nos anglicismes, Jacques Laurin
Notre français et ses pièges, Jacques Laurin
Petit dictionnaire du joual au français, Augustin Turenne
Les verbes, Jacques Laurin

LITTÉRATURE

22 222 milles à l'heure, Geneviève Gagnon
Aaron, Yves Thériault
Adieu Québec, André Bruneau
Agaguk, Yves Thériault
L'allocutaire, Gilbert Langlois
Les Berger, Marcel Cabay-Marin
Bigaouette, Raymond Lévesque
Le bois pourri, Andrée Maillet
Bousille et les justes (Pièce en 4 actes), Gratien Gélinas
Cap sur l'enfer, Ian Slater
Les carnivores, François Moreau
Carré Saint-Louis, Jean-Jules Richard
Les cent pas dans ma tête, Pierre Dudan
Centre-ville, Jean-Jules Richard
Chez les termites, Madeleine Ouellette-Michalska
Les commettants de Caridad, Yves Thériault
Cul-de-sac, Yves Thériault
D'un mur à l'autre, Paul-André Bibeau
Danka, Marcel Godin
La débarque, Raymond Plante
Les demi-civilisés, Jean-C. Harvey
Le dernier havre, Yves Thériault
Le domaine Cassaubon, Gilbert Langlois
Le dompteur d'ours, Yves Thériault
Le doux mal, Andrée Maillet
Échec au réseau meurtrier, Ronald White
L'emprise, Gaétan Brulotte
L'engrenage, Claudine Numainville
En hommage aux araignées, Esther Rochon
Et puis tout est silence, Claude Jasmin
Exodus U.K., Richard Rohmer
Exxoneration, Richard Rohmer
Faites de beaux rêves, Jacques Poulin
La fille laide, Yves Thériault
Fréquences interdites, Paul-André Bibeau
La fuite immobile, Gilles Archambault
J'parle tout seul quand Jean Narrache, Emile Coderre
Le jeu des saisons, M. Ouellette-Michalska
Joey et son 29e meurtre, Joey
Joey tue, Joey
Joey, tueur à gages, Joey
Lady Sylvana, Louise Morin
La marche des grands cocus, Roger Fournier
Moi ou la planète, Charles Montpetit
Le monde aime mieux..., Clémence DesRochers
Monsieur Isaac, G. Racette et N. de Bellefeuille
Mourir en automne, Claude DeCotret
N'tsuk, Yves Thériault
Neuf jours de haine, Jean-Jules Richard
New Medea, Monique Bosco
L'ossature, Robert Morency
L'outaragasipi, Claude Jasmin
La petite fleur du Vietnam, Clément Gaumont
Pièges, Jean-Jules Richard
Porte silence, Paul-André Bibeau
Porte sur l'enfer, Michel Vézina
Requiem pour un père, François Moreau
La scouine, Albert Laberge
Séparation, Richard Rohmer
Si tu savais..., Georges Dor
Les silences de la Croix-du-Sud, Daniel Pilon
Tayaout — fils d'Agaguk, Yves Thériault
Les temps du carcajou, Yves Thériault
Tête blanche, Marie-Claire Blais
Tit-Coq, Gratien Gélinas
Les tours de Babylone, Maurice Gagnon
Le trou, Sylvain Chapdelaine
Ultimatum, Richard Rohmer
Un simple soldat, Marcel Dubé
Valérie, Yves Thériault
Les vendeurs du temple, Yves Thériault
Les visages de l'enfance, Dominique Blondeau
La vogue, Pierre Jeancard

LIVRES PRATIQUES — LOISIRS

8/super 8/16, André Lafrance
L'ABC du marketing, André Dahamni
Initiation au système métrique, Louis Stanké

Les abris fiscaux, Robert Pouliot et al.
Améliorons notre bridge, Charles A. Durand
Les appareils électro-ménagers
Apprenez la photographie avec Antoine Desilets, Antoine Desilets
L'art du dressage de défense et d'attaque, Gilles Chartier
Bien nourrir son chat, Christian d'Orangeville
Bien nourrir son chien, Christian d'Orangeville
Les bonnes idées de maman Lapointe, Lucette Lapointe
Le bricolage, Jean-Marc Doré
Le bridge, Viviane Beaulieu
Le budget, En collaboration
100 métiers et professions, Guy Milot
Les chaînes stéréophoniques, Gilles Poirier
La chasse photographique, Louis-Philippe Coiteux
Ciné-guide, André Lafrance
Collectionner les timbres, Yves Taschereau
Comment aménager une salle de séjour
Comment tirer le maximum d'une minicalculatrice, Henry Mullish
Comment amuser nos enfants, Louis Stanké
Conseils aux inventeurs, Raymond-A. Robic
Le cuir, L. Saint-Hilaire, W. Vogt
La danse disco, Jack et Kathleen Villani
Décapage, rembourrage et finition des meubles, Bricolage maison
La décoration intérieure, Bricolage maison
La dentelle, Andrée-Anne de Sève
Dictionnaire des affaires, Wilfrid Lebel
Dictionnaire des mots croisés. Noms communs, Paul Lasnier
Dictionnaire des mots croisés. Noms propres, Piquette, Lasnier et Gauthier
Dictionnaire économique et financier, Eugène Lafond
Dictionnaire raisonné des mots croisés, Jacqueline Charron
Distractions mathématiques, Charles E. Jean
Entretenir et embellir sa maison
Entretien et réparation de la maison
L'étiquette du mariage, Fortin-Jacques-St-Denis-Farley
Fabriquer soi-même des meubles
Je développe mes photos, Antoine Desilets
Je prends des photos, Antoine Desilets
Le jeu de la carte et ses techniques, Charles-A. Durand
Les jeux de cartes, George F. Hervey
Les jeux de dés, Skip Frey
Jeux de société, Louis Stanké
Les lignes de la main, Louis Stanké
La loi et vos droits, Me Paul-Emile Marchand
Magie et tours de passe-passe, Ian Adair
La magie par la science, Walter B. Gibson
Manuel de pilotage,
Le massage, Byron Scott
Mathématiques modernes pour tous, Guy Bourbonnais
La mécanique de mon auto, Time-Life Book
La menuiserie: les notions de base
La météo, Alcide Ouellet
Les meubles
La nature et l'artisanat, Soeur Pauline Roy
Les noeuds, George Russel Shaw
La p'tite ferme, Jean-Claude Trait
Les outils électriques: quand et comment les utiliser
Les outils manuels: quand et comment les utiliser
L'ouverture aux échecs, Camille Coudari
Payez moins d'impôt, Robert Pouliot
Petit manuel de la femme au travail, Lise Cardinal
Les petits appareils électriques
La photo de A à Z, Desilets, Coiteux, Gariépy
Photo-guide, Antoine Desilets
Piscines, barbecues et patios
Poids et mesures calcul rapide, Louis Stanké
Races de chats, chats de race, Christian d'Orangeville
Races de chiens, chiens de race, Dr Christian d'Orangeville
Les règles d'or de la vente, George N. Kahn
Le savoir-vivre d'aujourd'hui, Marcelle Fortin-Jacques
Savoir-vivre, Nicole Germain
Scrabble, Daniel Gallez
Le/la secrétaire bilingue, Wilfrid Lebel
Le squash, Jim Rowland
La tapisserie, T.M. Perrier, N.B. Langlois

Fins de partie aux dames, H. Tranquille, G. Lefebvre
Le fléché, F. Bourret, L. Lavigne
La fourrure, Caroline Labelle
Gagster, Claude Landré
Le guide complet de la couture, Lise Chartier
Guide du propriétaire et du locataire, M. Bolduc, M. Lavigne, J. Giroux
Guide du véhicule de loisir, Daniel Héraud
La guitare, Peter Collins
L'hypnotisme, Jean Manolesco
La taxidermie, Jean Labrie
Technique de la photo, Antoine Desilets
Tenir maison, Françoise Gaudet-Smet
Terre cuite, Robert Fortier
Tout sur le macramé, Virginia I. Harvey
Les trouvailles de Clémence, Clémence Desrochers
Vivre, c'est vendre, Jean-Marc Chaput
Voir clair aux dames, H. Tranquille, G. Lefebvre
Voir clair aux échecs, Henri Tranquille
Votre avenir par les cartes, Louis Stanké
Votre discothèque, Paul Roussel

PLANTES — JARDINAGE

Arbres, haies et arbustes, Paul Pouliot
La culture des fleurs, des fruits et des légumes
Dessiner et aménager son terrain
Le jardinage, Paul Pouliot
Je décore avec des fleurs, Mimi Bassili
Les plantes d'intérieur, Paul Pouliot
Les techniques du jardinage, Paul Pouliot
Les terrariums, Ken Kayatta et Steven Schmidt
Votre pelouse, Paul Pouliot

PSYCHOLOGIE — ÉDUCATION

Aidez votre enfant à lire et à écrire, Louise Doyon-Richard
L'amour de l'exigence à la préférence, Lucien Auger
Caractères et tempéraments, Claude-Gérard Sarrazin
Les caractères par l'interprétation des visages, Louis Stanké
Comment animer un groupe, Collaboration
Comment vaincre la gêne et la timidité, René-Salvator Catta
Communication et épanouissement personnel, Lucien Auger
Complexes et psychanalyse, Pierre Valinieff
Contact, Léonard et Nathalie Zunin
Cours de psychologie populaire, Fernand Cantin
Découvrez votre enfant par ses jeux, Didier Calvet
La dépression nerveuse, En collaboration
Futur père, Yvette Pratte-Marchessault
Hatha-yoga pour tous, Suzanne Piuze
Interprétez vos rêves, Louis Stanké
J'aime, Yves Saint-Arnaud
Le langage de votre enfant, Professeur Claude Langevin
Les maladies psychosomatiques, Dr Roger Foisy
La méditation transcendantale, Jack Forem
La personne humaine, Yves Saint-Arnaud
La première impression, Chris L. Kleinke
Préparez votre enfant à l'école, Louise Doyon-Richard
Relaxation sensorielle, Pierre Gravel
S'aider soi-même, Lucien Auger
Savoir organiser: savoir décider, Gérald Lefebvre
Se comprendre soi-même, Collaboration
Se connaître soi-même, Gérard Artaud
La séparation du couple, Dr Robert S. Weiss

Le développement psychomoteur du bébé, Didier Calvet
Développez votre personnalité, vous réussirez, Sylvain Brind'Amour
Les douze premiers mois de mon enfant, Frank Caplan
Dynamique des groupes, J.-M. Aubry, Y. Saint-Arnaud
Être soi-même, Dorothy Corkille Briggs
Le facteur chance, Max Gunther
La femme après 30 ans, Nicole Germain
Vaincre ses peurs, Lucien Auger
La volonté, l'attention, la mémoire, Robert Tocquet
Vos mains, miroir de la personnalité, Pascale Maby
Vouloir c'est pouvoir, Raymond Hull
Yoga, corps et pensée, Bruno Leclercq
Le yoga des sphères, Bruno Leclercq
Le yoga, santé totale, Guy Lescouflair

SEXOLOGIE

L'adolescent veut savoir, Dr Lionel Gendron
L'adolescente veut savoir, Dr Lionel Gendron
L'amour après 50 ans, Dr Lionel Gendron
La contraception, Dr Lionel Gendron
Les déviations sexuelles, Dr Yvan Léger
La femme enceinte et la sexualité, Elisabeth Bing, Libby Colman
La femme et le sexe, Dr Lionel Gendron
Helga, Eric F. Bender
L'homme et l'art érotique, Dr Lionel Gendron
Les maladies transmises par relations sexuelles, Dr Lionel Gendron
La mariée veut savoir, Dr Lionel Gendron
La ménopause, Dr Lionel Gendron
La merveilleuse histoire de la naissance, Dr Lionel Gendron
Qu'est-ce qu'un homme?, Dr Lionel Gendron
Qu'est-ce qu'une femme?, Dr Lionel Gendron
Quel est votre quotient psycho-sexuel?, Dr Lionel Gendron
La sexualité, Dr Lionel Gendron
La sexualité du jeune adolescent, Dr Lionel Gendron
Le sexe au féminin, Carmen Kerr
Yoga sexe, S. Piuze et Dr L. Gendron

SPORTS

L'ABC du hockey, Howie Meeker
Aïkido — au-delà de l'agressivité, M. N.D. Villadorata et P. Grisard
Les armes de chasse, Charles Petit-Martinon
La bicyclette, Jeffrey Blish
Les Canadiens, nos glorieux champions, D. Brodeur et Y. Pedneault
Canoë-kayak, Wolf Ruck
Carte et boussole, Bjorn Kjellstrom
Comment se sortir du trou au golf, L. Brien et J. Barrette
Le conditionnement physique, Chevalier, Laferrière et Bergeron
Devant le filet, Jacques Plante
En forme après 50 ans, Trude Sekely
Nadia, Denis Brodeur et Benoît Aubin
La natation de compétition, Régent LaCoursière
La navigation de plaisance au Québec, R. Desjardins et A. Ledoux
Mes observations sur les insectes, Paul Provencher
Mes observations sur les mammifères, Paul Provencher
Mes observations sur les oiseaux, Paul Provencher
Mes observations sur les poissons, Paul Provencher.
La pêche à la mouche, Serge Marleau
La pêche au Québec, Michel Chamberland

En superforme, Dr Pierre Gravel, D.C.
Entraînement par les poids et haltères, Frank Ryan
Exercices pour rester jeune, Trude Sekely
Exercices pour toi et moi, Joanne Dussault-Crobeil
La femme et le karaté samouraï, Roger Lesourd
Le français au football, Ligue canadienne de football
Le guide du judo (technique au sol), Louis Arpin
Le guide du judo (technique debout), Louis Arpin
Le guide du self-defense, Louis Arpin
Guide du trappeur, Paul Provencher
Initiation à la plongée sous-marine, René Goblot
J'apprends à nager, Régent LaCoursière
Le jeu défensif au hockey, Howie Meeker
Jocelyne Bourassa, D. Brodeur et J. Barrette
Le jogging, Richard Chevalier
Le karaté, Yoshinao Nanbu
Le kung-fu, Roger Lesourd
La lutte olympique, Marcel Sauvé, Ronald Ricci
Maurice Richard, l'idole d'un peuple, Jean-Marie Pellerin
Mon coup de patin, le secret du hockey, John Wild
Les pistes de ski de fond au Québec, C. Veilleux et B. Prévost
Programme XBX de l'Aviation royale du Canada
Puissance au centre, Jean Béliveau, Hugh Hood
La raquette, W. Osgood et L. Hurley
Le ski, Willy Schaffler et Erza Bowen
Le ski avec Nancy Greene, Nancy Greene et Al Raine
Le ski de fond, John Caldwell
Le ski nautique, G. Athans Jr et C. Ward
La stratégie au hockey, John Meagher
Les surhommes du sport, Maurice Desjardins
Techniques du billard, Pierre Morin
Techniques du golf, Luc Brien et Jacques Barrette
Techniques du hockey en U.R.S.S., André Ruel et Guy Dyotte
Techniques du tennis, Ellwanger
Le tennis, William F. Talbert
Tous les secrets de la chasse, Michel Chamberland
Le troisième retrait, C. Raymond et M. Gaudette
Vivre en forêt, Paul Provencher
Vivre en plein air camping-caravaning, Pierre Gingras
La voie du guerrier, Massimo N. di Villadorata
La voile, Nick Kebedgy

Imprimé au Canada
Printed in Canada